LE CERVEAU
DE KENNEDY

Henning Mankell

LE CERVEAU
DE KENNEDY

roman

TRADUIT DU SUÉDOIS
PAR RÉMI CASSAIGNE

ÉDITIONS DU SEUIL
27, rue Jacob, Paris VIe

CE LIVRE EST ÉDITÉ PAR ANNE FREYER-MAUTHNER

Titre original : *Kennedys hjärna*
Éditeur original : Leopard Förlag, Stockholm
© original : 2005, Henning Mankell
ISBN original : 91-7343-083-8

Cette traduction est publiée en accord avec
l'agence littéraire Leonhardt & Høier, Copenhague

ISBN 978-2-02-086564-7

www.editionsduseuil.fr

À Ellen et Ingmar

Première partie

L'impasse du Christ

Il faut montrer l'échec en pleine lumière, et non l'enterrer, car c'est par l'échec qu'on devient un être humain. Celui qui ne comprend pas ses échecs n'est porteur d'aucun avenir.

AKSEL SANDEMOSE

La catastrophe se produisit à l'automne, et s'abattit sur elle à l'improviste. Pas une ombre, pas un bruit. Elle ne vit rien venir.

Comme si elle était tombée dans une embuscade au fond d'une ruelle obscure. Elle allait devoir quitter ses fouilles pour une réalité dont elle ne s'était jamais souciée, un monde où personne ne s'intéressait aux tombes grecques de l'âge de bronze.

Elle avait passé sa vie d'archéologue accroupie dans des tranchées poussiéreuses, ou penchée sur des tessons de vase à essayer d'en reconstituer le puzzle. Elle les avait aimées, ses ruines, sans jamais s'apercevoir que le monde était sur le point de s'effondrer autour d'elle.

Aucun avertissement. La Tragédie avait eu la langue coupée. Elle n'avait pas pu crier gare.

La veille de son départ pour la Suède, où elle devait participer à un séminaire sur ses fouilles en cours, Louise Cantor s'entailla profondément le pied gauche en marchant sur un tesson de poterie qui traînait dans la salle de bains. Elle saigna beaucoup. En voyant le sang couler sur le carrelage, elle se sentit mal.

Elle se trouvait à Argos, dans le Péloponnèse, c'était le mois de septembre et la campagne de fouilles allait bientôt s'achever pour l'année. Un vent en faibles rafales annonçait déjà le froid de l'hiver. La chaleur sèche chargée des parfums de thym et de romarin était sur le point de disparaître.

Tandis qu'elle arrêtait l'hémorragie et se posait un pansement, elle fut assaillie par un souvenir.

Un clou rouillé qui avait transpercé son pied de part en part, pas celui où elle venait de se couper, mais l'autre, le pied droit. Elle devait avoir cinq ou six ans, le clou rouillé avait déchiré la peau et la chair, traversé son talon, comme si elle avait été embrochée sur un pieu. Elle avait hurlé de terreur, à l'idée qu'elle subissait la même souffrance que l'homme pendu sur la croix au fond de l'église, où parfois elle allait jouer toute seule à se faire peur.

Ces pieux affûtés nous transpercent, pensa-t-elle en essuyant le sang sur le carrelage craquelé. Une femme vit toujours à proximité de toutes ces pointes prêtes à blesser ce qu'elle essaie de protéger.

Elle gagna en boitillant la partie de la maison où elle travaillait et dormait. Dans un coin, il y avait un fauteuil à bascule qui grinçait et un tourne-disque. Le fauteuil lui avait été offert par le vieux Leandros, le gardien de nuit. Quand les fouilles suédoises avaient commencé à Argos, dans les années trente, Leandros était déjà là, enfant pauvre mais curieux. À présent, quand il montait la garde, la nuit, sur la colline de Mastos, il dormait comme une souche. Mais tous ceux qui travaillaient là prenaient sa défense. Leandros était une mascotte. S'il venait à disparaître, toute tentative future de fouilles serait menacée. Leandros était devenu un ange gardien édenté et le plus souvent assez crasseux.

Louise Cantor s'assit dans le fauteuil à bascule et regarda son pied tailladé. Elle sourit en pensant à Leandros. La plupart des archéologues qu'elle connaissait étaient d'affreux mécréants qui ne voyaient dans les administrations rien d'autre que des obstacles les empêchant de poursuivre leurs fouilles. Aucun de ces dieux qui depuis longtemps ne signifiaient plus rien pour eux ne pouvait influencer les décisions de lointaines autorités suédoises qui accordaient ou refusaient les crédits archéologiques. La bureaucratie était un monde souterrain avec ses entrées et ses sorties, mais rien entre : les décisions qui finissaient par atterrir en Grèce dans la chaleur des tranchées étaient souvent très difficiles à comprendre.

Un archéologue fouille toujours animé d'un double espoir, pensa-t-elle. Nous ne savons jamais si nous trouvons ce que nous cherchons, ou si nous cherchons ce que nous trouvons. Si nous tombons juste, c'est que nous avons eu beaucoup de chance. En plus, nous ne savons jamais si nous aurons l'autorisation et l'argent pour continuer à pénétrer dans les mondes merveilleux que révèlent les ruines, ou si les mamelles ne vont pas brusquement se tarir.

Elle comparait volontiers ses autorités de tutelle à des vaches à lait aux mamelles capricieuses.

Elle regarda sa montre. Vingt heures quinze en Grèce, une heure de moins qu'en Suède. Elle saisit le téléphone et fit le numéro de son fils à Stockholm.

Personne. Les yeux fermés, elle écouta sa voix sur le répondeur.

Cette voix l'apaisait : « Ceci est un répondeur téléphonique, et vous savez ce qu'il vous reste à faire. This is an answering machine and you know what to do. Henrik. »

Elle laissa un message : « N'oublie pas que je rentre. Je passe deux jours à Visby pour causer âge de bronze. Ensuite je serai à Stockholm. Je t'aime. À bientôt. Je te rappelle peut-être un peu plus tard. Sinon, quand j'arrive à Visby. »

Elle alla chercher le tesson qui lui avait ouvert le pied. C'était une de ses plus proches collaboratrices qui l'avait trouvé, une étudiante passionnée, de l'université de Lund. Un éclat de poterie comme des millions d'autres, un morceau de poterie attique, provenant selon ses estimations d'un vase fabriqué avant la domination de la couleur rouge, au début du quatrième siècle avant notre ère.

Elle imaginait les tessons de poterie comme les pièces d'un puzzle, se représentait en entier des objets qu'elle ne pourrait peut-être jamais reconstruire. Elle le glissa dans sa valise : elle en ferait cadeau à Henrik.

Comme d'habitude, elle se sentait anxieuse à l'approche du départ. Pour tromper son impatience, elle décida de changer le programme de sa soirée. Avant de se coupler, elle avait pensé consacrer quelques heures à l'article qu'elle préparait sur la céramique attique, mais, pour l'heure, elle éteignit la lampe de son bureau, mit un disque et se laissa retomber dans le fauteuil à bascule.

Comme chaque fois qu'elle écoutait de la musique, les chiens de Mitsos se mirent à aboyer dans le noir. Mitsos était son voisin, un célibataire qui possédait la petite maison qu'elle louait. La plupart de ses collaborateurs habitaient au centre d'Argos, mais elle avait choisi de rester à proximité des fouilles.

Elle s'était presque endormie. Soudain elle sursauta : elle ne voulait pas rester seule. Elle baissa le volume et appela Vassilis. Il avait promis de la conduire à l'aéroport d'Athènes le lendemain. Comme le vol Lufthansa pour Francfort partait très tôt, ils devraient se mettre en route dès cinq heures. Elle ne pourrait pas dormir : autant avoir de la compagnie.

Elle regarda sa montre : Vassilis devait encore être à son bureau. Une de leurs rares disputes avait concerné son métier de comptable. Elle avait manqué de tact, elle le savait.

Elle se souvenait encore exactement de ce qu'elle avait dit, une méchanceté qui lui avait échappé :

« Le pire des métiers ! Tellement mort et desséché, bon à brûler. »

Il avait été surpris, triste peut-être, et surtout en colère. À cet instant précis, elle avait compris qu'il n'était pas qu'un partenaire sexuel, mais aussi un homme avec lequel elle aimait partager son temps libre, notamment parce qu'il ne s'intéressait pas du tout à l'archéologie. Elle avait craint de l'avoir blessé au point qu'il veuille rompre, mais elle était parvenue à le convaincre que ce n'était qu'une plaisanterie.

«Le monde est gouverné par des livres de comptes, avait-elle dit. Les livres de comptes sont la liturgie de notre temps, les comptables en sont les grands prêtres.»

Elle composa le numéro. Occupé. Elle se balança doucement dans le fauteuil. Le hasard avait mis Vassilis sur son chemin. Les rencontres importantes ne sont-elles pas toujours le fruit du hasard ?

Son premier amour l'avait prise en stop un jour qu'elle était allée rendre visite à une amie à Hede et avait manqué l'autorail pour Sveg. Emil était roux, chassait l'ours, construisait des maisons et traversait parfois de longues périodes de mélancolie. Il était arrivé dans une vieille camionnette, elle avait seize ans et n'avait pas encore osé s'aventurer dans le vaste monde. Il l'avait reconduite chez elle. C'était au début de l'hiver 1967, ils étaient restés six mois ensemble, avant qu'elle réussisse à échapper à son étreinte de géant. Elle avait déménagé ensuite à Östersund, poursuivi ses études et décidé un jour qu'elle deviendrait archéologue. À Uppsala, il y eut d'autres hommes, qu'elle avait toujours rencontrés par hasard. C'est aussi par hasard qu'elle s'était trouvée assise dans l'avion entre Londres et Édimbourg à côté d'Aron. Elle avait obtenu une bourse de l'université pour participer à un séminaire d'archéologie classique, Aron allait en Écosse pour pêcher, et ainsi, en plein vol, parmi les nuages, ils avaient entamé la conversation. Elle l'épousa, changea son nom de Lindblom en Cantor et ils eurent un fils, Henrik.

Elle chassa Aron de ses pensées, elle ne voulait pas se mettre en colère. Elle réessaya le numéro de Vassilis. Toujours occupé.

Depuis son divorce, inconsciemment, elle évaluait les hommes qu'elle rencontrait à l'aune de l'empreinte laissée par Aron. Ils étaient toujours trop petits ou trop grands, trop ennuyeux, pas assez doués, bref, Aron l'emportait toujours. Elle n'avait encore rencontré personne qui puisse se mesurer à son souvenir. Cela la remplissait de désespoir et de colère, il semblait continuer à régenter sa vie, alors qu'il n'avait plus son mot à dire. Il l'avait trompée, il lui avait menti, et quand tout avait été sur le point d'être révélé au grand jour, il avait tout bonnement disparu, tel un espion menacé d'être démasqué qui retourne auprès de ses employeurs secrets. Ça avait été un choc terrible pour elle, pas un instant elle n'avait supposé qu'il y avait d'autres femmes. Une d'entre elles était même une de ses meilleures amies, archéologue elle aussi, qui consacrait sa vie à chercher un temple de Dionysos dans des fouilles à Thassos. Henrik était encore tout petit, elle avait fait des remplacements comme chargée de cours à l'université tout en essayant de surmonter le choc et de recoller les morceaux de sa vie en miettes.

Aron l'avait détruite, comme une soudaine éruption volcanique peut détruire une ville, un homme ou un vase. Souvent c'était à elle-même qu'elle pensait quand, devant ses tessons de poterie, elle tentait d'imaginer une unité qu'elle ne parviendrait jamais à reconstruire. Aron ne s'était pas contenté de la briser en mille morceaux, il avait aussi emporté avec lui une partie des éclats pour lui rendre plus difficile la reconstruction de son identité d'être humain, de femme, d'archéologue.

Aron l'avait quittée sans prévenir. Il n'avait laissé qu'une lettre vague, quelques lignes : leur mariage était terminé, il n'en pouvait plus, il lui demandait pardon et la priait de ne pas monter son fils contre lui.

Après quoi, elle n'avait plus entendu parler de lui pendant sept mois. Jusqu'à ce qu'une lettre arrive enfin, postée à Venise. À son écriture, on voyait qu'il avait bu, une de ces fameuses cuites dont il avait le secret, plus d'une semaine sans dessaouler, avec des hauts et des bas. Larmoyant et s'apitoyant sur son sort, il lui demandait si elle pouvait envisager de le reprendre à ses côtés. Ce n'est qu'alors, à la lecture de cette lettre maculée de taches de vin, qu'elle avait compris que tout était bel et bien fini. Elle ne savait pas si elle désirait ou non qu'il revienne, mais elle n'osait pas prendre le risque qu'il dévaste sa vie à nouveau. Un être humain peut être réduit à néant et se relever de ses ruines une fois, avait-elle pensé, mais deux, c'est trop. Elle lui répondit donc que leur mariage était fini. Il leur incombait de définir ensemble quels rapports ils voulaient continuer à entretenir, et elle ne se mettrait pas entre lui et Henrik.

Presque une année s'écoula avant qu'il ne redonne de ses nouvelles. Cette fois-là, ce fut une liaison téléphonique grésillante en provenance de Terre-Neuve, où il s'était retiré en compagnie d'experts en informatique de son acabit, membres d'un réseau aux allures de secte. Il lui expliqua en termes obscurs qu'ils travaillaient sur l'avenir des archives, quand toutes les expériences humaines seraient numérisées sous forme de 0 et de 1. Les microfilms et les bunkers souterrains ne serviraient plus à rien, désormais les ordinateurs garderaient en mémoire, génération après génération, tout ce que les hommes avaient fait. Mais qui pouvait garantir que les ordinateurs, dans leur univers parallèle magique, n'avaient pas commencé à créer et stocker leurs propres expériences ? La ligne grésillait, elle ne comprenait pas grand-chose à ses propos, mais du moins n'était-il pas saoul et ne s'apitoyait-il pas sur son sort.

Il voulait récupérer une lithographie représentant un épervier s'abattant sur une colombe, un tableau qu'ils avaient acheté au début de leur mariage, dans une galerie où ils étaient entrés par hasard. Quelques semaines plus tard, elle lui expédia le tableau. À peu près au même moment, elle comprit qu'il avait repris contact avec son fils en cachette.

Aron continuait de se mettre en travers de son chemin. Parfois, elle doutait pouvoir jamais gommer son visage et se libérer de cet étalon auquel elle mesurait les autres hommes et qui, tôt ou tard, les disqualifiait.

Elle recomposa le numéro d'Henrik. Chaque fois que les anciennes souffrances de sa relation avec Aron refaisaient surface, elle avait besoin d'entendre la voix de son fils pour ne pas s'abandonner à l'amertume. Mais elle tomba à nouveau sur le répondeur.

Elle ressentait toujours une inquiétude incontrôlable quand il ne répondait pas. Pendant quelques secondes, elle imagina accidents, incendies, maladies. Puis elle retrouva son calme. Henrik était prudent, ne prenait jamais de risques inutiles, même s'il voyageait beaucoup, toujours à la recherche de l'inconnu.

Elle sortit dans la cour fumer une cigarette. Dans la maison de Mitsos, on entendait un homme rire. C'était Panayiotis, son frère aîné. Panayiotis qui, au grand dam de sa famille, avait gagné à la loterie une fortune lui permettant de mener une vie dc paresse. Elle sourit à cette idée, inhala la fumée et pensa, l'air absent, qu'il faudrait qu'elle arrête de fumer le jour de ses soixante ans.

Seule dans le noir, sous le ciel étoilé, dans la douceur du soir que pas un souffle de vent ne troublait, elle songeait. *Voilà où j'en suis. De Sveg et l'arrière-pays mélancolique du Härjedalen à la Grèce et ses tombes de l'âge de bronze. De la neige et du froid aux chaudes et sèches oliveraies.*

Elle écrasa sa cigarette et rentra. Son pied lui faisait mal. Elle resta plantée là, indécise. Puis elle téléphona encore une fois à Vassilis. Ce n'était plus occupé, mais personne ne répondait.

Aussitôt le visage de Vassilis se confondit avec celui d'Aron.

Vassilis l'avait trompée, elle n'était qu'un accessoire dont il pouvait se passer.

Jalouse, elle essaya son numéro de portable. Pas de réponse. Une voix féminine lui proposa en grec de laisser un message. Elle serra les mâchoires sans rien dire.

Sa valise bouclée, elle décida, à ce moment précis, de rompre avec Vassilis. D'arrêter les frais, de fermer le livre de comptes comme elle venait de claquer sa valise.

Elle s'étendit sur le lit et regarda le plafond muet. Comment avait-elle bien pu entamer une relation avec Vassilis d'ailleurs ? Tout à coup c'était incompréhensible, dégoûtant.

Le plafond était nu, sa jalousie retombée, les chiens silencieux dans le noir. Comme elle en avait l'habitude quand elle devait prendre une décision importante, elle s'évoqua en pensée, parlant d'elle comme d'une autre.

Voici Louise Cantor à l'automne 2004, voilà sa vie, noir sur blanc, ou plutôt rouge sur noir, l'association de couleurs habituelle des fragments d'urnes que nous déterrons du sol grec. Louise Cantor a cinquante-quatre ans, elle n'a pas peur quand elle regarde son visage ou son corps dans un miroir. Elle est encore séduisante, pas encore vieille, les hommes la regardent, même s'ils ne se retournent pas sur son passage. Et elle ? Que regarde-t-elle ? Ne passe-t-elle pas son temps à regarder vers le sol où elle se passionne encore à chercher les reliques et les traces du passé ? Louise Cantor a fermé un livre qui s'appelle Vassilis, elle ne l'ouvrira plus jamais. Il n'aura même pas le droit de la conduire à l'aéroport demain matin.

Elle se leva et chercha le numéro d'une compagnie de taxis locale. Elle tomba sur une femme dure d'oreille, et dut crier sa réservation. Il ne lui restait plus qu'à espérer que la voiture arrive bien. Comme Vassilis avait promis de venir à trois heures et demie, elle commanda le taxi pour trois heures.

Elle s'assit à son bureau et écrivit quelques mots à Vassilis :

> C'est fini, terminé. Tout a une fin. Je sens que je suis en route vers quelque chose d'autre. Pardon de t'avoir fait venir pour rien. J'ai essayé de t'appeler. Louise.

Elle se relut. Regrettait-elle ? Elle avait écrit bien des lettres de rupture qu'elle avait ensuite renoncé à envoyer. Mais pas cette fois. Elle glissa le mot dans une enveloppe, la cacheta et alla dans le noir la fixer avec une pince à linge à sa boîte aux lettres.

Elle somnola quelques heures sur son lit, but un verre de vin et contempla le tube de somnifères, renonçant finalement à l'ouvrir.

Le taxi arriva à trois heures moins trois. Elle attendait dehors, devant la grille. Les chiens de Mitsos aboyèrent. Elle s'engouffra sur la banquette arrière et ferma les yeux. Alors, enfin, elle parvint à s'endormir. Le voyage avait commencé.

À l'aube, elle arriva à l'aéroport. Sans le savoir, elle approchait de la grande catastrophe.

2

Une fois sa valise enregistrée auprès d'une employée mal réveillée de la Lufthansa, comme elle se dirigeait vers les contrôles de sécurité, elle fut témoin d'une scène qui la marqua profondément.

Par la suite, elle se dit qu'elle aurait dû y voir un présage, un avertissement. Mais sur le moment, elle ne vit que cette femme assise par terre, seule au milieu de ses ballots et de vieilles valises mal ficelées. Cette femme pleurait. Elle était absolument immobile, un visage renfermé, des joues creusées sur une mâchoire édentée. Peut-être une Albanaise, pensa Louise Cantor. Beaucoup de femmes albanaises viennent en Grèce chercher du travail, peu importe lequel, c'est toujours mieux que rien et l'Albanie est un pays si pauvre. Sa tête était couverte d'un châle, le châle des femmes d'âge mûr. Elle était assise par terre, en pleurs. Seule, comme si elle avait échoué dans cet aéroport, avec ses baluchons et sa vie disloquée dont il ne restait que des épaves sans valeur.

Louise Cantor s'arrêta. Des voyageurs pressés la bousculaient, mais elle tint bon, comme si elle s'arc-boutait contre un vent violent. Le visage de la femme à terre, parmi ses baluchons, était brun et ridé, la peau pareille à un paysage volcanique pétrifié. Il y a une sorte de beauté dans les traits des vieilles femmes, quand tout a été poli jusqu'à ne laisser qu'une mince pellicule de peau, marquée par les événements de toute une vie. Deux rides profondes descendaient des yeux vers les joues, où coulaient des larmes.

Elle pleure une douleur qui m'est inconnue, pensa Louise Cantor. Mais quelque chose en elle trouve pourtant écho en moi.

La femme tout à coup leva la tête, leurs regards se croisèrent un bref instant et elle hocha lentement du chef. Louise Cantor y vit le signe que son aide, quelle qu'elle soit, serait inutile. Elle continua son chemin vers les contrôles de sécurité, se pressant en jouant des coudes dans la foule d'où émanaient des effluves d'ail et d'olive. Quand elle se retourna, c'était comme si un rideau avait été tiré : on ne voyait plus la femme derrière la foule.

Louise Cantor avait un carnet où, depuis sa plus tendre jeunesse, elle notait les moments qu'elle ne voulait pas oublier. Comme celui qui venait de se passer. Elle réfléchit à la façon de le formuler tandis qu'elle déposait son bagage à main sur le tapis roulant du contrôle de sécurité, et son téléphone dans un panier en plastique bleu, avant de passer le portique magique qui sépare les bons des méchants.

Elle acheta une bouteille de Tullamore Dew pour elle, et pour Henrik deux bouteilles de retsina. Puis elle s'assit près d'une porte d'embarquement et s'aperçut avec irritation qu'elle avait oublié son carnet à Argos. Elle le voyait, sur le rebord de la table, près de la lampe verte. Elle sortit le programme du séminaire et nota au dos :

Une vieille femme en pleurs à l'aéroport d'Athènes. Un visage en ruine, comme si elle venait d'être déterrée après des milliers d'années par un archéologue curieux et importun. Pourquoi pleurait-elle ? C'est la grande question. Pourquoi un être humain se met-il à pleurer ?

22

Elle ferma les yeux et essaya d'imaginer ce que pouvaient bien contenir les ballots et les valises déglinguées.

Du vide, pensa-t-elle. Ou alors les cendres d'incendies depuis longtemps consumés.

Elle se réveilla en sursaut quand on annonça l'embarquement. Assise en bout de rangée, avec pour voisin un homme qui semblait avoir peur en avion, elle décida de dormir jusqu'à Francfort et de prendre son petit-déjeuner dans le vol pour Stockholm.

Une fois sa valise récupérée à l'aéroport d'Arlanda, elle se sentait toujours fatiguée. La perspective du voyage lui plaisait, pas le voyage en lui-même. Tôt ou tard, elle aurait une crise de panique. Aussi, depuis des années, elle avait toujours sur elle une boîte de calmants, pour pouvoir faire face.

Elle se rendit au terminal des vols intérieurs, laissa sa valise à une employée un peu moins fatiguée que celle d'Athènes, et s'assit pour attendre. Par une porte entrouverte, un souffle d'air frais de l'automne suédois arriva jusqu'à elle. Elle frissonna : il fallait qu'elle profite de son passage à Visby pour s'acheter un pull en laine du Gotland. L'île du Gotland et la Grèce ont les moutons en commun, pensa-t-elle. Il ne manquait que des oliveraies.

Appeler Henrik ? Il dormait peut-être : il vivait surtout la nuit, préférait travailler à la lueur des étoiles plutôt qu'à la lumière du soleil. À la place, elle fit le numéro de son père, là-haut dans le Nord à Ulvkälla, du côté de Sveg, sur la rive sud du Ljusnan. Il ne dormait jamais, et elle pouvait l'appeler, lui, à n'importe quelle heure du jour et de la nuit. Elle ne l'avait jamais surpris dans son sommeil. Il était demeuré comme dans ses souvenirs d'enfance : un géant qui gardait les yeux ouverts, toujours en éveil, prêt à venir à son secours.

Elle composa le numéro, mais raccrocha dès la première sonnerie : elle n'avait rien à lui dire. Elle rangea son téléphone dans sa valise et songea à Vassilis. Il n'avait pas appelé sur son portable pour laisser un message. Pourquoi d'ailleurs l'aurait-il fait ? Elle sentit pointer la déception. Mais chassa vite cette idée, elle n'allait pas se morfondre. Louise Cantor venait d'une famille où l'on ne regrette pas les décisions prises, même les mauvaises. On fait bonne figure même quand on a tiré le mauvais numéro.

L'avion se posa près de Visby par grand vent. La bourrasque s'engouffra dans son manteau. Pliant l'échine, elle se hâta de gagner les bâtiments de l'aéroport. Un homme l'attendait, son nom inscrit sur une pancarte. Pendant le trajet jusqu'à Visby, le vent était si fort qu'il menaçait d'arracher presque toutes les feuilles des arbres. La bataille faisait rage entre les saisons, une bataille toujours jouée d'avance.

L'hôtel Strand était situé sur les hauteurs du port. Une fois installée, elle se mit à la fenêtre, envahie par un grand calme. Qu'est-ce que je regarde ? se dit-elle. Qu'est-ce que j'espère voir dehors ?

Une même pensée revenait de façon lancinante : *J'ai cinquante-quatre ans. Voilà où j'en suis. Où vais-je, maintenant que le chemin s'arrête ?*

Elle vit une vieille dame avec son chien peiner contre le vent dans la montée. Elle se sentit plus proche du chien que de cette femme avec son manteau d'un rouge criard.

Juste avant quatre heures de l'après-midi, elle se rendit à l'université, sur le front de mer. C'était tout près, et elle eut le temps de faire le tour du port désert. Les vagues fouettaient les jetées de pierre. L'eau avait une autre couleur qu'autour de la Grèce et de son archipel. Elle est plus sauvage ici, pensa-t-elle. C'est une mer plus jeune et brutale, une mer qui agresse le premier navire ou le premier port venu.

Le vent était toujours puissant, soufflant par rafales à présent. Un ferry sortait du chenal d'accès au port. Louise était ponctuelle, soucieuse de ne pas arriver en avance ni en retard. Un homme aimable, avec la cicatrice d'un bec-de-lièvre, l'accueillit à l'entrée. Il faisait partie des organisateurs, se présenta et dit qu'ils s'étaient déjà rencontrés, des années auparavant. Elle n'en avait aucun souvenir. Les visages changent, parfois jusqu'à en être méconnaissables. Mais elle lui sourit et répondit qu'elle se souvenait, qu'elle se souvenait très bien.

Ils étaient vingt-deux, rassemblés dans une salle de séminaire impersonnelle, avec leur nom sur un badge. Après avoir pris un thé ou un café, ils écoutèrent le professeur Stefanis, un Letton qui ouvrit le séminaire en présentant dans un anglais hésitant de nouvelles découvertes de céramique minoenne «particulièrement difficiles à identifier». Elle n'arrivait pas à comprendre ce qui était difficile à identifier : la céramique minoenne est minoenne, point à la ligne.

Bientôt elle remarqua qu'elle n'écoutait pas. Elle était encore là-bas, à Argos, dans les odeurs de thym et de romarin. Puis elle observa les participants assis autour de la grande table ovale. Qui écoutait ? Qui était, comme elle, absent, la tête ailleurs ? Elle ne connaissait personne à cette table, sauf cet homme qui prétendait l'avoir déjà rencontrée. Il y avait des chercheurs des pays nordiques et baltes, et quelques archéologues de terrain comme elle.

Le professeur Stefanis s'arrêta brusquement, comme s'il ne supportait plus son mauvais anglais. Une discussion brève et très calme fit suite aux applaudissements polis. Après quelques indications pratiques sur le programme du lendemain, la séance du séminaire s'acheva. Au moment où elle s'apprêtait à quitter le bâtiment, un inconnu la pria de rester un moment, le photographe d'un journal local désirait prendre des clichés de quelques archéologues. Il nota son nom, et elle put s'enfuir dans le grand vent.

25

Elle s'endormit sur le lit dans sa chambre d'hôtel, et, en ouvrant les yeux, elle ne reconnut pas les lieux tout de suite. Le téléphone était sur la table. Elle décida d'attendre d'avoir dîné pour appeler Henrik. Sur la place, elle prit une direction au hasard et atterrit dans un restaurant voûté, presque vide, mais où la cuisine était bonne. Elle but quelques verres de vin, éprouva une gêne à cause de sa rupture avec Vassilis, puis essaya de se concentrer sur la conférence qu'elle devait prononcer le lendemain. Elle but encore un verre de vin et parcourut mentalement son intervention. Elle l'avait rédigée, mais comme c'était une vieille conférence, elle la connaissait presque par cœur.

Je vais parler de la couleur noire de l'argile. L'oxyde de fer rouge devient noir pendant la cuisson à cause du manque d'oxygène. Mais cela se produit pendant la dernière phase de la cuisson. Pendant la première phase se forme l'oxyde de fer, et le vase se colore de rouge. Le rouge et le noir ont une origine commune.

Sous l'effet du vin, son corps s'échauffa, sa tête s'emplit de vagues qui la faisaient tanguer. Elle paya l'addition, sortit dans les rafales de vent. Elle avait hâte d'être au lendemain.

Elle composa le numéro de l'appartement à Stockholm. Le répondeur, toujours. Il arrivait qu'Henrik laisse un message à son attention, si c'était important, un message qu'elle partageait avec tous ceux qui appelaient chez lui. Elle dit qu'elle était à Visby, qu'elle arrivait. Puis elle l'appela sur son portable. Pas de réponse là non plus.

Une légère inquiétude la traversa, une impression si passagère qu'elle l'oublia très vite.

Elle dormit cette nuit-là la fenêtre entrouverte. Vers minuit, elle fut réveillée par des jeunes éméchés qui braillaient des obscénités.

À dix heures, le lendemain, elle prononça sa conférence sur l'argile attique et sa consistance. Elle parla de sa forte teneur en fer, et compara la couleur rouge de l'oxyde de fer avec l'argile calcaire de Corinthe qui donnait la céramique blanche et parfois même verte. Après une introduction hésitante – à l'évidence plusieurs des participants avaient fait la veille un dîner prolongé et bien arrosé –, elle parvint à intéresser son auditoire. Elle parla exactement quarante-cinq minutes, comme prévu, et reçut des applaudissements nourris. Au cours de la discussion qui suivit, elle n'essuya aucune question embarrassante, et quand arriva l'heure de la pause-café, elle eut le sentiment de n'avoir pas fait ce voyage pour rien.

Le vent était tombé. Elle s'assit sur un banc dans le jardin et posa sa tasse de café en équilibre sur son genou. Son téléphone sonna. Henrik, forcément. Le numéro de Vassilis s'afficha. Elle hésita, puis résolut d'ignorer l'appel. Elle se refusait à une dispute qui risquait d'être épuisante. Il était encore tôt, et Vassilis pouvait s'entêter et se montrer insupportable, s'il voulait. Elle reviendrait bien à temps à Argos pour lui rendre visite.

Elle remit le portable dans sa poche, but son café. Brusquement, elle en eut assez. Ceux qui devaient parler pendant le reste de la journée avaient certainement des choses très intéressantes à dire, mais à présent elle ne voulait plus rester. Sa décision prise, elle prit sa tasse et chercha l'homme avec la cicatrice sur la lèvre. Elle lui dit qu'un de ses amis venait de tomber malade, sa vie n'était pas en danger, mais c'était suffisamment grave pour l'obliger à quitter le colloque.

Plus tard, elle maudirait ces paroles : elle avait crié au loup.

Pour l'heure, un soleil d'automne brillait sur Visby. Elle retourna à l'hôtel, demanda à la réceptionniste de lui changer son billet et trouva une place dans l'avion de quinze heures. Cela lui donnait le temps de se promener le long des murs d'enceinte, et elle entra dans deux boutiques pour essayer des pulls faits main, sans en trouver un qui lui aille. Elle déjeuna dans un restaurant chinois et décida de ne pas appeler Henrik, pour lui faire une surprise. Elle avait sa clé, elle pouvait venir quand elle voulait, il n'avait pas de secrets pour elle.

Très en avance à l'aéroport, elle acheta le journal local, où figurait sa photo, prise la veille. Elle arracha la page et la fourra dans sa valise. Puis on annonça un problème technique sur son avion : les passagers devaient attendre un appareil de remplacement en provenance de Stockholm.

Elle ne se fâcha pas, mais sentit croître son impatience. Comme il n'y avait pas d'autre vol possible, elle sortit du bâtiment de l'aéroport et fuma une cigarette. Elle regrettait à présent de n'avoir pas parlé à Vassilis : autant affronter la colère d'un homme blessé dans son orgueil.

Pourtant elle ne rappela pas. Son avion décolla avec près de deux heures de retard, et elle arriva à Stockholm vers dix-huit heures. Elle prit directement un taxi pour l'appartement d'Henrik, dans le quartier de Söder. Et se retrouva coincée dans un bouchon causé par un accident, à croire que des forces invisibles s'alliaient pour la retenir, l'épargner. Mais elle n'en savait évidemment rien, sentait juste croître son impatience, et elle se dit que par bien des aspects la Suède commençait à ressembler à la Grèce, avec ses embouteillages et ses retards permanents.

Henrik habitait Tavastgatan, une rue tranquille à l'écart des axes les plus fréquentés de Söder. Elle vérifia si le code était le même qu'avant, la bataille d'Hastings, 1066. La porte s'ouvrit. Henrik habitait au dernier étage, avec vue sur les toits en tôle et les clochers des églises. Il lui avait même raconté, à son grand effroi, qu'en se tenant en équilibre sur la corniche étroite devant sa fenêtre on pouvait apercevoir le Strömmen, qui coulait en centre-ville.

Elle sonna deux fois, puis elle ouvrit la porte. L'appartement sentait le renfermé.

Aussitôt, la peur l'assaillit. Quelque chose clochait. Elle retint son souffle et tendit l'oreille. De l'entrée, elle voyait jusque dans la cuisine. Il n'y a personne, se dit-elle. Elle cria qu'elle était là, pas de réponse. Son inquiétude disparut. Elle suspendit son manteau et se débarrassa de ses chaussures. Ni courrier ni publicité devant sa porte. Henrik, au moins, n'était pas parti en voyage. Elle entra dans la cuisine. Pas de vaisselle dans l'évier. Le séjour était bien rangé, c'était inhabituel, le bureau vide. Elle ouvrit la porte de la chambre.

Henrik était couché sous la couverture. Sa tête reposait lourdement sur l'oreiller. Il était étendu sur le dos, une main pendant vers le sol, l'autre ouverte sur sa poitrine.

Elle comprit sur-le-champ qu'il était mort. Dans une tentative désespérée de se libérer de cette vision, elle poussa un cri. Mais il resta sur le lit, sans bouger.

Ce vendredi 17 septembre, Louise Cantor fut précipitée corps et âme dans un gouffre sans fond.

Elle courut hors de l'appartement, sans cesser de crier. Ceux qui l'avaient entendue dirent plus tard qu'on aurait cru le hurlement d'un animal en détresse.

3

Une seule pensée intelligible se dégageait du chaos. Aron. Où était-il ? Était-il seulement encore de ce monde ? Pourquoi n'était-il pas à ses côtés ? Ils avaient conçu Henrik ensemble, il ne pouvait pas se dérober. Mais Aron était absent, bien sûr, absent comme il l'avait toujours été : un courant d'air, insaisissable, quelqu'un sur qui on ne pouvait pas compter.

Elle ne garda aucun souvenir précis de ces quelques heures, elle n'en sut que ce que d'autres lui racontèrent : un voisin l'avait vue trébucher dans l'escalier avant de s'effondrer. Puis était arrivé un flot de policiers et d'infirmiers. On l'avait conduite dans l'appartement. Elle avait résisté pourtant, elle ne voulait pas y remettre les pieds, elle n'avait pas vu ce qu'elle avait vu, Henrik était juste sorti, il allait bientôt rentrer. Une policière au visage juvénile lui avait donné de petites tapes sur le bras, et s'était comportée comme une adorable vieille tante consolant une fillette qui s'est écorché le genou en tombant.

Sauf qu'elle ne s'était pas éraflé le genou, elle était anéantie parce que son fils était mort. La policière répéta son nom, Emma. Un prénom vieillot revenu à la mode, pensa Louise, désemparée. Tout revenait, même son propre prénom, autrefois réservé aux milieux aisés, mais répandu aujourd'hui dans toutes les classes de la société. C'était son père Artur qui avait choisi ce nom, et l'on s'était moqué d'elle à l'école. Il y avait à l'époque une reine de Suède qui s'appelait Louise, très âgée et ressemblant à un arbre mort. Elle avait haï ce nom pendant toute son enfance, et jusqu'à la fin de son histoire avec Emil : elle s'était alors libérée de l'étreinte de l'ours, et avait enfin pu partir. Son prénom lui était soudain apparu comme un atout inédit.

Les pensées tourbillonnaient dans sa tête tandis qu'Emma, la policière assise à ses côtés, lui tapotait le bras, comme si elle battait la mesure de la catastrophe, ou rythmait la fuite du temps.

Elle eut une révélation, une des rares choses dont elle se souvint toute seule. *Le temps était un navire qui s'éloigne.* Elle demeurait à quai, les horloges de la vie ralentissaient leur tic-tac. On l'avait abandonnée, laissée à l'écart. Ce n'était pas Henrik qui était mort, c'était elle.

De temps en temps, elle tentait de s'enfuir, d'échapper aux tapotements pleins de sollicitude de la policière. On lui raconta par la suite qu'elle criait à fendre l'âme, et qu'on avait dû la forcer à prendre des cachets qui l'étourdirent et la plongèrent dans une torpeur. Elle se souvenait des gens qui entraient en foule dans le petit appartement et se déplaçaient sous ses yeux, comme dans un film projeté au ralenti.

Durant cette chute vers l'abîme, elle avait aussi pensé confusément à Dieu. Elle n'avait en fait jamais entretenu de conversation régulière avec Lui, en tout cas pas depuis la douloureuse crise mystique qu'elle avait traversée à l'adolescence. Un matin d'hiver, juste avant la Sainte-Lucie, une camarade de classe avait été écrasée par un chasse-neige en se rendant à l'école. C'était la première fois que la mort frappait tout près d'elle. Une mort qui sentait la laine mouillée, une mort drapée de froidure et alourdie de neige. Sa maîtresse avait pleuré : voir la maîtresse éclater en sanglots comme un enfant abandonné et terrorisé brisait sa vie idyllique. On avait allumé une bougie à la place de la fillette. Juste à côté de Louise. Elle était absente, la mort signifiait *être absent*, rien d'autre. Elle avait réfléchi et s'était demandé pourquoi il en allait ainsi, et elle avait soudain compris que celui à qui elle posait la question était bien celui que l'on appelait Dieu.

Il ne répondait pas. Elle tenta tout pour attirer Son attention, elle installa un petit autel dans un coin de la remise à bois, mais aucune voix intérieure ne vint répondre à ses questions. Dieu n'était qu'un adulte distant, qui ne s'adressait aux enfants que selon Son bon vouloir. Elle découvrit à la fin qu'elle ne croyait en aucun Dieu, qu'elle avait peut-être nourri un amour secret pour Dieu, comme elle se serait amourachée d'un garçon inaccessible, plus âgé qu'elle.

Après cela, il n'y avait plus eu de Dieu dans sa vie, jusqu'à ce moment en tout cas, mais Il ne lui parla pas cette fois non plus. Elle était seule. Avec cette policière qui lui tapotait le bras, et tous ces gens qui parlaient à voix basse, se déplaçaient lentement et semblaient être à la recherche de quelque chose qui avait disparu.

Un silence s'installa soudain, comme si on avait coupé la bande-son. Des chuchotements lui répétaient à l'intérieur du crâne que ce n'était pas vrai. Henrik dormait, il n'était pas mort. Il ne pouvait tout simplement pas être mort, puisqu'elle était venue lui rendre visite.

Un policier en civil, les yeux las, la pria de le suivre à la cuisine. Plus tard elle avait compris que c'était pour qu'elle n'assiste pas à l'enlèvement du corps d'Henrik. Ils s'assirent à la table de cuisine, elle ramassa quelques miettes de pain dans la paume de sa main.

Henrik ne pouvait tout bonnement pas être mort, puisqu'il restait des miettes de pain !

Le policier se présenta, mais dut répéter deux fois avant qu'elle comprenne ce qu'il disait. Göran Vrede [1]. Oui, pensa-t-elle. Je ressens une colère infinie si ce que je refuse de croire s'avère.

Elle répondait à ses questions par d'autres questions auxquelles il répondait à son tour, comme s'ils tournaient en rond sur eux-mêmes.

La seule certitude était qu'Henrik était mort. Göran Vrede dit que rien n'indiquait d'intervention extérieure. Était-il malade ? Elle répondit qu'il n'avait jamais été malade, les maladies infantiles étaient passées sans laisser aucune trace, il n'avait quasiment jamais attrapé le moindre virus. Göran Vrede prenait des notes dans un petit carnet. Elle regarda ses gros doigts : étaient-ils assez sensibles pour trouver la vérité ?

– Quelqu'un a dû le tuer, dit-elle.

– Il n'y a aucune trace de violence.

Elle voulut protester, mais n'en eut pas la force. Ils étaient toujours assis à la cuisine. Göran lui demanda si elle voulait appeler quelqu'un. Il lui donna un téléphone et elle appela son père. Puisque Aron n'était pas là pour faire face à ses responsabilités, c'était à son père d'intervenir. Personne. Peut-être était-il sorti en forêt s'occuper de ses sculptures ? Le téléphone ne pouvait pas l'atteindre. Mais si elle criait assez fort, l'entendrait-il alors ? À cet instant précis, il décrocha.

Elle éclata en sanglots dès qu'elle entendit sa voix. Comme si elle remontait le temps et redevenait la créature vulnérable qu'elle avait été.

– Henrik est mort.

Elle percevait sa respiration. Il avait des poumons d'ours qui nécessitaient de grandes inspirations pour se remplir.

– Henrik est mort, répéta-t-elle.

---

1. *Vrede* signifie « colère ». *(Note du traducteur.)*

Elle l'entendit chuchoter quelque chose, peut-être «mon Dieu», ou un juron.

– Que s'est-il passé?

– Je suis assise dans sa cuisine. Je suis arrivée ici. Il dormait dans son lit. Mais il était mort.

Que pouvait-elle dire de plus? Elle passa le téléphone à Göran Vrede qui se leva, comme pour signifier ses condoléances. Ce n'est qu'en écoutant son compte rendu qu'elle réalisa vraiment qu'Henrik était mort. Ce n'était pas seulement des mots, une vue de l'esprit, un jeu macabre où ses propres peurs généraient des illusions visuelles. Il était vraiment mort.

Göran Vrede acheva la conversation.

– Il dit qu'il a bu et ne peut pas conduire. Il va prendre un taxi. Où habite-t-il?

– Dans les vallées du Härjedalen.

– Et il prend un taxi? Mais c'est à cinq cents kilomètres!

– Il prend un taxi. Il aimait Henrik.

On la conduisit à un hôtel où quelqu'un lui avait retenu une chambre. En attendant l'arrivée d'Artur, des gens restèrent auprès d'elle, le plus souvent en uniforme. On lui donna d'autres calmants, et peut-être s'endormit-elle, elle n'était pas parvenue à le savoir par la suite. Pendant ces premières heures, la mort d'Henrik fut enveloppée dans le brouillard.

La seule pensée qui subsistait de cette attente, c'était qu'Henrik s'était construit un enfer mécanique. Elle ignorait pourquoi elle se souvenait justement de cela, comme si toutes les étagères de sa mémoire s'étaient effondrées et s'entassaient pêle-mêle. À chaque pensée ou souvenir qu'elle tentait de saisir, quelque chose d'inattendu lui tombait sous la main.

Henrik avait alors quinze ou seize ans. Elle achevait sa these de doctorat sur les différences entre les tombes de l'âge de bronze attiques et celles de la Grèce du Nord. Cela avait été une période de doute sur la portée de cette thèse, d'insomnie et d'inquiétude. Henrik était devenu intenable, agressif, instable comme son père. Elle avait craint qu'il ne soit en train de glisser sur une mauvaise pente, en compagnie de camarades drogués et asociaux. Mais la crise était passée, et, un jour, il lui avait montré l'image d'un enfer mécanique exposé dans un musée à Copenhague. Il voulait voir ça, avait-il dit, et elle avait tout de suite compris qu'il y tenait vraiment. Elle lui avait proposé d'y aller ensemble. C'était le début du printemps, elle devait soutenir sa thèse en mai, et elle avait bien besoin de quelques jours de détente.

Ce voyage les avait rapprochés. Pour la première fois ils avaient dépassé le stade de la relation mère-fils. Il était en train de devenir adulte, et attendait qu'elle se comporte en adulte avec lui. Il avait commencé à poser des questions au sujet d'Aron, et elle lui avait enfin décrit cette passion violente qui avait débouché sur une seule bonne chose : sa venue au monde. Elle avait essayé d'éviter de dire du mal d'Aron, de ne pas dévoiler ses mensonges et ses constantes dérobades quand il s'agissait de prendre ses responsabilités vis-à-vis de l'enfant qu'elle attendait. Henrik avait écouté attentivement, et ses questions prouvaient bien qu'il les mûrissait depuis longtemps.

Ils passèrent à Copenhague deux jours venteux, dérapant dans la neige boueuse qui recouvrait les rues, mais ils trouvèrent l'enfer mécanique, et ce fut un triomphe d'avoir atteint le but de leur expédition. L'enfer avait été fabriqué par un artiste inconnu, ou peut-être un fou, au début du dix-huitième siècle, et n'était pas plus grand qu'un théâtre de marionnettes. En remontant des ressorts, on voyait des diablotins en tôle découpée avaler les hommes désespérés qui étaient précipités du haut de la boîte infernale. Il y avait aussi des flammes taillées dans du métal peint en jaune, et un grand diable dont la longue queue battait la mesure jusqu'à ce que les ressorts s'épuisent et que tout s'immobilise. Ils avaient pu convaincre un des gardiens du musée de remonter pour eux les ressorts, ce qui était en principe interdit car le mécanisme était très fragile et très précieux. C'était une pièce unique au monde.

Henrik avait alors décidé de se fabriquer son propre enfer mécanique. Elle ne l'avait pas pris au sérieux. Elle doutait qu'il ait les connaissances techniques suffisantes pour réaliser la construction du mécanisme. Mais, trois mois plus tard, il l'avait invitée dans sa chambre et lui avait montré une copie presque parfaite de ce qu'il avait vu à Copenhague. Elle avait été très étonnée et amère à l'égard d'Aron qui ne se souciait pas de savoir de quoi son fils était capable.

Pourquoi pensait-elle à cela maintenant, en attendant Artur avec les policiers de garde? Peut-être parce qu'à cette occasion elle avait ressenti de la gratitude à l'égard d'Henrik : sa simple existence donnait à sa vie un sens avec lequel aucune thèse de doctorat, aucune fouille archéologique ne pouvait rivaliser. Si la vie a un sens, c'est à travers un être humain, avait-elle pensé, rien d'autre qu'un être humain.

Il était mort à présent. Et elle aussi était morte. Elle pleurait par vagues, par bourrasques de pluie qui se déversaient puis se retiraient très vite. Le temps n'avait plus aucune signification. Elle ne savait pas depuis quand elle attendait. Juste avant l'arrivée d'Artur, elle pensa que jamais Henrik ne lui aurait infligé volontairement la pire des souffrances, quelles qu'aient été ses difficultés : jamais il n'aurait lui-même attenté à sa vie, elle en était la garantie.

Que restait-il alors? Quelqu'un avait dû le tuer. Elle essaya de le dire à la policière qui veillait sur elle. Un moment plus tard, Göran Vrede entra dans sa chambre. Il s'assit lourdement sur une chaise en face d'elle et demanda pourquoi. Comment, pourquoi?

– Qu'est-ce qui vous fait penser qu'on l'a tué ?

– Il n'y a pas d'autre explication.

– Avait-il des ennemis ? Lui était-il arrivé quelque chose ?

– Je ne sais pas. Mais pourquoi serait-il mort, sinon ? Il n'avait que vingt-cinq ans.

– Nous l'ignorons. Il n'y a aucune trace de meurtre.

– Il a sûrement été assassiné.

– Rien ne le laisse supposer.

Elle insistait. Quelqu'un devait avoir tué son fils. C'était un meurtre affreux et brutal. Göran Vrede l'écoutait, son carnet à la main. Mais il n'y écrivait rien, ce qui l'énerva.

– Pourquoi n'écrivez-vous pas ? cria-t-elle, impuissante. Puisque je vous dis ce qui a dû se passer !

Il ouvrit son carnet, mais n'écrivit rien.

Artur apparut à cet instant dans la chambre. Il était habillé comme s'il venait de rentrer d'une chasse sous la pluie après avoir longtemps pataugé à travers des tourbières à perte de vue. Il portait des bottes en caoutchouc et la vieille veste en cuir dont elle gardait des souvenirs d'enfance, celle qui dégageait une odeur si âcre de tabac et d'huile, et de quelque chose d'autre encore qu'elle n'avait jamais pu identifier. Son visage était pâle, ses cheveux en bataille. Elle se leva d'un bond pour se serrer contre lui. Il l'aiderait à sortir de ce cauchemar comme lorsque, petite, elle se glissait dans son lit les nuits où elle n'arrivait pas à dormir. Elle s'en remettait entièrement à lui. Un court instant, elle crut que tout ce qui s'était passé n'était que le fruit de son imagination. Puis elle remarqua qu'il s'était mis à pleurer, et alors Henrik mourut pour la seconde fois. À présent elle savait qu'il ne se réveillerait plus jamais.

Plus personne ne pouvait la consoler, la catastrophe était consommée. Mais Artur la força à aller de l'avant, avec l'obstination du désespoir. Il voulait savoir. Göran Vrede revint. Ses yeux étaient rouges, et cette fois il n'ouvrit pas son carnet. Artur voulait savoir ce qui s'était passé, et c'était comme si Louise osait enfin écouter, maintenant qu'il était auprès d'elle.

Göran Vrede répéta ce qu'il avait déjà dit. Henrik était vêtu d'un pyjama bleu sous la couverture, et il était vraisemblablement mort depuis au moins dix heures quand Louise l'avait trouvé.

Apparemment, rien ne semblait anormal. Aucune trace de crime, aucune trace de lutte, d'effraction, d'une agression violente, ni quoi que ce soit indiquant une intrusion dans l'appartement au moment où Henrik s'était couché pour ne plus se relever. Aucune lettre d'adieu pour confirmer un suicide. Le plus probable était une cause interne, une embolie cérébrale, une défaillance cardiaque congénitale qui n'avait pas été détectée jusqu'alors. Il faudrait attendre les conclusions des médecins.

Louise enregistra ces mots, mais, immédiatement, quelque chose se mit à la ronger de l'intérieur. Quelque chose ne collait pas. Henrik, même mort, continuait à lui parler, il lui demandait d'être prudente et attentive.

Göran Vrede s'en alla à l'aube. Artur avait demandé qu'on les laisse seuls. Il porta Louise sur le lit et se coucha près d'elle en lui tenant la main.

Elle se redressa brusquement. Elle venait de comprendre.

– Il ne dormait jamais en pyjama.

Artur se leva du lit.

– Que veux-tu dire ?

– La police a dit qu'Henrik portait un pyjama. Il ne mettait jamais de pyjama. Il en avait quelques-uns, mais ne les utilisait jamais.

Il la dévisagea sans comprendre.

– Il dormait toujours nu, poursuivit-elle. J'en suis sûre. Il me l'a dit. Au début même, il se couchait nu la fenêtre ouverte, pour s'endurcir.

- Où veux-tu en venir ?

– Quelqu'un l'a sûrement tué.

Il ne la croyait pas. Elle n'eut pas la force d'insister. Elle était épuisée. Il fallait qu'elle attende.

Artur s'assit sur le bord du lit.

– Nous devons contacter Aron, dit-il.

– Pourquoi devrions-nous lui parler ?

– C'est le père d'Henrik.

– Aron ne s'est jamais occupé de lui. Il est absent. Il n'a rien à voir avec tout ça.

– Il faut cependant qu'il sache.

– Pourquoi ?

– C'est comme ça, c'est tout.

Elle voulut protester, mais il lui prit le bras.

– Ne rendons pas les choses encore plus difficiles. Sais-tu où se trouve Aron ?

– Non.

– Vous n'avez donc gardé aucun contact ?

– Aucun.

– Vraiment aucun ?

– Un coup de fil de temps en temps. Et quelques lettres.

– Tu dois savoir plus ou moins où il habite ?

– En Australie.

– C'est tout ? Où en Australie ?

– Je ne sais même pas si c'est vrai. Il passe son temps à se creuser de nouvelles tanières, qu'il abandonne au moindre problème. C'est un renard qui ne laisse jamais d'adresse pour faire suivre le courrier.

– Il doit quand même être possible de le retrouver. Tu ne sais vraiment pas où en Australie ?

– Non. Une fois il avait écrit qu'il voulait vivre au bord de la mer.

– L'Australie est une île.

Il cessa de parler d'Aron, mais elle savait qu'il ne renoncerait pas avant d'avoir tout tenté pour le retrouver.

Elle s'assoupissait par moments et quand elle se réveillait, il était toujours à ses côtés. Parfois parlant au téléphone, à voix basse, avec un policier. Elle n'écoutait plus, la fatigue avait réduit sa conscience à un point unique, d'où elle ne pouvait plus distinguer aucun détail. Il n'y avait là que douleur, et ce cauchemar à n'en plus finir qui ne la lâchait pas.

Elle ignorait au bout de combien de temps Artur avait annoncé leur départ. Elle n'opposa aucune résistance et le suivit jusqu'à une voiture de location. Ils roulèrent en silence vers le nord, il avait choisi de passer par la côte et non comme d'habitude par les routes sinueuses à l'intérieur des terres. Ils traversèrent Ljusdal, Järvsö et le Ljusnan. Arrivé au bord du Kolsätt, brusquement, il raconta qu'il y avait jadis un bac à cet endroit. Avant qu'on ne construise les ponts, les voitures empruntaient un bac pour traverser le fleuve et atteindre le Härjedalen.

Les teintes de l'automne étaient vives. Assise sur le siège arrière, elle fixait au-dehors le jeu des couleurs. Elle dormait quand ils arrivèrent à destination. Il la porta dans son lit.

Il s'assit à côté d'elle dans le vieux fauteuil rouge tout rapiécé et rafistolé qui avait toujours été là.

– Je le sais, dit-elle, je l'ai su depuis le début. J'en suis sûre. On l'a tué. Quelqu'un l'a tué, et m'a tuée du même coup.

– Tu es vivante, dit Artur. Tu es bien vivante.

Elle remua la tête.

– Non, je ne suis pas en vie. Moi aussi je suis morte. Celle que tu vois est une autre que moi. Je ne sais pas encore qui c'est. Mais tout a changé. Et Henrik n'est pas mort de mort naturelle.

Elle se leva et alla à la fenêtre. Il faisait noir, le réverbère jetait une faible lueur de l'autre côté de la grille en se balançant

40

doucement dans le vent. Elle pouvait voir le reflet de son visage dans la vitre. Elle reconnaissait son image. Des cheveux sombres, mi-longs, la raie au milieu. Des yeux bleus, une bouche fine. Pourtant en elle tout avait changé.

Elle se regarda droit dans les yeux.

En elle, le temps s'était remis en route.

4

À l'aube, Artur l'emmena en forêt respirer l'odeur de la mousse et de l'écorce humide, dans la brume qui cachait le ciel. C'était le premier gel, la terre craquait sous leurs pas.

Pendant la nuit, Louise s'était levée pour aller aux toilettes. Par une porte entrouverte, elle avait aperçu son père, assis dans son vieux fauteuil de lecture. Il tenait une pipe éteinte – il avait arrêté de fumer quelques années auparavant, d'un coup, comme s'il avait consommé le quota de tabac qu'il s'était attribué pour la vie. Elle resta à le regarder. Rien n'avait changé : depuis toujours, elle l'observait ainsi, de derrière une porte entrouverte, afin de s'assurer qu'il était bien là pour veiller sur elle.

Il l'avait réveillée très tôt, et, sans lui permettre de protester, lui avait dit de s'habiller pour sortir en forêt. Ils avaient traversé le fleuve en silence et avaient roulé vers le nord, en suivant la route des montagnes. Le sol crissait sous les pneus dans la forêt immobile. Il s'était arrêté sur le chemin forestier et avait passé le bras autour de son épaule. Des sentiers à peine visibles serpentaient à travers les arbres. Il en choisit un et ils avancèrent dans le grand silence, jusqu'à une zone où des pins poussaient sur un sol inégal. C'était sa galerie. Ses sculptures les entouraient. Sur les troncs apparaissaient des visages, des corps qui tentaient de se libérer du bois dur. Sur certains arbres plusieurs corps s'entremêlaient, sur d'autres il n'y avait qu'un petit visage, quelques mètres au-dessus du sol. Il sculptait ses œuvres soit à genoux, soit juché sur des échelles sommaires qu'il assemblait lui-même. Quelques sculptures étaient très anciennes. Taillées voilà plus de quarante ans, quand il était jeune. La croissance des arbres avait brisé les images, transformé les corps et les visages, de la même façon que les hommes changent avec l'âge. Certains arbres s'étaient fendus, des têtes avaient éclaté, comme écrasées ou décapitées. Parfois, la nuit, des gens venaient couper et emporter certaines de ses œuvres. Une nuit même, tout avait disparu. Mais peu lui importait, il possédait vingt hectares de forêt, et en avait suffisamment pour remplir plusieurs vies. Personne ne parviendrait à voler tout ce qu'il sculptait pour lui-même et ses visiteurs.

C'était le matin de la première nuit de gel. Il l'observait à la dérobée, s'attendant à la voir s'effondrer à chaque instant. Mais elle était toujours embrumée par les puissants calmants, et il ne savait pas si elle faisait seulement attention aux visages qui l'épiaient depuis les troncs.

Il la conduisit jusqu'au saint des saints : trois pins massifs qui avaient poussé serrés l'un contre l'autre. Des frères, avait-il pensé, des frères ou des sœurs inséparables. Pendant longtemps il avait contemplé ces arbres, il avait hésité des années. Chaque sculpture se trouvait déjà au cœur des troncs, il lui fallait attendre le moment où il commençait à voir l'invisible. Alors viendrait le temps d'aiguiser ses couteaux et ses gouges pour révéler, par son ouvrage, ce qui existait déjà. Mais les trois pins étaient restés muets. Parfois il avait cru deviner ce qui se cachait sous l'écorce. Mais il avait hésité, ce n'était pas cela, il fallait creuser plus profond. Puis, une nuit, il avait rêvé de chiens solitaires, et une fois revenu en forêt, il avait compris que des animaux se

43

cachaient là, dans les pins : pas vraiment des chiens, mais des créatures entre chien et loup, peut-être des lynx. Dès qu'il avait commencé à sculpter, ses doutes s'étaient dissipés. À présent trois animaux qui ressemblaient à la fois à des chiens et à des chats semblaient grimper le long des troncs, comme s'ils voulaient s'arracher à eux-mêmes.

C'était la première fois qu'elle voyait ces animaux. Il sentit qu'elle cherchait une histoire. Ses sculptures n'étaient pas des images, mais des histoires, des voix qui chuchotent et demandent qu'on les écoute. La galerie de son père et ses fouilles archéologiques avaient des racines communes. Des voix disparues, dont elle devait interpréter le silence.

« Le silence a la plus belle des voix », avait-il dit un jour. Elle n'avait jamais oublié ces mots.

– Ils ont un nom, tes chats-chiens ou chiens-chats ?

– Le seul nom qui me plaise, c'est le tien.

Ils s'enfoncèrent dans la forêt, les sentiers se croisaient, des oiseaux s'envolaient et s'éloignaient en battant des ailes. Soudain, sans qu'il en ait eu l'intention, ils se retrouvèrent face au creux où il avait sculpté le visage d'Heidi. Son chagrin était encore très lourd. Chaque année, il sculptait à nouveau ce visage et ce chagrin. Le visage devenait toujours plus fragile, toujours plus fuyant. Son chagrin pénétrait toujours plus profondément le tronc à chaque coup de ciseaux, qu'il sculptait autant en lui-même que dans l'arbre.

Louise caressa du bout des doigts le visage de sa mère. *Heidi, la femme d'Artur et la mère de Louise.* Elle continua à caresser le bois humide. Sur le sourcil avait séché une coulée de résine, comme une cicatrice dans la peau d'Heidi.

Il comprit que Louise voulait qu'il parle. Il y avait encore tant à dire sur Heidi, et sur sa mort. Ils s'étaient cherchés à tâtons, et pendant toutes ces années, il n'avait jamais trouvé le moment pour lui raconter ce qu'il savait et au moins un peu de ce qu'il ne pouvait que supposer.

Elle était morte quarante-sept ans auparavant. Louise avait alors six ans. C'était l'hiver. Il était absent, occupé à abattre des arbres dans les hautes terres aux limites des montagnes. Impossible de savoir ce qui lui avait pris, mais elle ne se doutait pas qu'elle allait mourir quand elle était allée confier la fillette à une voisine pour aller patiner, ce qu'elle aimait par-dessus tout. Elle ne s'était pas inquiétée qu'il fasse moins dix-neuf, et elle n'avait pris qu'un léger traîneau, sans même dire qu'elle allait du côté du lac Undertjärn.

On ne pouvait qu'imaginer la suite. Arrivée au bord du lac avec son traîneau, elle avait lacé ses patins et s'était élancée sur la glace sombre. C'était presque la pleine lune, sinon elle n'aurait pas pu partir, à cause de l'obscurité. Au milieu du lac gelé, elle était tombée, la jambe cassée. Selon ceux qui l'avaient découverte, elle avait tenté de se traîner jusqu'à la rive, mais n'en avait pas eu la force. Quand ils l'avaient trouvée, deux jours plus tard, elle était recroquevillée en position fœtale. Les lames des patins semblaient d'étranges griffes poussées à ses pieds, et ils avaient eu le plus grand mal à détacher sa joue, prisonnière de la glace.

Tant de questions étaient restées sans réponse. Avait-elle crié ? Quoi ? À qui ? Avait-elle invoqué quelque dieu quand elle avait compris qu'elle allait mourir de froid ?

Il n'y avait rien à reprocher à personne, sinon à elle-même, qui n'avait pas dit qu'elle allait au lac Undertjärn. On avait d'abord cherché sur le lac de Vänsjö, et ce n'est qu'une fois Artur prévenu, à son retour, qu'il avait supposé qu'elle s'était rendue au lac forestier où ils avaient l'habitude de se baigner l'été.

Il avait fait son possible pour éviter que cette horreur ne marque trop profondément Louise encore enfant. Tous s'y étaient efforcés dans la communauté, mais personne ne parvint à empêcher le chagrin de s'insinuer.

Le chagrin, comme une musaraigne à l'automne, arrive toujours à entrer.

Pendant un an, chaque nuit, elle avait dormi dans le lit d'Artur, c'était pour elle la seule façon de combattre l'obscurité. Ils regardaient la photographie d'Heidi, mettaient son couvert, et faisaient comme s'ils étaient toujours trois, même s'ils n'étaient que deux à table. Artur avait essayé d'apprendre à cuisiner comme Heidi, sans jamais y parvenir, mais la petite Louise avait cependant compris ce qu'il voulait lui donner.

Ils vécurent ensemble durant ces années. Il continua à couper du bois en forêt, passant le reste du temps à ses sculptures. Certains pensaient qu'il était fou, incapable de s'occuper de la fillette. Mais il menait une existence rangée, sans un geste ni un mot de travers, alors il avait pu la garder.

À présent Heidi, l'Allemande, se retrouvait à leurs côtés. Et Henrik, le petit-fils qu'elle n'avait jamais vu, n'était plus là.

Une mort répondait à l'autre. Pouvait-on y trouver quelque consolation ? Qu'y avait-il à comprendre en regardant dans l'une de ces vitres noires le reflet de l'autre ?

La mort n'était que ténèbres, en vain cherchait-on de la lumière. La mort était un grenier ou une cave qui sentait le moisi, la terre et la solitude.

— Je ne sais rien d'elle en fait, dit Louise en frissonnant dans le froid du matin.

— C'est un vrai conte de fées, répondit-il, ce destin hors du commun qui l'a conduite sur mon chemin.

— Ça n'a pas quelque chose à voir avec l'Amérique ? Quelque chose que je n'ai jamais saisi, que tu ne m'as jamais raconté ?

Les visages sculptés dans les troncs veillaient sur leurs pas. Il se mit à parler et c'était la voix d'Artur, pas de son père.

À présent il était le narrateur, et il allait rechercher les faits à la racine. S'il pouvait, ne serait-ce qu'un court moment, la maintenir à distance de la catastrophe, de la mort de son fils Henrik, ce serait déjà quelque chose.

Que savait-il réellement ? Heidi était arrivée dans le Härjedalen après la guerre, en 1946 ou 1947. Elle n'avait que dix-sept ans, même si tout le monde la croyait plus âgée. Avec son drôle d'accent, elle avait trouvé du travail pour une saison à la station de sports d'hiver de Vemdalskal, où elle faisait le ménage et changeait les draps des clients. Il l'avait rencontrée en apportant du bois de chauffage. Ils s'étaient mariés en 1948, elle avait dix-huit ans. Il avait fallu rassembler beaucoup de documents, car elle était citoyenne allemande et personne ne savait ce qu'était devenu l'Allemagne : le pays existait-il seulement encore, ou n'était-ce plus qu'un no man's land de terre brûlée et bombardée sous contrôle militaire ? Mais elle n'avait pas été mêlée aux horreurs du nazisme, elle en était elle-même une victime. Elle tomba enceinte en 1950, et Louise naquit à l'automne. Heidi n'avait jamais beaucoup parlé de ses origines, elle avait seulement raconté que sa grand-mère, Sara-Fredrika, émigrée aux États-Unis pendant la Première Guerre mondiale, était suédoise. Elle était arrivée là-bas avec sa fille Laura et avait vécu une vie de privations. Au début des années trente, elles habitaient dans les faubourgs de Chicago et Laura y avait rencontré un Allemand qui faisait le commerce du bétail. Elle l'avait suivi en Europe. Ils s'étaient mariés en 1931 et Heidi était née. Ses deux parents étaient morts sous les bombardements et, jusqu'à la fin de la guerre, elle avait vécu comme une bête aux abois. Puis elle eut l'idée de chercher asile en Suède.

– Une Suédoise qui débarque en Amérique ? Puis sa fille qui va en Allemagne avant que sa petite-fille ne boucle le cercle en revenant en Suède ?

– Elle-même disait que son histoire n'était pas si inhabituelle.

– D'où venait sa grand-mère ? L'avait-elle rencontrée ?

– Je ne sais pas. Mais elle parlait de la mer, d'une île, d'un archipel. Elle se doutait qu'une sombre histoire avait décidé sa grand-mère à quitter la Suède.

– Il ne reste plus de famille en Amérique ?

– Heidi n'avait conservé aucun document, aucune adresse. Elle disait qu'elle s'était sortie de la guerre vivante, rien d'autre. Elle ne possédait rien. Tous ses souvenirs étaient anéantis. Son passé, détruit par les bombes, avait disparu dans un déluge de feu.

Ils avaient rejoint le chemin forestier.

– Est-ce que tu sculpteras le visage d'Henrik ?

Tous les deux éclatèrent en sanglots. La visite était terminée.

Ils regagnèrent la voiture. Au moment où il allait mettre le contact, elle posa la main sur son bras.

– Que s'est-il passé ? C'est impossible qu'il se soit suicidé.

– Il était peut-être malade. Il voyageait beaucoup dans des régions dangereuses.

– Ça non plus, je n'y crois pas. Je sais que quelque chose ne colle pas.

– Et que se serait-il passé, alors ?

– Je ne sais pas.

Ils roulèrent à travers la forêt. Le brouillard s'était dissipé, c'était une claire journée d'automne. Elle le laissa faire quand il s'installa près du téléphone avec l'ambition têtue de ne pas renoncer avant d'avoir retrouvé la trace d'Aron.

Son menton et ses joues sont couverts de poils ébouriffés. Il ressemble à ses vieux chiens de chasse, pensa-t-elle. De vieux chiens gris qui écument les bois jusqu'à leur mort.

Il fallut une journée entière, à force de calculs confus mêlant le décalage horaire et les heures d'ouverture de l'ambassade de Suède à Canberra, pour trouver après de multiples tentatives un responsable de l'association suédo-australienne qui comptait inexplicablement un très grand nombre de membres. Mais impossible de trouver la trace d'Aron Cantor. Il ne s'était pas inscrit à l'ambassade, n'avait aucun lien avec l'association suédoise. Même le vieux jardinier Karl-Håkan Wester, à Perth, censé connaître tous les Suédois d'Australie, ne put donner aucune piste.

On parla de mettre des annonces, de lancer un avis de recherche. Mais, selon Louise, il était si farouche qu'il risquait de se camoufler. Il pouvait tromper ses poursuivants en devenant sa propre ombre.

Ils ne trouveraient pas Aron. Le souhaitait-elle obscurément au fond d'elle-même ? Voulait-elle le priver du droit d'accompagner son fils jusqu'à la tombe, pour se venger de toutes les blessures qu'il lui avait infligées ?

Artur le lui demanda franchement. En réalité, elle n'en savait rien.

Pendant ces journées de septembre, elle passa la majeure partie du temps à pleurer. Artur demeurait assis en silence à la table de la cuisine. Il ne pouvait pas la consoler, le silence était tout ce qu'il pouvait lui offrir. Mais le silence était froid, il ne faisait qu'augmenter son désespoir.

Une nuit, elle entra dans sa chambre et se glissa dans son lit, comme elle l'avait fait les années qui avaient suivi la mort solitaire d'Heidi sur le lac gelé. Elle resta sans bouger, la tête contre son bras. Aucun des deux ne dormit, aucun ne dit mot. Le manque de sommeil était une attente dans l'attente, un silence qui refusait de prendre fin.

Mais, à l'aube, Louise ne supporta plus de rester inerte. Même si elle en était incapable, il fallait qu'elle comprenne quelles étaient ces forces obscures qui lui avaient enlevé son unique enfant.

Levés tôt, ils s'assirent à la table de la cuisine. Une pluie d'automne tombait en sourdine derrière la fenêtre. Les couleurs du sorbier étaient éclatantes. Elle lui demanda de lui prêter sa voiture pour rentrer le matin même à Stockholm. Il s'inquiéta, mais elle le rassura. Elle ne roulerait pas trop vite, elle n'irait pas non plus se jeter dans un ravin. Plus personne ne mourrait, à présent. Néanmoins il fallait qu'elle retourne dans l'appartement d'Henrik. Elle était certaine qu'il avait laissé un indice. On n'avait trouvé aucune lettre. Mais si Henrik n'avait pas écrit de lettre, il avait sûrement laissé d'autres signes, qu'elle seule pourrait comprendre.

– Je ne peux pas faire autrement, dit-elle. Je le dois. Après je reviendrai ici.

Il hésita avant de poser la question inévitable : l'enterrement ?

– Il faut qu'il ait lieu ici. Où pourrait-on l'enterrer, sinon ? Mais cela peut attendre.

Une heure plus tard, elle était partie. La voiture sentait l'effort du travailleur de force, la chasse, les outils huilés. Il y avait encore dans le coffre une vieille couverture pour chien, en lambeaux. Elle roula lentement à travers les forêts, crut apercevoir un élan sur une colline chauve aux limites de la Dalécarlie. Elle arriva à Stockholm en fin d'après-midi. Elle avait dérapé sur les chaussées glissantes, essayé de se concentrer sur la conduite, et pensé que c'était là le dernier devoir qu'elle avait envers Henrik : personne d'autre qu'elle ne pourrait découvrir ce qui s'était réellement passé, elle devait rester en vie. La mort d'Henrik l'exigeait.

Elle s'installa à Slussen dans un hôtel au-dessus de ses moyens. Elle laissa la voiture dans un parking souterrain. Et revint à la tombée de la nuit dans l'appartement de Tavastgatan. Pour se donner du courage, elle avait ouvert la bouteille de whisky achetée à l'aéroport d'Athènes.

Comme Aron, pensa-t-elle. Je n'aimais pas qu'il boive directement au goulot, et voilà que je fais pareil.

Elle ouvrit la porte. La police ne l'avait pas mise sous scellés.

Dans l'entrée, par terre, quelques dépliants publicitaires, mais pas de lettres. Juste une carte postale d'un certain Vilgot qui décrivait avec enthousiasme les murs de pierres d'Irlande. La carte, toute verte, figurait une falaise tombant dans une mer grise, mais curieusement pas de murs de pierre. Elle se figea dans le vestibule, retenant son souffle jusqu'à ce qu'elle parvienne à maîtriser sa panique et l'instinct qui lui soufflait de s'enfuir en toute hâte. Puis elle se débarrassa de son manteau et ôta ses chaussures. Elle parcourut lentement l'appartement. Les draps du lit n'étaient plus là. De retour dans le vestibule, elle s'assit sur le tabouret près du téléphone. La lumière du répondeur clignotait. Elle appuya sur le bouton. Un certain Hans demandait si Henrik avait le temps de l'accompagner au musée ethnographique voir une exposition de momies péruviennes. Puis un clic, un appel sans message. La bande continua à tourner. À présent, c'était elle qui appelait de chez Mitsos. Elle écouta combien elle s'était réjouie de ces retrouvailles qui n'avaient pas eu lieu. Puis elle à nouveau, mais du Gotland cette fois. Elle rembobina et écouta encore une fois. D'abord Hans, puis un inconnu, puis elle. Elle resta près du téléphone. La lampe avait cessé de clignoter, mais quelque chose s'était allumé en elle, un signal d'alerte, tout comme la lumière du répondeur qui s'allume quand arrive un message. Elle avait reçu un message. Elle retint son souffle en essayant de saisir cette pensée. Que quelqu'un appelle, enregistre sa respiration et raccroche sans laisser de message, c'était fréquent, elle le faisait elle-même parfois, tout comme Henrik sans doute. Ce qui avait retenu son attention, c'était ses propres messages. Henrik les avait-il seulement entendus ?

Soudain, ce fut une certitude. Il ne les avait jamais écoutés. Les signaux avaient clignoté dans le vide.

Elle eut peur. Mais à présent elle avait besoin de toutes ses forces pour trouver des indices. Henrik devait sûrement en avoir laissé pour elle. Elle se rendit dans la pièce où il travaillait, et où se trouvaient aussi sa chaîne hi-fi et sa télévision. Elle se campa au milieu de la pièce et la balaya du regard.

Tout semblait à sa place. C'est trop beau pour être vrai, pensa-t-elle. Henrik ne rangeait jamais, c'était même un sujet de dispute entre nous. Elle refit le tour de l'appartement. La police avait-elle fait le ménage ? Il fallait qu'elle en ait le cœur net. Elle chercha le numéro que Göran Vrede lui avait donné, et réussit à le joindre. Elle sentit qu'il était occupé, et elle se contenta de le questionner sur le ménage.

– Nous ne faisons pas le ménage, dit-il. Nous cherchons en revanche à restituer ce que nous emportons.

– Il manque les draps du lit.

– Ça ne peut pas être nous. Il n'y avait pas de raison de saisir d'effets personnels, puisqu'il n'y avait aucun soupçon de meurtre.

Il s'excusa de ne pas avoir de temps à lui consacrer et lui indiqua une heure où elle pourrait le joindre le lendemain. Elle retourna examiner la pièce. Puis elle inspecta la corbeille à linge sale dans la salle de bains. Pas de draps, juste un jean. Elle chercha méthodiquement dans tout l'appartement. Pas de draps sales. Elle s'assit dans le fauteuil et observa la pièce selon un angle différent. Qu'est-ce qui ne collait pas dans ce bel ordonnancement ? Henrik n'aurait jamais fait le ménage contre son habitude, juste pour m'envoyer un message. Elle ne parvint pas à mettre le doigt sur ce qui la gênait. Elle alla dans la cuisine et ouvrit le réfrigérateur. Il était presque vide, mais elle s'y attendait.

Puis elle revint vers le bureau. Elle ouvrit les tiroirs. Des papiers, des photos, de vieilles cartes d'embarquement déchirées. Elle en prit une au hasard. Le 12 août 1999, Henrik s'était rendu à Singapour sur un vol Quantas. Il avait eu la place 37G. Au dos, il avait noté quelque chose : *N.B. Coup de fil.* Rien de plus.

Elle continuait à s'approcher prudemment de lui, des pans de sa vie qu'elle ne connaissait pas. Elle retourna le sous-main qui représentait des cactus dans le désert. Et découvrit une lettre. Elle vit tout de suite qu'elle était d'Aron. Elle reconnaissait ses pattes de mouche, toujours griffonnées à la hâte. Elle hésita à la lire. Voulait-elle vraiment savoir quelles avaient été leurs relations ? Au verso de l'enveloppe il y avait une mention illisible, peut-être une adresse.

Elle s'installa près de la fenêtre de la cuisine et essaya d'imaginer quelle serait la réaction d'Aron, lui, si avare de ses sentiments, cherchant toujours à conserver une contenance impassible face aux épreuves de la vie.

Tu as besoin de moi. Tout comme Henrik et moi avions besoin de toi. Mais tu n'as pas répondu à nos appels. Pas aux miens en tout cas.

Elle retourna vers le bureau, et regarda longuement la lettre. Au lieu de la lire, elle la mit dans sa poche.

Dans un tiroir, elle trouva les agendas et les carnets d'Henrik. Elle savait qu'il prenait régulièrement des notes. Mais elle n'osa pas risquer de découvrir dans ses journaux intimes qu'elle ne connaissait pas son fils. Ce serait pour plus tard. Elle dénicha aussi plusieurs CD-Roms où il avait noté qu'il s'agissait de sauvegardes de son ordinateur. Elle regarda autour d'elle. Pas d'ordinateur. Elle rangea les CD-Roms dans son sac.

Elle ouvrit l'agenda de l'année 2004 et le feuilleta jusqu'à la dernière entrée. La note précédait de deux jours son départ de Grèce : *Lundi 13 septembre. Essayer de comprendre.* C'était tout. Que devait-il comprendre ? Elle tourna les pages à rebours, mais les notes étaient rares les derniers mois. Elle avança dans le temps, jusqu'aux dates qu'Henrik ne devait jamais vivre. Elle ne trouva qu'une indication : *Le 10 octobre. À B.*

Je ne te trouve pas, pensa-t-elle. Je ne réussis toujours pas à interpréter tes traces. Que s'est-il donc passé dans cet appartement ? Et en toi-même ?

Soudain, elle comprit. Quelqu'un était venu dans l'appartement après l'enlèvement du corps d'Henrik. Quelqu'un était entré, tout comme elle à présent.

Ce n'étaient pas les traces d'Henrik qu'elle avait du mal à déceler. D'autres traces les recouvraient et brouillaient les pistes. La boussole s'affolait.

Elle chercha méthodiquement sur le bureau et toutes les étagères. Mais il n'y avait que cette lettre d'Aron.

Soudain elle se sentit lasse. *Il doit avoir laissé une trace.* Ce sentiment revenait sournoisement. Quelqu'un était passé dans l'appartement. Mais qui serait entré pour faire le ménage et récupérer les draps du lit ? Quel autre élément avait pu disparaître ? Elle n'arrivait pas à trouver quoi. Et pourquoi les draps ? Qui donc les avait pris ?

Elle commença à inspecter les placards. Dans l'un d'eux, quelques gros classeurs, reliés entre eux par une sangle élimée. Sur la couverture, Henrik avait écrit des initiales à l'encre noire. Elle prit les classeurs et les posa devant elle sur la table. Le premier était rempli de textes sortis sur imprimante, et de photocopies. C'était en anglais. Elle feuilleta. Ce qu'elle lut l'étonna. Il était question du cerveau du président Kennedy. Les sourcils froncés, elle reprit au début et déchiffra ce qu'elle n'avait fait que survoler.

Quand après plusieurs heures elle referma le dernier classeur, elle en était convaincue : ce n'était pas une mort naturelle. La catastrophe était venue du dehors.

Elle se posta à la fenêtre et scruta la rue obscure.

Il y a là bien des ombres, pensa-t-elle. Une de ces ombres a tué mon fils.

Un instant, elle crut entrevoir quelqu'un longer la façade obscure. Puis tout fut de nouveau calme.

Elle quitta l'appartement après minuit et rentra à son hôtel. De temps à autre, elle se retournait. Mais personne ne la suivait.

5

La chambre d'hôtel l'enveloppa de silence. Une chambre où les gens vont et viennent sans cesse reste sans mémoire. Face à la fenêtre, elle embrassa la vieille ville du regard. En voyant la circulation, elle remarqua qu'aucun bruit ne traversait la vitre épaisse. La bande-son de la réalité était coupée.

Elle avait emporté quelques-uns des plus gros classeurs. Le bureau était petit, elle étala les papiers sur le lit et reprit sa lecture. Elle lut presque toute la nuit. Entre trois heures et demie et quatre heures et quart du matin, elle s'endormit au milieu des classeurs qui s'étaient répandus en une mer de papiers. Elle se réveilla en sursaut et continua. Elle se dit que c'était en archéologue qu'elle entreprenait de classer ces informations sur Henrik. Pourquoi s'intéressait-il tant au sort d'un président américain mort voilà plus de quarante ans ? Que croyait-il trouver ? Quel secret se cachait donc là-dessous ? Comment cherche-t-on ce que quelqu'un a cherché ? Comme avec les vases antiques qu'elle reconstituait à partir de tessons en désordre, il lui fallait mobiliser toutes ses connaissances et toute sa patience pour y parvenir sans s'épuiser et s'acharner en vain sur des fragments récalcitrants qui semblaient ne jamais devoir se rabouter. Mais comment s'y prendre, à présent ? Comment recoller les morceaux qu'Henrik avait laissés derrière lui ?

Plusieurs fois pendant la nuit, elle éclata en sanglots. Ou bien avait-elle tout le temps pleuré, sans se rendre compte que ses larmes cessaient parfois ? Elle lut tous les documents déconcertants qu'Henrik avait rassemblés. La plupart étaient en anglais, tantôt des photocopies de pages de livres ou de dossiers, tantôt des courriers électroniques provenant de bibliothèques universitaires ou de fondations privées.

Il s'agissait toujours d'un cerveau disparu. Le cerveau du président assassiné.

À l'aube, comme elle n'en pouvait plus, elle s'étendit sur le lit et essaya de se remémorer l'essentiel de ce qu'elle avait lu.

Le 22 novembre 1963, vers midi, le président John Fitzgerald Kennedy avait été abattu à bord d'une décapotable, en présence de son épouse, alors que son cortège traversait le centre de Dallas. Trois coups de feu avaient été tirés. Des balles projetées à une vitesse insensée, transformant tout ce qu'elles rencontraient en une bouillie sanglante de chair, d'os et de nerfs. Le premier projectile avait atteint le président au cou, le deuxième avait manqué sa cible, mais le troisième avait touché la tête, y perçant un trou d'où une partie du cerveau avait été violemment éjectée. Le corps du président avait été évacué le jour même de Dallas à bord de l'avion *Airforce One*. À bord, Lyndon Johnson avait prononcé le serment présidentiel, aux côtés de Jackie Kennedy encore vêtue de ses vêtements tachés de sang. On avait ensuite procédé à l'autopsie du président sur une base aérienne. Plusieurs années plus tard, il fut établi que ce qui restait du cerveau du président après l'attentat et l'autopsie avait disparu. Malgré plusieurs enquêtes, il fut impossible d'en retrouver la trace. Robert Kennedy, le frère du président, s'était vraisemblablement chargé d'enterrer les restes de substance cérébrale. Mais personne n'en était sûr. Et quelques années plus tard, Robert Kennedy était à son tour assassiné. Le cerveau du président Kennedy avait disparu pour de bon.

Elle resta couchée, les yeux clos, essayant de comprendre. *Que cherchait Henrik ?* Elle se remémora les notes qu'il avait prises en marge des documents.

> Le cerveau du président est un disque dur. Quelqu'un craignait-il qu'on puisse un jour décoder le cerveau comme on va puiser dans les profondeurs d'un disque dur des textes censés avoir été effacés ?

Henrik ne répondait pas à cette question.

Elle se coucha sur le côté et fixa un tableau au mur, près de la porte de la salle de bains. Trois tulipes dans un vase beige. Une table brun foncé, une nappe blanche. Un mauvais tableau, songea-t-elle. Il ne respire pas, les fleurs n'exhalent aucun parfum.

Dans un des classeurs, Henrik avait glissé une page entièrement manuscrite, arrachée à un cahier, où il cherchait à expliquer pourquoi un cerveau pouvait disparaître.

> La peur de trouver un contenu, de pouvoir libérer les pensées les plus secrètes d'un mort. Comme percer un coffre-fort, ou voler un journal intime dans des archives enfouies. Peut-on pénétrer le monde intérieur de quelqu'un plus profondément que lorsqu'on lui vole ses pensées ?

Louise ne saisissait pas qui avait peur, ni de quoi. Que croit donc trouver Henrik dans le cerveau du président mort ? Un récit depuis longtemps achevé ? À quoi ressemble l'histoire qu'il traque ainsi ?

Ce doit être une fausse piste, pensa-t-elle. Elle se redressa dans le lit, et chercha le papier sur lequel il avait pris ses notes. Un brouillon raturé, à la ponctuation défaillante. Écrit à la hâte et sans support correct, peut-être appuyé sur un genou. Il avait souligné le mot « trophée ».

Un scalp peut être la prise de chasse la plus recherchée, comme les bois d'un élan ou une tête de lion. Pourquoi un cerveau ne pourrait-il pas constituer un trophée ? Mais alors, qui est le chasseur ?

Le nom de Robert Kennedy était inscrit en marge à cet endroit, suivi d'un point d'interrogation. Henrik avait ensuite souligné les mots « alternative inconnue ».

Quelque chose d'inimaginable. Tant que le cerveau est porté disparu, il faut cependant continuer d'envisager cette alternative inconnue. Je ne peux pas négliger cette part d'inconnu.

Le jour ne s'était pas encore levé lorsqu'elle sortit du lit et retourna à la fenêtre. Il pleuvait, les phares des voitures luisaient. Elle dut s'appuyer contre le mur pour ne pas tomber. *Que recherchait-il ?* Elle se sentit mal, impossible de rester plus longtemps dans cette chambre.

Juste après sept heures, elle avait rangé tous ses papiers, réglé sa chambre et prenait un café dans la salle des petits-déjeuners.

À une table voisine, un homme et une femme lisaient les répliques d'une pièce de théâtre. L'homme était très âgé. Il déchiffrait les feuillets de ses yeux myopes, les mains tremblantes. La femme portait un manteau rouge et lisait d'une voix monocorde. La pièce parlait d'une rupture, la scène se déroulait dans un vestibule, ou sur un palier. Mais Louise ne parvenait pas à savoir lequel des deux quittait l'autre.

Elle finit son café et sortit de l'hôtel. La pluie avait cessé. Elle monta chez Henrik. La fatigue la vidait, la souffrance l'anéantissait. *Ne pas penser au-delà du pas suivant. Un pas à la fois, pas plus.*

59

Elle s'assit à la table de la cuisine en évitant de regarder les miettes de pain abandonnées. Elle feuilleta de nouveau l'agenda d'Henrik. L'initiale «B» revenait souvent. Elle imagina un nom, Birgitta, Barbara, Berit. Nulle part l'ombre d'une explication. D'où lui venait cet intérêt pour le président Kennedy et son cerveau? Pourquoi en était-il obsédé? Mais était-ce ce qu'il cherchait réellement, ou un simple symbole? Le vase brisé existait-il vraiment, ou n'était-ce qu'un mirage?

Elle se força à ouvrir le placard pour fouiller ses vêtements. Elle ne trouva qu'un peu de monnaie, surtout des couronnes suédoises, quelques euros. Dans la poche d'une veste, un ticket tout sale, de bus, peut-être de métro. Elle le porta à la cuisine et le plaça sous la lumière de la suspension. *Madrid.* Henrik était donc allé en Espagne. Il ne lui en avait pas parlé, elle s'en serait souvenue. Parfois, tout ce qu'il racontait sur ses voyages était la destination. Il n'en disait jamais le motif.

Elle revint vers le placard. Dans la poche d'un pantalon, elle trouva les restes d'une fleur séchée qui tomba en poussière entre ses doigts. Rien d'autre.

Au moment où elle commençait à inspecter les chemises, on sonna à la porte. Elle poussa un cri. La sonnerie était déchirante. Le cœur battant, elle alla ouvrir. Ce n'était pas Henrik, mais une jeune fille, aux cheveux et aux yeux sombres, un manteau boutonné jusqu'au menton.

Elle regarda Louise avec méfiance.

– Henrik est là?

Louise se mit à pleurer. La jeune fille recula imperceptiblement de quelques pas.

– Que faites-vous ici? demanda-t-elle, effrayée.

Louise n'eut pas la force de répondre. Elle tourna les talons et regagna la cuisine. Elle entendit la jeune fille refermer la porte d'entrée avec précaution.

– Que faites-vous ici ? demanda-t-elle à nouveau.
– Henrik est mort.

La jeune fille sursauta et se mit à respirer fort. Elle resta immobile à fixer Louise.
– Qui êtes-vous ? demanda Louise.
– Je m'appelle Nazrin, j'étais la petite amie d'Henrik. Peut-être que je le suis encore. Nous sommes amis en tout cas. C'est le meilleur ami qu'on puisse avoir.
– Il est mort.

Louise se leva et présenta une chaise à la jeune fille, qui avait toujours son manteau boutonné jusqu'au menton. Quand Louise eut fini son récit, elle secoua lentement la tête.
– Henrik ne peut pas être mort, dit-elle.
– Non. Je suis d'accord, Henrik ne peut pas être mort.

Louise attendit une réaction de Nazrin, mais en vain, rien ne venait. Nazrin commença prudemment à poser quelques questions. Elle n'avait toujours pas l'air d'avoir réalisé.
– Était-il malade ?
– Il n'était jamais malade. Il a eu plusieurs maladies infantiles, comme la rougeole, sans même qu'on s'en rende compte. Pendant une période, à l'adolescence, il saignait souvent du nez. Mais ça lui est passé. Il disait que c'était parce que la vie était trop lente.
– Que voulait-il dire ?
– Je ne sais pas.
– Mais il ne peut pas juste être mort, comme ça. Ce n'est pas possible.
– Ce n'est pas possible. Et pourtant cela arrive. Ce qui n'est pas possible est le pire qui puisse arriver.

Soudain Louise sentit la colère monter en elle, en voyant que Nazrin ne se mettait pas à pleurer. C'était comme si elle profanait Henrik.

— Je veux que vous partiez, dit-elle.

— Pourquoi ?

— Vous êtes venue voir Henrik. Il n'existe plus. Alors allez-vous-en.

— Je ne veux pas m'en aller.

— Je ne sais même pas qui vous êtes. Il ne m'a jamais parlé de vous.

— Il m'avait dit qu'il ne vous avait pas parlé de moi. « On ne peut pas vivre sans avoir de secrets. »

— C'est ce qu'il disait ?

— Il disait que c'était vous qui le lui aviez enseigné.

La colère de Louise s'estompait. Elle eut honte.

— J'ai peur, dit-elle. J'ai perdu mon unique enfant. J'ai perdu ma propre vie. Je reste assise là à attendre de tomber en miettes.

Nazrin se leva et alla s'isoler dans l'autre pièce. Louise l'entendit renifler. Elle s'absenta longtemps. Quand elle revint, son manteau était ouvert et elle avait les yeux rouges.

— Nous avions décidé de faire la « grande promenade », comme nous disions. Nous avions l'habitude de sortir de la ville en suivant le bord de l'eau aussi loin que possible. Nous devions nous taire à l'aller, et parler sur le chemin du retour.

— Comment se fait-il que vous n'ayez aucun accent, si vous vous appelez Nazrin ?

— Je suis née à l'aéroport d'Arlanda. Nous avions passé là deux jours dans l'attente d'être placés dans un centre d'accueil pour réfugiés. Maman a accouché par terre, au contrôle des passeports. C'est allé très vite. Je suis née exactement là où la Suède commence. Ni maman ni papa n'avaient de passeport. Mais moi, née à même le sol, j'ai immédiatement reçu la nationalité suédoise. Un vieux policier des frontières prend toujours de mes nouvelles de temps en temps.

– Comment vous êtes-vous rencontrés, vous et Henrik ?

– Dans un bus. Nous étions assis côte à côte. Il s'est mis à rire en me montrant ce que quelqu'un avait écrit sur la paroi du bus. Je n'ai pas trouvé ça drôle.

– Qu'y avait-il écrit ?

– En fait, je ne me souviens pas. Ensuite, il est venu me voir sur mon lieu de travail. Je suis dentiste. Il s'était fourré du coton dans la bouche et prétendait avoir mal.

Nazrin enleva son manteau. Louise considéra son corps, l'imagina nue avec Henrik.

Elle étendit la main par-dessus la table et saisit son bras.

– Vous devez savoir quelque chose. Moi, j'étais en Grèce, mais vous, vous étiez là. Que s'est-il produit ? Avait-il changé ?

– Il était joyeux, plus joyeux que jamais ces derniers temps. Je ne l'avais jamais vu aussi en forme.

– Que s'était-il passé ?

– Je ne sais pas.

Louise sut que Nazrin disait la vérité. C'était comme creuser dans des sédiments instables : même un archéologue expérimenté peut hésiter longtemps avant de comprendre qu'il a atteint une nouvelle couche de terre. On peut creuser à travers les restes pêle-mêle d'un tremblement de terre et ne s'en rendre compte qu'après coup.

– Quand avez-vous remarqué cette joie ?

La réponse la surprit.

– À son retour de voyage.

– Un voyage où ?

– Je ne sais pas.

– Il ne disait pas où il allait ?

– Pas toujours. Cette fois-ci, il n'avait rien dit. Je suis allée le chercher à l'aéroport. Il arrivait de Francfort, mais il avait fait un long voyage. Je ne sais pas d'où il venait.

Louise eut un élancement, comme le début d'une rage de dents. Henrik avait fait escale à Francfort, comme elle depuis Athènes. Mais lui, d'où venait-il ?

– Il a forcément dit quelque chose. Vous avez bien remarqué quelque chose. Était-il bronzé ? Avait-il rapporté des cadeaux ?

– Il n'a rien dit. Il était presque toujours bronzé. Il était beaucoup plus gai qu'à son départ. Il ne me faisait jamais de cadeaux.

– Combien de temps était-il parti ?

– Trois semaines.

– Et il n'a pas dit où il était allé ?

– Non.

– Quand a eu lieu ce voyage ?

– Il y a environ deux mois.

– Il n'a pas expliqué pourquoi il ne disait rien ?

– Il parlait de son petit secret.

– Il disait ça ?

– Mot pour mot...

– Il n'avait rien rapporté ?

– Comme je l'ai dit : il ne m'achetait jamais de cadeaux. Mais il m'a écrit des poèmes.

– De quoi parlaient-ils ?

– Des ténèbres.

Louise la regarda d'un air interrogateur.

– Il vous a donné des poèmes écrits pendant le voyage, et qui parlaient des ténèbres ?

– Il y en avait sept, un tous les trois jours. Ils parlaient d'hommes étranges vivant dans de perpétuelles ténèbres. Des hommes qui avaient renoncé à chercher une issue.

– Ça a l'air assez sinistre.

– Ces poèmes étaient terribles.

– Vous les avez gardés ?

– Il voulait que je les brûle après les avoir lus.

– Pourquoi ?

– J'ai moi aussi posé la question. Il a dit qu'ils ne servaient plus à rien.

– C'était habituel, qu'il vous demande de brûler ce qu'il écrivait ?

– Ce n'était jamais arrivé. Seulement cette fois.

– Vous a-t-il jamais parlé d'un cerveau disparu ?

Nazrin la regarda sans avoir l'air de comprendre.

– John Kennedy a été assassiné à Dallas en 1963. Après l'autopsie, son cerveau a disparu.

Nazrin secoua la tête.

– Je ne comprends pas. Je n'étais même pas née en 1963.

– Mais vous avez bien entendu parler du président Kennedy ?

– Peut-être.

– Henrik n'en parlait jamais ?

– Pourquoi l'aurait-il fait ?

– Je me demande, juste. J'ai trouvé ici beaucoup de papiers à ce sujet.

– Pourquoi se serait-il intéressé à ça ?

– Je ne sais pas. Je crois seulement que c'est important.

Un bruit dans la boîte aux lettres les fit sursauter toutes les deux. Nazrin alla voir et revint avec des publicités d'offres spéciales pour du rôti de porc et des ordinateurs. Elle les posa sur la table de la cuisine sans se rasseoir.

– Je ne peux pas rester. J'ai l'impression d'étouffer.

Elle éclata en violents sanglots. Louise se leva et la prit dans ses bras.

– Qu'est-ce qui avait cessé ? demanda-t-elle quand elle se

fut calmée. À quel moment l'amour s'est-il transformé en amitié ?

– C'était le cas pour lui seulement. Moi je l'aimais toujours. J'espérais que tout redeviendrait comme avant.

– D'où venait sa joie ? D'une autre femme ?

Nazrin répondit rapidement. Louise comprit qu'elle s'était posé la même question.

– Il n'y avait pas d'autre femme.

– Aidez-moi à comprendre. Vous le regardiez d'une autre façon. Pour moi c'était un fils. On n'a jamais une image très claire de ses enfants. Il y a toujours une attente ou une inquiétude qui vient la déformer.

Nazrin se rassit. Louise vit son regard errer sur les murs de la cuisine, comme si elle cherchait un point d'appui.

– Je n'emploie peut-être pas les mots justes, dit-elle. Je devrais peut-être parler d'un chagrin qui avait soudain disparu plutôt que d'une joie inattendue.

– Henrik n'avait pas l'habitude d'être déprimé.

– Peut-être ne vous le montrait-il pas. Vous l'avez dit vous-même : les parents ne sont pas toujours lucides quand il s'agit de leurs enfants. Quand j'ai rencontré Henrik dans ce bus, il riait. Mais le Henrik que j'ai appris à connaître était une personne très grave. Il me ressemblait. Pour lui, la misère se répandait partout et le monde courait à la catastrophe finale. Il était scandalisé par la pauvreté. Il essayait de montrer sa colère, mais il lui était plus facile d'exprimer son chagrin. Je crois qu'il s'attendrissait trop. Ou alors je n'ai jamais vraiment su le comprendre. Je le considérais comme un faux idéaliste. Mais la vérité était peut-être différente. Il préparait quelque chose, il voulait résister. Je me souviens qu'une fois il était assis à cette table, juste à votre place, et a dit : « Chacun doit organiser son propre mouvement de résistance. On ne peut pas attendre que les autres soient prêts. Ce monde affreux exige l'engagement de chacun. Quand la maison brûle, personne ne demande d'où vient l'eau. Il faut éteindre l'incendie. » Je me souviens d'avoir pensé qu'il prenait parfois un ton pathétique, comme un prêtre. Tous les prêtres sont peut-être romantiques ? Parfois son sérieux me fatiguait, son chagrin était comme un écran contre lequel je me heurtais. Il voulait améliorer la condition humaine, mais il avait surtout pitié de lui-même. Derrière cette façade, il y avait pourtant une autre sorte de gravité, que je ne pouvais pas ignorer. Une gravité, un chagrin qui était l'expression ratée de sa colère. Quand il essayait de se fâcher, il avait plutôt l'air d'un petit garçon effrayé. Mais, à son retour de voyage, tout avait changé.

Nazrin se tut. Louise vit qu'elle faisait des efforts pour se souvenir.

– J'ai tout de suite vu qu'il s'était passé quelque chose. En arrivant à l'aéroport, il se déplaçait lentement, comme s'il hésitait. Il a souri en me voyant, mais je me souviens qu'il avait l'air d'espérer que personne ne soit venu l'attendre. Il était le même, il essayait d'être le même. Et pourtant il était absent, absent même quand nous avons couché ensemble. Je ne savais pas s'il fallait que je sois jalouse. Mais s'il y avait eu une autre femme, il me l'aurait dit. J'ai essayé de lui demander où il était allé, il s'est contenté de secouer la tête. Quand il a défait ses valises, j'ai vu qu'il y avait de la terre rouge sur les semelles d'une paire de chaussures. Je l'ai interrogé à ce sujet, mais il n'a rien répondu et s'est énervé. Puis, brusquement, il s'est transformé à nouveau. Il était plus présent, plus gai, plus léger, comme débarrassé d'un grand poids. J'ai remarqué qu'il était parfois fatigué quand j'arrivais l'après-midi, il avait veillé toute la nuit, mais je n'ai jamais pu savoir ce qui l'occupait. Il était en train d'écrire quelque chose, il y avait toujours de nouveaux classeurs dans l'appartement. Il parlait tout le temps de la colère qui devait éclater, de tout ce qu'on cachait et qu'il fallait dévoiler. Parfois, il avait l'air de citer la Bible, comme s'il devenait une sorte de prophète. J'ai essayé une fois de plaisanter à ce sujet. Ça l'a rendu furieux. C'est la seule fois où je l'ai vraiment vu fâché. J'ai cru qu'il allait me frapper. Il levait le poing sur moi, et si je n'avais pas crié, il m'aurait frappée. J'ai eu peur. Il m'a demandé pardon, mais cela sonnait faux.

Nazrin se tut. Derrière le mur de la cuisine, on entendait du bruit dans l'appartement voisin. Louise reconnut la musique d'un film dont elle ne put retrouver le titre.

Nazrin cacha son visage entre ses mains. Louise restait immobile à attendre. Attendre quoi ? Elle ne savait pas.

Nazrin se leva.

– Il faut que je parte. Je n'en peux plus.

– Où puis-je vous joindre ?

Nazrin inscrivit son numéro de téléphone sur un des dépliants publicitaires. Puis elle tourna les talons, son manteau sous le bras, et s'en alla. Louise entendit ses pas résonner dans l'escalier, la porte cochère claquer.

Quelques minutes plus tard, elle quitta aussi l'appartement. Elle descendit vers Slussen. Elle marchait au hasard en rasant les murs, redoutant une soudaine crise de panique. Arrivée à Slussen, elle prit un taxi pour le parc de Djurgården. Le vent avait molli, l'air semblait plus doux. Elle erra parmi les arbres aux couleurs d'automne en repensant à tout ce que Nazrin avait raconté.

Un chagrin disparu plutôt qu'une joie soudaine. Un voyage dont il ne voulait pas parler.

Et sa préoccupation ? Et tous ces classeurs ? Elle était convaincue qu'il s'agissait de ceux qu'elle avait lus sur le président assassiné et son cerveau. L'intérêt que portait Henrik au cerveau du président était donc récent.

Elle errait parmi les arbres, au rythme de ses pensées. Elle ne savait plus si les feuilles mortes se froissaient sous ses pieds ou dans son crâne.

Soudain elle se souvint de la lettre d'Aron. Elle la sortit de sa poche et l'ouvrit.

Une seule ligne :

Toujours pas d'iceberg. Mais je n'abandonne pas. Aron.

Elle essaya de comprendre. Iceberg ? Était-ce un code ? Un jeu ? Elle remit la lettre dans sa poche et reprit sa marche.

En fin d'après-midi, elle retourna à l'appartement d'Henrik. Quelqu'un avait laissé un message sur le répondeur : «Salut, c'est Ivan. Je rappellerai.» Qui était Ivan ? Nazrin savait peut-être. Elle était sur le point de l'appeler quand elle changea d'avis. Elle entra dans la chambre d'Henrik et s'assit sur le lit. Elle avait le vertige, mais elle se força à rester assise là.

Sur une étagère, il y avait une photo où ils étaient ensemble. Un voyage à Madère, tous les deux, quand il avait dix-sept ans. Pendant la semaine qu'ils avaient passée sur l'île, ils avaient fait une excursion à la vallée des Nonnes, et avaient décidé d'y revenir dix ans après. Ce devait être, toute leur vie, rien que pour eux, un but de pèlerinage. Elle éprouva soudain de la colère contre celui qui leur avait volé leur voyage. La mort est si longue, pensa-t-elle. Si infiniment longue. Nous ne reviendrons jamais à la *Correia des fuentes*. Jamais.

Elle promena son regard dans la pièce. Quelque chose avait attiré son attention : une étagère murale avec deux rangées de livres. D'abord perplexe, elle finit par remarquer que quelques livres dépassaient dans la rangée inférieure. Cela cachait-il quelque chose ? Elle se leva du lit et tâtonna d'une main derrière les livres. Elle y trouva deux minces cahiers qu'elle emporta à la cuisine. Deux cahiers d'écolier, tachés, remplis au crayon, à l'encre et au feutre d'une écriture menue. Le texte était en anglais. L'un deux portait le titre : *Memory Book from my mother Paula.*

Louise feuilleta le cahier. Quelques rares textes, des fleurs séchées, la peau d'un petit lézard, des photos pâlies, le dessin au pastel d'un visage d'enfant. Elle lut et comprit qu'il s'agissait d'une femme qui allait bientôt mourir, qui avait le sida et rédigeait ce cahier pour ses enfants, afin qu'ils se souviennent d'elle quand elle ne serait plus là :

> Ne pleurez pas trop, juste assez pour arroser les fleurs que vous mettrez sur ma tombe. Étudiez et faites quelque chose de votre vie. Faites quelque chose de votre temps.

Louise scruta le visage de la femme noire qui apparaissait sur une photo dont les couleurs étaient presque entièrement délavées. Elle souriait, face à l'objectif, face au chagrin et à l'impuissance de Louise.

Elle lut le second cahier. *Mémoires de Miriam pour sa fille Ricki.* Il n'y avait aucune photo, les textes étaient courts, une écriture crispée qui enfonçait les lettres dans le papier. Pas de fleurs séchées, des pages laissées vides. Le cahier était inachevé, il s'interrompait au milieu d'une phrase : « There are so many things I would… »

Louise essaya de compléter la phrase.

Il y a tant de choses que j'aurais voulu te dire, Henrik. Ou faire. Mais tu as disparu, tu t'es dérobé à ma vue. Et tu m'abandonnes avec un effroyable tourment : je ne sais pas pourquoi tu as disparu.

Je ne sais pas ce que tu cherchais ni ce qui t'a conduit là. Tu étais vivant, tu ne voulais pas mourir. Je ne comprends pas.

Louise regarda les cahiers sur la table de la cuisine.

Je ne comprends pas pourquoi tu avais ces cahiers avec les souvenirs de deux femmes mortes du sida. Ni pourquoi tu les avais cachés derrière d'autres livres sur tes étagères.

Lentement, elle sortait les tessons de sa mémoire. Elle choisit les plus gros morceaux. Espérant qu'ils allaient, comme des aimants, attirer les autres éclats jusqu'à ce qu'une unité commence à apparaître.

La terre rouge sous ses semelles. Quel était le but de son voyage ?

Elle retint son souffle en essayant de voir un motif se dessiner.

Je dois être patiente. L'archéologie m'a enseigné qu'on peut pénétrer à travers toutes les couches de terre de l'histoire à force d'énergie et de douceur. Mais qu'il faut prendre son temps.

Louise quitta l'appartement tard dans la soirée. Elle s'installa en ville dans un autre hôtel. Elle appela Artur pour lui dire qu'elle serait bientôt de retour. Puis elle chercha la carte de visite que lui avait donnée Göran Vrede et l'appela chez lui. Il avait l'air de sortir du lit. Ils convinrent d'un rendez-vous à son bureau à neuf heures le lendemain matin.

Elle vida quelques-unes des mignonnettes du minibar. Puis elle dormit d'un sommeil agité jusqu'à trois ou quatre heures du matin.

Elle veilla le reste de la nuit.

Les tessons se taisaient obstinément.

6

Göran Vrede vint à sa rencontre à l'entrée de l'hôtel de police. Il sentait le tabac et, en montant à son bureau, il lui raconta que dans sa jeunesse il avait rêvé de chercher des os. Elle ne comprit d'abord pas ce qu'il voulait dire, et ce n'est qu'une fois installés devant son bureau croulant sous les papiers qu'elle eut droit à une explication. Étudiant, il avait été fasciné par les recherches des Leakey, ces paléontologues qui déterraient des fossiles d'hominidés en Afrique de l'Est, dans la faille du Rift.

Göran Vrede souleva une pile de son bureau et composa un code sur son téléphone.

– J'en rêvais. Au fond de moi, je savais que je deviendrais policier, mais je rêvais de découvrir ce qu'on appelait à l'époque le «chaînon manquant». Quand le singe était-il devenu homme? Ou peut-être devrait-on dire: quand l'homme avait-il cessé d'être un singe? Parfois, quand j'ai le temps, je me tiens au courant des dernières découvertes dans ce domaine. Mais j'ai fini par comprendre que les seuls chaînons manquants que je trouverai sont ici, dans ce travail.

Il se tut brusquement, comme s'il avait révélé un secret par erreur. Louise le regarda avec une vague mélancolie. Elle avait sous les yeux un homme au rêve inaccompli. Le monde était plein de Göran Vrede. Arrivés dans la force de l'âge, leur rêve n'était plus qu'un pâle reflet de ce qui avait jadis été une passion dévorante.

Et elle, de quoi avait-elle rêvé ? De rien, au fond. L'archéologie avait été sa première passion après que Emil le géant eut lâché prise et qu'elle eut franchi cent quatre-vingt-dix kilomètres, jusqu'à Östersund, pour devenir quelqu'un. Elle avait souvent pensé que sa vie avait pris son cap à l'arrêt de l'omnibus à Rätansby, entre Östersund et Sveg, où il croisait le train qui descendait vers le sud. Il y avait un kiosque où on vendait des saucisses à côté de la gare. Dès que l'omnibus s'arrêtait, tout le monde semblait pris d'une soudaine fringale : le dernier dans la queue risquait de ne pas être servi, soit qu'il n'y aurait plus de saucisses, soit que l'heure du départ aurait sonné.

Une fois, au lieu de se précipiter vers le kiosque, elle était restée à sa place dans l'omnibus, et c'est à ce moment-là qu'elle avait décidé de devenir archéologue. Elle avait hésité à entamer de longues études de médecine pour devenir pédiatre, ce qui l'attirait aussi. Mais là, dans l'obscurité du soir, la décision lui était clairement apparue, il n'y avait plus lieu d'hésiter. Elle consacrerait sa vie à pourchasser le passé. Elle s'imaginait travaillant sur le terrain, mais elle se voyait aussi bien recherchant les secrets de vieux manuscrits pour donner une nouvelle interprétation à des vérités établies par des générations d'archéologues.

Tout autour d'elle, les gens mastiquaient leurs saucisses enduites de moutarde et de ketchup, et elle se sentait envahie par une étrange sensation de paix. Elle savait.

Göran Vrede avait quitté la pièce, et il revint avec sa tasse de café. Elle-même n'en avait pas voulu. Elle se redressa sur sa chaise, prête à lui opposer résistance.

Il lui parlait d'une voix amicale, comme à une proche.

– Rien n'indique que votre fils ait été assassiné.

– Je veux tout savoir en détail.

– Nous ne savons pas encore tout. Il faut du temps pour

comprendre tout ce qui se passe lorsque quelqu'un meurt subitement. La mort est un processus compliqué. Probablement le plus dense qui soit, et le plus difficile à envisager dans sa globalité. On en sait bien plus sur la naissance que sur la fin de la vie.

– Je vous parle de mon fils ! Pas d'une vieille tante ou d'un vieillard dans une unité de soins palliatifs !

Elle devait par la suite se demander si cette exclamation était ou non inattendue pour Göran Vrede. Il devait souvent être confronté à une situation semblable, face à un parent désespéré qui ne pouvait pas retrouver son enfant, mais qui exigeait une forme de justification, aussi absurde soit-elle. Pour ne pas avoir été un mauvais parent, ne pas être accusé de négligence.

Göran Vrede ouvrit devant lui un classeur en plastique.

– Il n'y a pas de réponse. Il devrait y en avoir une. Je ne puis que le déplorer. Pour toute une série de raisons, les résultats des analyses ont été détruits. Il faut recommencer, les médecins et les laboratoires y travaillent. Ils sont minutieux, il leur faut du temps. La première chose que nous cherchons à établir est bien sûr de savoir s'il y a eu une intervention extérieure. Et il n'y en a pas eu.

– Henrik n'était pas suicidaire.

Göran Vrede la regarda longtemps avant de répondre.

– Mon père s'appelait Hugo Vrede. C'était l'homme le plus heureux du monde. Il riait tout le temps, il aimait sa famille, il se précipitait chaque matin avec un enthousiasme incroyable à son travail de typographe au *Dagens Nyheter*. Ça ne l'a pas empêché de se suicider brusquement à l'âge de quarante-neuf ans. Il avait vu naître son premier petit-fils, il avait eu une augmentation. Il avait mis fin à un long différend avec ses sœurs et était devenu l'unique propriétaire d'une résidence secondaire sur l'île d'Utö. J'avais onze ans, j'étais encore petit. Il venait toujours m'embrasser avant que je m'endorme. Un mardi matin, il s'est levé tôt comme d'habitude, a pris son petit-déjeuner, lu son journal, il a sifRoté en laçant ses chaussures avec sa bonne humeur coutumière, et a embrassé ma mère sur le front avant de partir en vélo. Il a suivi son itinéraire habituel, mais juste avant de tourner dans Torsgatan, il a dévié. Il ne s'est pas rendu à son travail. Il est sorti de la ville. Du côté de Sollentuna, il a obliqué sur les petits chemins conduisant directement vers la forêt. Il y a par là une casse que l'on peut voir d'avion quand on arrive à Arlanda. Il a rangé son vélo et a disparu parmi les épaves de voitures. On l'a retrouvé sur le siège arrière d'une vieille Dodge. Il s'était couché là, avait avalé une forte dose de somnifères et était mort. Je me souviens des funérailles. Sa mort était un choc, bien sûr. Mais le pire était la douleur de ne pas comprendre. Tout l'enterrement s'est déroulé sous le signe de ce mystérieux et douloureux « pourquoi ? ». Ensuite, on a servi le café dans un complet silence.

Louise prit cela comme une provocation. Son fils n'avait rien à voir avec le père de Göran Vrede.

Göran Vrede comprit sa réaction. Il feuilleta le classeur qu'il avait sous les yeux, même s'il en connaissait le contenu.

– Il n'y a aucune explication à la mort d'Henrik. La seule chose dont nous sommes certains est qu'il n'y a pas eu de violence extérieure.

– Ça, je l'ai vu moi-même.

– Rien ne laisse penser qu'une autre personne soit responsable de sa mort.

– Que disent les médecins ?

– Qu'il n'y a pas d'explication simple et immédiate. Quand un jeune homme en bonne santé meurt subitement, il s'est forcément passé quelque chose d'inattendu. Nous finirons bien par savoir.

– Savoir quoi ?

Göran Vrede secoua la tête.

– Un petit détail cesse de fonctionner. Un petit maillon qui cède peut causer plus de dommages que l'effondrement d'un barrage ou l'éruption inattendue d'un volcan. Les médecins cherchent.

– Il a dû se produire quelque chose qui n'est pas naturel.

– Pourquoi croyez-vous cela ? Expliquez-moi.

La voix de Göran Vrede avait changé. Elle perçut un soupçon d'irritation dans sa question.

– Je connaissais mon fils. C'était une personne heureuse.

– Qu'est-ce qu'une personne heureuse ?

– Je ne veux pas parler de votre père. Je parle d'Henrik. Il n'est pas mort de son plein gré.

– Mais personne ne l'a tué. Soit il est mort de causes naturelles, soit il s'est tué. Nos pathologistes y travaillent méthodiquement. Nous aurons bientôt la réponse.

– Et après ?

– Que voulez-vous dire ?

– Quand ils n'auront trouvé aucune explication ?

Le silence s'installa entre eux.

– Je suis désolé de ne pas pouvoir vous aider davantage aujourd'hui.

– Personne ne peut m'aider.

Louise se leva brusquement.

– Il n'y a pas d'explication. Il n'y a pas de chaînon manquant. Henrik est mort parce que quelqu'un l'a voulu.

Göran Vrede la raccompagna jusqu'à la sortie. Ils se séparèrent sans un mot.

Louise récupéra sa voiture et quitta Stockholm. Aux environs de Sala, elle s'arrêta sur un parking, rabattit son siège et s'endormit.

76

Elle rêva de Vassilis. Il jurait qu'il n'avait rien à voir avec la mort d'Henrik.

Louise se réveilla et continua vers le nord. Ce rêve était un message, pensa-t-elle. J'ai rêvé de Vassilis, mais il s'agissait de moi. J'ai essayé de me persuader que je n'avais pas abandonné Henrik. Mais je ne l'ai pas écouté autant qu'il aurait fallu.

Elle s'arrêta à Orsa pour manger. Des jeunes gens en maillot de football – ou peut-être de hockey sur glace – chahutaient à une table voisine. Elle eut soudain envie d'aller leur parler d'Henrik et de leur demander de se taire. Puis elle se mit à pleurer. Un chauffeur routier avec un gros ventre la regarda. Elle secoua la tête et il baissa les yeux. Elle vit qu'il remplissait d'un air réfléchi une sorte de billet de loterie, et souhaita qu'il gagne.

La nuit était tombée quand elle s'enfonça dans la forêt. Il lui sembla voir un élan sur une colline sans arbres. Elle stoppa la voiture et sortit : elle cherchait un détail qui lui échappait.

La mort d'Henrik n'était pas naturelle. Quelqu'un l'a tué. La terre rouge sous ses chaussures, les cahiers, sa joie soudaine. Qu'est-ce que je n'arrive pas à voir ? Les tessons s'emboîtent peut-être sans que je m'en rende compte.

Elle fit une nouvelle halte, à Noppikoski, quand elle fut trop fatiguée pour continuer à conduire.

Elle rêva encore de la Grèce, mais cette fois-ci Vassilis n'apparaissait qu'en filigrane. Elle était en train de fouiller quand soudain un éboulement se produisait. Enterrée, terrorisée, elle se réveilla juste au moment d'étouffer.

Elle reprit sa route vers le nord. Ce dernier rêve n'avait besoin d'aucune explication.

Elle arriva à Sveg tard dans la nuit. La lumière était allumée dans la cuisine quand elle entra dans la cour : son père était réveillé, comme d'habitude. Une fois encore, elle se demanda comment il avait bien pu survivre toutes ces années en se privant ainsi de sommeil.

Assis à la table de la cuisine, il était occupé à huiler quelques-uns de ses outils de bûcheron. Il ne paraissait pas étonné de la voir rentrer si tard dans la nuit.

– Tu as faim ?

– J'ai mangé à Orsa.

– Ça fait un bout de chemin.

– Je n'ai pas faim.

– Alors n'en parlons plus.

Elle s'assit à sa place habituelle, lissa la toile cirée du revers de la main et raconta les derniers jours. Ensuite, ils restèrent longtemps silencieux.

– Peut-être que Vrede a raison, dit-il à la fin. Laissons-leur une chance d'arriver à une explication.

– Je ne crois pas qu'ils fassent tout ce qui est possible. Au fond, Henrik ne les intéresse pas. Un jeune homme parmi mille autres qu'on retrouve un jour morts dans leur lit.

– Là, tu es injuste.

– Je sais que je suis injuste. Mais c'est ce que je ressens.

– Il faudra bien de toute façon que nous prenions notre mal en patience.

Louise savait qu'il avait raison. La vérité sur ce qui s'était passé et sur ce qui avait causé la mort d'Henrik ne serait jamais révélée s'ils ne faisaient pas confiance aux conclusions de la médecine légale.

Louise était fatiguée. Elle allait se lever pour se mettre au lit, mais Artur la retint.

78

– J'ai essayé de contacter Aron.

– L'as-tu trouvé ?

– Non. Mais au moins j'ai essayé. J'ai rappelé l'ambassade à Canberra, et discuté aussi avec d'autres membres de l'association des Suédois d'Australie. Mais personne n'a entendu parler d'un Aron Cantor. Es-tu certaine qu'il vive là-bas ?

– S'agissant d'Aron, rien n'est jamais certain.

– Ce serait dommage qu'il ne puisse pas être présent à l'enterrement.

– Peut-être n'a-t-il pas envie d'être présent ? Peut-être ne veut-il pas du tout qu'on le retrouve ?

– Personne ne peut souhaiter être absent à l'enterrement de son fils.

– Tu ne connais pas Aron.

– Tu as peut-être raison. Tu m'as à peine laissé l'occasion de le rencontrer.

– Qu'est-ce que tu veux dire ?

– Ne prends pas la mouche. Tu sais que j'ai raison.

– Pas du tout. Je ne me suis jamais mise entre Aron et toi.

– Il est trop tard pour ce genre de discussion.

– Ce n'est pas une discussion. Cette conversation n'a pas de sens. Je te remercie pour le mal que tu t'es donné. Mais Aron n'assistera pas à l'enterrement.

– Je pense que nous devrions essayer de chercher encore un peu.

Louise ne répondit pas. Et Artur n'évoqua plus Aron.

Aron n'était pas là quand on enterra son fils Henrik Cantor à l'église de Sveg, deux semaines plus tard. Après l'annonce du décès, de nombreuses personnes avaient contacté Nazrin, qui seconda Louise pendant cette période difficile. Beaucoup d'amis d'Henrik, des gens dont Louise n'avait jamais entendu parler, avaient souhaité assister aux funérailles. Mais le Härjedalen était

LE CERVEAU DE KENNEDY

trop lointain. Nazrin avait suggéré qu'une cérémonie du souvenir puisse avoir lieu à Stockholm après l'enterrement. Louise se dit qu'elle devrait rencontrer les amis d'Henrik, pour chercher une explication. Mais elle n'avait pas la force d'organiser autre chose. Elle avait demandé à Nazrin de s'en occuper.

L'enterrement eut lieu le mercredi 20 octobre à treize heures. Nazrin était arrivée la veille avec une autre jeune fille, Vera, qui elle aussi, si Louise avait bien compris, avait eu une relation avec Henrik. Ils étaient très peu nombreux : une terrible trahison envers Henrik et tous ceux qu'il avait connus durant sa vie. Mais il ne pouvait en être autrement.

Louise et Artur s'étaient vivement disputés pour décider qui devrait présider à la cérémonie. Louise s'était obstinée : Henrik n'aurait pas souhaité la présence d'un prêtre. Artur soutenait au contraire qu'il s'était toujours intéressé aux questions spirituelles. Qui pouvait proposer une cérémonie décente à Sveg ? Le pasteur Nyblom ne prêchait pas avec un zèle exagéré la parole de Dieu, il se contentait le plus souvent de parler avec les mots simples de tous les jours. On pourrait le convaincre de laisser Dieu et toute forme de sacré en dehors de la cérémonie.

Louise avait fini par céder. Elle n'avait plus la force de lutter. Elle était chaque jour plus faible.

Le mardi 19 octobre, Göran Vrede téléphona. Il pouvait à présent communiquer les conclusions de l'examen pathologique : la cause de la mort était une overdose massive de somnifères. Il déplora une nouvelle fois que cela ait pris aussi longtemps. Louise l'écouta comme à travers un brouillard. Elle savait qu'il ne lui aurait pas communiqué cette information si elle n'avait pas été absolument certaine. Il promit de lui envoyer tous les documents, lui exprima une nouvelle fois ses condoléances, et lui annonça que l'enquête était close. La police n'avait rien à ajouter, aucune poursuite ne serait engagée, puisque le suicide était établi.

Lorsque Louise en rendit compte à Artur, il dit :

– Nous en savons donc assez pour ne plus ressasser.

Louise savait qu'Artur ne disait pas la vérité. Il ressasserait toute sa vie. Pourquoi Henrik avait-il décidé de se suicider ? Si toutefois c'était bien ce qui s'était passé.

Ni Nazrin ni Vera ne purent non plus se contenter de la version de Göran Vrede. Nazrin déclara :

– S'il avait voulu se suicider, il s'y serait pris autrement. Pas dans son lit avec des somnifères. C'est trop minable pour Henrik.

Quand Louise se réveilla au matin du 20 octobre, elle vit qu'il avait gelé pendant la nuit. Elle descendit au pont du chemin de fer et resta longtemps penchée au-dessus de la rambarde à scruter l'eau noire, aussi noire que la terre dans laquelle on allait enfouir le cercueil d'Henrik. À ce moment, elle en fut absolument certaine : Henrik ne serait pas incinéré, son corps serait rendu à la terre tel quel, et non sous forme de cendres. Elle regarda l'eau en contrebas et se souvint qu'elle s'était tenue au même endroit jadis, quand elle était jeune et malheureuse, et qu'elle avait, elle aussi, au moins une fois, été tentée de se suicider. C'était comme si Henrik se tenait à ses côtés. Lui non plus, il n'aurait pas sauté. Il serait resté, il n'aurait pas lâché prise.

Elle demeura longtemps sur le pont ce matin-là.

Aujourd'hui, j'enterre mon unique enfant. Je n'en aurai jamais d'autre. Dans le cercueil d'Henrik repose une part décisive de mon existence. Une part qui ne reviendra jamais plus.

Un cercueil brun, des roses, pas de couronne. L'organiste joua du Bach, et une pièce de Scarlatti, comme il l'avait proposé.

Le pasteur parla paisiblement, sans affectation, et Dieu fut tenu à l'écart. Louise était assise à côté d'Artur, Nazrin et Vera de l'autre côté du cercueil. Louise eut l'impression d'assister de très loin à la cérémonie. Il s'agissait d'elle, cependant. Impossible de plaindre le mort, il était mort et ne pleurait pas. Mais elle ? Elle était déjà une ruine. Quelques nervures de la voûte, pourtant, tenaient encore debout, et elle voulait les préserver.

Nazrin et Vera s'éclipsèrent assez vite pour entamer le long voyage en bus qui devait les ramener à Stockholm. Nazrin promit de rester en contact et d'aider Louise quand elle aurait la force de vider l'appartement d'Henrik.

Ce soir-là, Louise s'attarda dans la cuisine avec Artur et une bouteille d'eau-de-vie. Il la but avec du café, elle diluée dans de la limonade. Comme par une entente tacite, ils burent jusqu'à l'ivresse. Vers dix heures du soir, ils étaient affalés sur la table de la cuisine.

– Je pars demain.

– Tu rentres ?

– Ne rentre-t-on pas toujours quelque part ? Je retourne en Grèce. Je dois finir mon travail. Après, je ne sais pas.

Le lendemain, tôt le matin, il la conduisit à l'aéroport d'Östersund. Une légère chute de neige poudrait le sol. Artur lui prit la main et lui dit d'être prudente. Elle vit qu'il cherchait en vain quelques mots à ajouter. En volant vers Arlanda, elle se dit qu'il commencerait sûrement le jour même à sculpter le visage d'Henrik sur un de ses arbres.

Elle décolla à onze heures cinquante-cinq pour Francfort, avec une correspondance vers Athènes. Mais en arrivant à Francfort, ce fut comme si sa décision s'effondrait. Elle annula sa réservation et resta longtemps à regarder les pistes embrumées de l'aéroport.

Elle savait désormais ce qu'elle devait faire. Artur n'avait ni tort ni raison, ce n'était pas pour lui qu'elle cédait. C'était son propre choix, son propre instinct.

Aron. Il était quelque part. Il fallait qu'il soit quelque part.

Tard le même soir, elle embarqua sur un vol Quantas à destination de Sydney. La dernière chose qu'elle fit avant de partir fut d'appeler ses collègues en Grèce pour leur dire qu'elle retardait son retour.

Un nouveau voyage, une nouvelle rencontre devaient avoir lieu.

À côté d'elle dans l'avion, une petite fille voyageait sans accompagnateur, indifférente à ce qui l'environnait. Elle n'avait d'yeux que pour une étrange poupée, croisement entre un éléphant et une vieille dame.

Louise Cantor regarda par la fenêtre dans le noir.

Aron. Il était quelque part. Il était forcément quelque part.

7

À l'escale de Singapour, Louise erra dans la chaleur humide de longs couloirs brunâtres, qui ne semblaient mener qu'à d'autres terminaux lointains.

Elle s'arrêta devant une boutique où elle acheta un agenda avec des oiseaux brodés sur une couverture violette. À la caisse, la jeune fille lui sourit en la regardant gentiment. Elle eut aussitôt les larmes aux yeux, se détourna et s'éloigna rapidement.

En retournant vers sa porte d'embarquement, elle eut peur d'être prise de panique. Elle longea les murs, hâta le pas et se concentra sur sa respiration. Elle était convaincue qu'elle allait d'un moment à l'autre basculer dans le noir et tomber à la renverse. Mais elle ne voulait pas se réveiller sur la moquette brunâtre. Elle ne voulait pas tomber. Pas maintenant qu'elle avait pris la décision de retrouver Aron.

L'avion décolla vers Sydney juste après deux heures du matin. Dès Francfort, elle avait perdu le contrôle des fuseaux horaires qu'elle allait traverser. Elle voyageait dans un état d'apesanteur, hors du temps. Peut-être était-ce ainsi qu'elle pourrait s'approcher d'Aron ? Quand ils vivaient ensemble, elle n'avait jamais pu le surprendre.

Place 26D, côté couloir. À sa droite dormait un homme aimable qui s'était présenté comme colonel à la retraite de l'armée de l'air australienne. Il n'avait pas essayé d'engager la conversation, et elle lui en était reconnaissante. Elle était là, assise dans l'avion plongé dans l'obscurité, avalant les verres d'eau que les hôtesses silencieuses portaient à intervalles réguliers sur leur plateau. De l'autre côté du couloir, une femme de son âge écoutait une des chaînes radio.

Elle sortit l'agenda qu'elle venait d'acheter, alluma sa liseuse, chercha un stylo et commença à écrire.

Terre rouge. C'étaient les premiers mots. Pourquoi lui étaient-ils justement venus à l'esprit ? Était-ce là l'indice le plus important dont elle disposait ? Le fragment principal autour duquel les autres tessons allaient pouvoir tôt ou tard se regrouper ?

Elle se souvint des deux cahiers écrits par des femmes mourantes.

Comment étaient-ils arrivés entre les mains d'Henrik ? Il n'était pas, lui, un enfant qui avait besoin d'un souvenir de ses parents. Il savait beaucoup, sinon tout, sur sa mère. Et il était en contact régulier avec Aron, malgré l'absence de celui-ci. D'où tenait-il ces cahiers ? Qui les lui avait donnés ?

Elle nota une question : « D'où vient la terre rouge ? » Elle n'alla pas plus loin. Reposa l'agenda, éteignit sa liseuse et ferma les yeux. *J'ai besoin d'Aron pour penser.* Dans ses meilleurs moments, il n'était pas seulement un bon amant, mais possédait en outre l'art d'écouter. C'était une de ces rares personnes qui peuvent donner un conseil sans loucher sur les avantages qu'elles pourraient en tirer.

Elle ouvrit les yeux dans le noir. Peut-être était-ce là le côté d'Aron qui lui manquait le plus ? Cet être capable d'écouter et de se montrer parfois d'une intelligence infinie, l'homme dont elle était tombée amoureuse et avait eu un fils ?

C'est cet Aron que je cherche. Sans son aide, je ne comprendrai jamais ce qui s'est passé. Sans son soutien, je ne recouvrerai jamais ma propre vie.

Elle passa le reste de la nuit à somnoler en zappant sur les chaînes radio, mais la musique la gênait, elle perturbait l'obscurité. Cet avion est une cage, pensa-t-elle. Une cage aux parois minces qui résistent cependant au grand froid et à la vitesse. Je suis précipitée dans cette cage vers un continent que je n'avais jamais imaginé visiter. Un continent qui ne m'a jamais attirée.

Quelques heures avant l'atterrissage à Sydney, elle eut l'impression que la décision qu'elle avait prise à Francfort était absurde. Jamais elle ne retrouverait Aron. Seule au bout du monde, elle serait submergée par sa douleur et par un désespoir toujours plus profond.

Mais elle ne pouvait pas faire faire demi-tour à la cage et la réexpédier vers Francfort. Au petit matin, les pneus touchèrent avec un bruit sourd la piste goudronnée de l'aéroport de Sydney. Mal réveillée, elle reprit pied dans le monde réel. À un guichet d'information, elle réserva une chambre au Hilton. Elle s'exclama en réalisant ce que cela allait lui coûter, mais elle n'avait pas le courage de faire une autre réservation. Après avoir changé de l'argent, elle prit un taxi pour son hôtel. Elle regarda la ville dans la lumière de l'aube, en pensant qu'Aron devait lui aussi un jour avoir emprunté le même parcours, être passé par les mêmes autoroutes, les mêmes ponts.

On lui attribua une chambre dont la fenêtre ne s'ouvrait pas. Si elle n'avait pas été aussi lasse, elle aurait quitté l'hôtel. La chambre lui donna sur-le-champ une sensation d'étouffement. Elle se força pourtant à prendre une douche, et se glissa nue entre les draps. Je dors comme Henrik, pensa-t-elle. Je dors nue. Pourquoi portait-il un pyjama pour sa dernière nuit ?

Sans trouver de réponse, elle s'endormit et ne se réveilla qu'aux alentours de midi. Elle sortit, chercha le port, marcha jusqu'à l'Opéra et s'installa dans un restaurant italien pour déjeuner. L'air était frais, mais le soleil chauffait. Elle but du vin et réfléchit à la marche à suivre. Artur avait contacté l'ambassade. Il avait aussi parlé avec un membre d'une association d'immigrants suédois. Mais Aron n'est pas un immigrant, pensa-t-elle. Il ne se laisse pas enregistrer. Ses cachettes comportent toujours deux entrées et deux sorties.

Elle se força à chasser son découragement. Il doit être possible de débusquer Aron, si toutefois il est en Australie. C'était quelqu'un qui ne laissait personne indifférent. Si on avait rencontré Aron, il était impossible de l'oublier.

Elle s'apprêtait à quitter le restaurant quand elle entendit quelqu'un parler suédois au téléphone. Il parlait avec une femme au sujet d'une voiture qu'il fallait faire réparer. Il acheva la conversation et lui sourit.

– There are always problems with cars. Always.

– Je parle suédois. Mais je suis bien d'accord : les voitures tombent toujours en panne.

L'homme s'approcha de sa table pour la saluer. Il s'appelait Oskar Lundin et avait une poigne solide.

– Louise Cantor.

– Un joli nom. Êtes-vous de passage, ou installée ici ?

– Plus que de passage. Je suis arrivée depuis moins d'une journée.

D'un geste, il demanda la permission de s'asseoir. Un serveur déplaça son café.

– Une belle journée, dit-il. Le fond de l'air est encore frais. Mais le printemps approche. Je ne me lasse pas de m'émerveiller de ce monde où le printemps et l'automne peuvent aller de concert – même si l'océan et les continents les séparent.

– Vivez-vous ici depuis longtemps ?

– Je suis arrivé en 1949. J'avais dix-neuf ans. Je m'imaginais qu'ici il suffirait de gratter pour trouver de l'or sous mon canif.

Je laissais derrière moi des études calamiteuses, mais j'avais un don pour le jardinage, les plantes. Je savais que je pourrais toujours survivre en taillant des haies ou en soignant des arbres fruitiers.

– Pourquoi êtes-vous parti ?

– Mes parents étaient tellement affreux ! Excusez ma franchise. Mon père était pasteur, et il haïssait tous ceux qui ne croyaient pas au même Dieu que lui. Moi qui n'y croyais pas, j'étais un impie : il m'a battu jusqu'à ce que je sois assez grand pour pouvoir me défendre. Alors il a cessé de me parler. Ma mère était toujours là pour intercéder. La bonne Samaritaine, mais avec un invisible livre de comptes : rien de ce qu'elle faisait pour m'aider n'était gratuit. Elle m'extorquait sentiments, mauvaise conscience et culpabilité, comme on presse tout le jus d'un citron. Alors j'ai fait la seule chose possible : je suis parti. C'était il y a plus de cinquante ans. Je ne suis jamais revenu. Pas même pour leurs enterrements. J'ai une sœur là-bas, avec qui je parle chaque Noël. Mais sinon, c'est ici que je vis. Je suis devenu jardinier, j'ai ma propre entreprise. Je ne me contente pas de tailler des haies et de soigner des arbres fruitiers, j'agence entièrement les jardins de ceux qui sont prêts à payer le prix.

Il finit son café et déplaça sa chaise de façon à avoir le visage au soleil. Louise se dit qu'elle n'avait rien à perdre.

– Je cherche un homme, dit-elle. Il s'appelle Aron Cantor. Nous avons été mariés. Je crois qu'il se trouve en Australie.

– Vous croyez ?

– Je ne suis pas certaine. J'ai demandé à l'ambassade et à l'association des immigrants suédois.

Oskar Lundin fit la grimace.

– Ils n'ont aucune idée des Suédois qui sont dans le pays. L'association est une meule de foin où toutes les aiguilles peuvent se cacher.

– C'est vrai ? Les gens viennent ici pour se cacher ?

– Exactement comme les gens d'ici cherchent des pays comme la Suède pour dissimuler leurs péchés. Je ne crois pas que tant d'escrocs suédois que cela soient venus se cacher ici, mais il doit sûrement y en avoir quelques-uns. Il y a dix ans, il y avait ici un homme originaire d'Ånge, qui avait commis un meurtre. Les autorités suédoises ne l'ont jamais trouvé. Il est mort à présent, et repose sous une pierre tombale à son nom à Adelaïde. Mais je suppose que celui avec qui vous étiez mariée n'est recherché pour aucun crime.

– Non, mais il faut que je le retrouve. Que feriez-vous à ma place ?

Oskar Lundin, pensif, remua un moment le café dans sa tasse à moitié vide.

– Je peux essayer de vous aider. J'ai énormément de contacts dans ce pays. L'Australie est un continent où la plupart des choses se font par contacts personnels. On s'appelle, on se siffle, et généralement on découvre ce que l'on veut savoir. Où puis-je vous joindre ?

– Je suis descendue au Hilton. Mais en fait c'est trop cher pour moi.

– Restez-y deux jours si vous en avez les moyens. Cela suffira. Si votre homme est ici, je le trouverai. Sinon, il faudra le chercher ailleurs. La Nouvelle-Zélande peut parfois être une seconde étape.

– Je n'arrive pas à croire la chance que j'ai eue de vous rencontrer. Et que vous soyez prêt à aider une parfaite inconnue.

– J'essaie peut-être de faire les bonnes actions que mon père se contentait de simuler.

Oskar Lundin fit signe à la serveuse et paya. Il leva son chapeau et s'en alla.

– Je vous contacterai d'ici quarante-huit heures. Avec de bonnes nouvelles, j'espère. Mais je crains déjà de vous avoir donné de faux espoirs. Il m'est parfois arrivé de promettre trop de fruits sur les pommiers que j'avais plantés. Je le regrette encore.

Elle le regarda s'éloigner en plein soleil et suivre le quai jusqu'à l'embarcadère qui se détachait sur fond de gratte-ciel. Son jugement sur les hommes s'était souvent révélé erroné. Mais elle ne doutait pas un instant qu'Oskar Lundin essaierait vraiment de l'aider.

Il l'appela dans sa chambre vingt-trois heures plus tard. Elle venait de rentrer d'une longue promenade. Que ferait-elle si Oskar Lundin se révélait incapable de lui fournir aucune information, ou s'il ne lui donnait plus aucune nouvelle ? Dans la journée, elle avait téléphoné à son père, et en Grèce, pour dire qu'elle serait absente encore une semaine, peut-être deux, pour faire son deuil. Ses collègues étaient compréhensifs, mais elle devrait très vite se montrer sur le chantier de fouilles pour que l'irritation causée par son absence ne prenne pas le dessus.

La voix d'Oskar Lundin était comme elle se la rappelait. Il parlait un suédois distingué dépourvu des mots devenus à la mode pendant les années où il avait été absent de Suède. La langue de mon enfance, avait-elle pensé après leur première rencontre.

Oskar Lundin alla droit au fait :

– Je crois que j'ai débusqué votre mari en cavale, dit-il. Si en tout cas il n'y a pas plusieurs Suédois qui s'appellent Aron Cantor.

– Il ne peut y en avoir qu'un.

– Avez-vous une carte d'Australie devant vous ?

Louise avait acheté une carte. Elle la déplia devant elle sur le lit.

– Mettez votre doigt sur Sydney. Suivez ensuite les routes vers le sud, en direction de Melbourne. Là, vous longez la côte jusqu'à un endroit appelé Apollo Bay. Vous avez trouvé ?

Elle vit le nom.

– D'après ce que j'ai pu apprendre, un homme répondant au nom d'Aron Cantor vit là depuis quelques années. Mon informateur n'a pas pu dire avec exactitude où il habite. Mais il était certain que l'homme que vous cherchez vit bien à Apollo Bay.

– Qui pouvait savoir qu'il était là ?

– Un vieux capitaine qui en a eu assez de piloter son remorqueur dans la mer du Nord et qui a déménagé de l'autre côté du globe. Il a l'habitude de passer pas mal de temps sur la côte sud. C'est un insatiable curieux qui, en plus, n'oublie jamais aucun nom. Je pense que vous trouverez Aron Cantor à Apollo Bay. Une petite localité qui revit un peu pendant l'été. Il n'y a pas grand monde là-bas à cette période de l'année.

– Je ne sais pas comment vous remercier.

– Pourquoi les Suédois ont-ils cette fichue manie de toujours remercier ? Pourquoi ne pourrait-on pas s'entraider sans tenir un invisible livre de comptes ? Je vais vous donner mon numéro de téléphone, vous me direz si vous avez fini par le retrouver.

Elle nota le numéro d'Oscar Lundin sur la carte. Il prit congé et raccrocha, comme s'il la saluait d'un coup de chapeau. Elle resta un moment immobile, le cœur battant.

Aron était vivant. Elle n'avait pas eu tort d'interrompre son voyage vers la Grèce. Elle avait atterri par hasard à la table d'un restaurant auprès d'une bonne fée coiffée d'un chapeau d'été.

Oscar Lundin pourrait être le frère de mon père, pensa-t-elle. Deux hommes mûrs toujours prêts à m'offrir l'aide dont j'ai besoin.

Une digue céda en elle, libérant toute une énergie retenue. En un rien de temps, elle avait loué une voiture et réglé sa note d'hôtel. Elle quitta la ville, gagna l'autoroute et mit le cap sur Melbourne. Elle était pressée à présent. Aron était peut-être à

Apollo Bay, mais il y avait toujours le risque qu'il lui prenne l'envie de disparaître. Dès qu'il se sentait recherché, il partait. Elle pensait passer la nuit à Melbourne, puis prendre la route côtière jusqu'à Apollo Bay.

Elle trouva une station qui diffusait de la musique classique. C'était la première fois depuis la mort d'Henrik qu'elle écoutait de la musique. Juste avant minuit, elle arriva au centre de Melbourne. Elle se souvenait vaguement de Jeux olympiques qui s'y étaient déroulés quand elle était petite. Un nom lui vint à l'esprit, Nilsson, un sauteur à la perche que son père admirait beaucoup. Artur avait marqué sur le mur extérieur de la maison la hauteur qui lui avait valu la médaille d'or. Mais comment s'appelait-il, à part Nilsson ? Rickard ? Elle n'était pas certaine. Peut-être mélangeait-elle deux personnes différentes, ou même deux compétitions distinctes. Il faudrait qu'elle demande à son père.

Elle s'installa dans un hôtel à proximité du Parlement, une fois encore beaucoup trop cher. Mais elle était fatiguée, elle n'avait pas le courage de perdre du temps à chercher. À quelques pâtés de maisons de l'hôtel, elle tomba sur un Chinatown en miniature. Dans un restaurant à moitié vide, où la plupart des serveurs fixaient sans bouger un écran de télévision, elle mangea des pousses de bambou et du riz. Elle but plusieurs verres de vin et s'enivra. Elle n'arrêtait pas de penser à Aron. Le trouverait-elle le jour suivant ? Ou aurait-il le temps de s'enfuir ?

Après le dîner, elle fit un tour dans un parc aux allées éclairées pour prendre l'air. Si elle n'avait pas bu, elle aurait très bien pu décider de continuer sa route dès maintenant, de remettre dans le coffre sa valise non défaite. Mais elle avait besoin de dormir. Le vin l'aiderait.

Elle s'étendit et s'enveloppa dans le couvre-lit. Plongée dans un demi-sommeil agité et traversé par des visages familiers, elle somnola jusqu'à l'aube.

À six heures et demie, elle avait pris son petit-déjeuner et quitté Melbourne. Il pleuvait, et un vent froid soufflait de la mer par rafales. Elle frissonna en s'installant dans la voiture.

Quelque part dans cette pluie, il y a Aron.
Il ne s'attend pas à me voir, ni à entendre la nouvelle de la tragédie qui le frappe. Bientôt, la réalité l'aura rattrapé.

Vers onze heures, elle était arrivée à destination. Il n'avait pas cessé de pleuvoir pendant tout le trajet. Apollo Bay était une mince bande de maisons dans l'anse d'un port. Une jetée protégeait des vagues une petite armada de bateaux de pêche. Elle se gara près d'un café et resta dans la voiture à regarder la pluie à travers le va-et-vient des essuie-glaces.

Quelque part dans cette pluie, il y a Aron. Mais où vais-je le trouver ?

Un instant, la tâche lui sembla insurmontable. Mais elle n'avait pas l'intention de capituler, pas maintenant qu'elle était de l'autre côté du globe. Elle sortit de la voiture et traversa la rue en courant pour s'abriter dans une boutique de vêtements de sport. Elle y acheta un imperméable et une casquette. La caissière était une jeune fille enceinte et obèse. Louise se dit que ça ne lui coûtait rien de demander.

– Connaissez-vous un certain Aron Cantor ? Un Suédois, qui parle bien l'anglais, mais avec un accent. Il est censé habiter ici, à Apollo Bay. Ça vous dit quelque chose ? Savez-vous où il habite ? Et si vous ne savez pas, à qui croyez-vous que je devrais m'adresser ?

À sa réponse, Louise douta que la caissière se soit vraiment donné la peine de réfléchir.

– Je ne connais pas de Suédois.

93

– Aron Cantor ? Ce n'est pas un nom ordinaire.

La caissière lui rendit sa monnaie d'un air indifférent.

– Il y a tellement de passage.

Louise enfila l'imperméable et quitta la boutique. La pluie commençait à faiblir. Elle longea la rangée de maisons et vit qu'Apollo Bay n'était que cela : une rue le long de l'anse, une rangée de maisons, rien d'autre. La mer était grise. Elle entra dans un café, commanda du thé et essaya de réfléchir. Où Aron pouvait-il se trouver, s'il était par ici ? *Il aimait sortir pêcher sous la pluie les jours de grand vent.*

L'homme qui lui avait servi le thé circulait dans le local en essuyant les tables.

– Où va-t-on pêcher, à Apollo Bay, si on n'a pas de bateau ?

– Les gens vont au bout de la jetée, ou dans le port.

Elle demanda à nouveau s'il connaissait un étranger du nom d'Aron Cantor. L'homme fit non de la tête et continua à essuyer les tables.

– Il vit peut-être à l'hôtel ? C'est en descendant vers le port. Demandez là-bas.

Louise savait qu'Aron ne supporterait pas de vivre plus d'un certain temps à l'hôtel.

La pluie avait cessé, le ciel s'éclaircissait. Elle retourna à sa voiture et conduisit jusqu'au port sans s'arrêter à l'hôtel Eagle's Inn.

Elle se gara à l'entrée de la zone portuaire et marcha le long du quai. L'eau était sale et huileuse. Une barge chargée de sable humide frottait contre les vieux pneus de tracteur qui protégeaient le quai. Un bateau de pêche avec des paniers pleins de homards portait le nom de *Pietà*. Était-ce pour bénir les prises ? Elle avança le long de la jetée intérieure. Quelques gamins pêchaient, tellement absorbés par leurs flotteurs qu'ils ne lui prêtèrent pas la moindre attention. Elle suivit du regard le bras extérieur de la jetée, qui s'étendait loin hors du bassin. Quelqu'un pêchait là-bas, ils étaient peut-être plusieurs. Elle revint sur ses pas et s'engagea sur la grande jetée. Le vent avait forci, il soufflait en rafales entre les gros blocs de pierre qui formaient le mur extérieur de la jetée. Celui-ci était si haut qu'elle ne pouvait pas voir la mer derrière, seulement l'entendre.

Là-bas quelqu'un était en train de pêcher, elle le voyait à présent. Il fit un geste brusque, comme si quelque chose l'agaçait.

Elle ressentit un mélange de joie et d'effroi. Aron. Personne d'autre n'avait des gestes aussi brusques. Mais le trouver avait été trop facile, c'était allé trop vite.

Elle n'avait aucune idée de la vie qu'il menait ici. Il pouvait très bien s'être remarié, avoir eu d'autres enfants. Cet Aron qu'elle avait connu et aimé n'existait peut-être plus. L'homme qui se tenait à une centaine de mètres dans le vent mordant, sa canne à pêche à la main, était peut-être devenu un parfait inconnu. Peut-être valait-il mieux retourner à la voiture et le suivre quand il aurait fini de pêcher?

Son manque d'assurance la faisait enrager. Dès qu'elle s'approchait d'Aron, elle perdait ses moyens. Il avait gardé son ascendant sur elle.

Oui. Ce serait ici, sur la jetée, qu'ils se retrouveraient.

Il ne peut aller nulle part, à moins de plonger dans l'eau glacée. Cette jetée est une impasse. Il ne s'échappera pas. Cette fois, il a oublié l'issue de secours.

Elle s'avança. Il lui tournait le dos. Elle voyait sa nuque. Sa calvitie s'était étendue au sommet de son crâne. Il semblait avoir rétréci. Toute sa silhouette donnait une impression de fragilité qu'elle n'avait jamais associée à lui auparavant.

Près de lui une bâche en plastique était maintenue aux quatre coins par des pierres. Il avait pris trois poissons. Qui ressemblaient à un croisement de morue et de plie, pour autant que cela soit imaginable.

Elle était sur le point de l'appeler quand il se retourna. Un mouvement rapide, comme s'il avait senti quelque chose d'anormal. Il la regarda, mais il ne la reconnut pas tout de suite sous la capuche de son imperméable. Soudain il comprit et elle vit la peur s'emparer de lui. Durant leur vie commune, elle n'avait presque jamais vu Aron donner des signes d'inquiétude, encore moins de peur.

Il ne lui fallut que quelques secondes pour reprendre le contrôle. Il coinça sa canne à pêche entre des rochers.

– Ça, je ne m'y attendais pas, que tu me retrouves ici !

– Tu ne t'attendais surtout pas à ce que je parte à ta recherche.

Il était grave, il guettait et redoutait ce qui allait suivre.

Pendant les longues heures passées dans l'avion, puis au cours du trajet en voiture, elle avait imaginé prendre des précautions, attendre l'occasion la moins douloureuse pour lui parler d'Henrik. Elle comprenait à présent que c'était impossible.

Il avait recommencé à pleuvoir, le vent soufflait par rafales plus violentes. Il se mit dos au vent et s'approcha d'elle. Son visage était blême, ses yeux rouges, comme s'il avait beaucoup bu, et ses lèvres gercées. *Les lèvres qui n'embrassent plus se gercent, avait-il l'habitude de dire.*

– Henrik est mort. J'ai essayé par tous les moyens de te joindre. La seule chose qui restait à faire était de venir jusqu'ici à ta recherche.

Il la regarda d'un air inexpressif, comme s'il n'avait pas compris. Mais elle savait qu'elle l'avait poignardé et qu'il souffrait.

– J'ai trouvé Henrik mort chez lui. Il avait l'air de dormir dans son lit. Nous l'avons enterré à l'église de Sveg.

Aron vacilla comme s'il allait tomber. Il s'appuya contre le mur de pierre mouillé et tendit les mains. Elle les serra.

– Ce n'est pas possible.

– C'est aussi ce que je pense. Et pourtant si.

– De quoi est-il mort ?

– Nous ne savons pas. La police et le médecin légiste disent qu'il s'est suicidé.

Aron la dévisagea.

– Notre garçon se serait suicidé ? Je ne pourrai jamais croire ça !

– Moi non plus. Mais il avait absorbé une grosse quantité de somnifères.

D'un geste brusque, Aron remit les poissons à la mer, puis balança son seau et sa canne à pêche par-dessus la jetée. Il serra le bras de Louise et l'emmena jusqu'à son minibus Volkswagen tout rouillé. Elle le suivit dans sa voiture. Ils quittèrent Apollo Bay par là où elle était arrivée, avant de bifurquer sur une route qui descendait en lacets serrés vers la mer, parmi de hautes collines. Il conduisait vite et faisait des embardées, comme s'il avait bu. Elle le suivait de près. Après s'être profondément enfoncés parmi les collines, ils obliquèrent sur un chemin à peine plus large qu'un sentier, qui montait en pente raide jusqu'à une maison en bois perchée au bord d'un précipice. Louise descendit de sa voiture. C'était bien ainsi qu'elle avait imaginé une des cachettes d'Aron. La mer s'étendait à perte de vue, jusqu'à l'horizon.

Aron claqua la porte, attrapa une bouteille de whisky sur une table près de la cheminée et remplit un verre. Il la fixa d'un air interrogateur, mais elle fit non de la tête. Il fallait qu'elle reste sobre à présent. Aron pouvait devenir violent s'il buvait outre mesure. Elle avait vu assez de vitres brisées et de chaises fracassées, et ne souhaitait pas que cela recommence.

Une grande table en bois devant la baie vitrée donnait sur la mer. Elle vit des perroquets multicolores picorer des miettes de pain. *Aron s'est installé au pays des perroquets. Je n'aurais jamais imaginé cela de lui.*

Elle s'assit en face de lui. Il s'était effondré dans un canapé gris, son verre à la main.

– Je ne veux pas y croire.

– C'est arrivé voilà six semaines.

Il s'exclama :

– Pourquoi je n'ai pas été prévenu ?

Elle ne répondit pas, et tourna le regard vers les perroquets rouges et bleus.

– Pardon, ce n'est pas ce que je voulais dire. J'ai compris que tu m'avais cherché. Tu m'aurais prévenu si tu avais pu.

– Ce n'est pas si facile de trouver quelqu'un qui se cache.

Elle passa toute la nuit là, face à lui. Leur conversation était ponctuée par de longs moments de silence. Ils connaissaient tous les deux l'art de laisser agir le silence. C'était une forme de conversation, ainsi qu'elle l'avait compris pendant leur vie commune. Artur lui non plus ne parlait pas pour ne rien dire. Mais le silence d'Aron résonnait autrement.

Longtemps après, elle devait penser que cette nuit auprès d'Aron était une sorte de retour au passé, avant la naissance d'Henrik. Pourtant c'est bien de lui qu'ils parlèrent. Leur douleur était criante. Mais ils n'étaient plus assez proches pour qu'elle le rejoigne sur son canapé. Comme si elle n'avait pas confiance, comme si elle trouvait que son chagrin n'était pas assez grand pour quelqu'un qui venait de perdre son fils unique. Elle en ressentait de l'amertume.

Un peu avant l'aube, elle lui demanda s'il avait eu d'autres enfants. Il ne répondit pas, se contenta de la regarder d'un air étonné, et elle sut comment interpréter cette réponse.

Les perroquets revinrent à l'aube. Aron sema de nouvelles graines sur la table. Louise le suivit dehors. Elle frissonna. Loin en contrebas, la mer était grise, fouettée par des vagues.

– Je rêve parfois de voir là-bas surgir un iceberg, dit-il soudain. Un iceberg qui aurait dérivé depuis le pôle Sud.

Louise se souvint de la lettre qu'elle avait trouvée.

– Ça doit faire une drôle d'impression.

– Ce qui est drôle, c'est qu'une montagne de cette taille fonde et disparaisse sans qu'on le remarque. Moi-même, je me suis toujours imaginé fondre et disparaître. Ma mort sera la conséquence d'un lent réchauffement de la température.

Elle l'observa de côté.

Il a changé, mais il est toujours égal à lui-même, pensa-t elle.

C'était l'aube. Ils avaient parlé toute la nuit.

Elle prit sa main. Ils regardèrent ensemble vers le large, guettant un iceberg qui ne viendrait jamais.

8

Trois jours après leurs retrouvailles sur la jetée dans le vent, la pluie et la douleur, Louise envoya une carte postale à son père. Elle lui avait déjà téléphoné pour lui annoncer qu'elle avait retrouvé Aron. La communication avec Sveg avait été d'une netteté surprenante, son père semblait si proche, il lui avait demandé de saluer Aron et de lui transmettre ses condoléances. Elle lui avait décrit les perroquets multicolores qui venaient manger sur la table d'Aron et lui avait promis d'envoyer une carte postale. Elle en avait déniché une sur le port, dans une boutique qui vendait de tout, des œufs aux pulls tricotés main. La carte était envahie par un vol de perroquets rouges. Aron l'avait attendue dans le café où il allait toujours avant et après ses parties de pêche. Elle écrivit la carte dans la boutique, et la posta dans la boîte aux lettres près de l'hôtel où elle serait descendue si elle n'avait pas trouvé Aron sur la jetée.

Qu'écrivait-elle à son père ? Qu'Aron vivait une vie d'ermite plutôt confortable dans une cabane en bois dans la forêt, qu'il avait maigri, et surtout qu'il avait du chagrin.

Tu avais raison. Il aurait été irresponsable de ne pas chercher à le retrouver. Tu avais raison, et moi tort. Les perroquets ne sont pas seulement rouges, il y en a aussi des bleus, des turquoise peut-être. Je ne sais pas combien de temps je vais rester ici.

Elle posta la carte puis descendit jusqu'à la plage. Le ciel était froid et clair, le vent était presque tombé. Quelques enfants jouaient avec un ballon de football crevé, un couple de personnes âgées promenait ses chiens noirs. Louise marcha sur le sable en suivant la ligne des vagues.

Elle avait passé trois jours avec Aron. À l'aube de la première longue nuit, quand elle lui avait pris la main, il lui avait demandé si elle avait quelque part où dormir. Il y avait deux chambres chez lui, elle pouvait en avoir une si elle le désirait. Quels étaient ses projets? Le chagrin l'avait-il anéantie? Elle n'avait rien répondu, et s'était installée dans la chambre avec sa valise et avait dormi jusqu'au milieu de l'après-midi. À son réveil, Aron n'était plus là. Il avait laissé un mot sur le canapé, de son écriture habituelle, impatiente et menue. Il était allé travailler.

> Je surveille quelques arbres dans une petite forêt tropicale. Il y a à manger. Fais comme chez toi. Mon chagrin est insupportable.

Elle se prépara un repas simple, enfila ses vêtements les plus chauds et sortit avec son assiette s'attabler dehors. Elle fut bientôt entourée par les perroquets apprivoisés qui attendaient leur part du festin. Elle les compta. Il y en avait douze. La Cène, pensa-t-elle. La dernière étape avant la Crucifixion. Elle eut un moment de paix, le premier depuis qu'elle avait franchi le seuil de l'appartement d'Henrik. Elle avait désormais quelqu'un d'autre qu'Artur avec qui partager son deuil. Elle pourrait raconter à Aron tout ce qui l'étonnait et lui faisait peur. La mort d'Henrik n'était pas naturelle. Bien sûr il y avait les somnifères, mais sa mort devait avoir une autre raison. Il s'était suicidé sans se suicider.

Il existe une autre vérité. D'une manière ou d'une autre, elle a à voir avec le président Kennedy et son cerveau disparu. Si quelqu'un peut m'aider à découvrir cette vérité, c'est Aron.

Au retour d'Aron, la nuit était déjà tombée. Il ôta ses bottes, la regarda à la dérobée et disparut dans la salle de bains. Quand il en ressortit, il alla s'asseoir près d'elle sur le canapé.

– Tu as trouvé mon mot ? Tu as mangé ?

– Avec les perroquets. Comment les as-tu apprivoisés ainsi ?

– Ils n'ont pas peur des hommes. Ils n'ont jamais été chassés ni capturés. J'ai pris l'habitude de partager mon pain avec eux.

– Tu as écrit que tu surveillais des arbres ? C'est ton travail ? C'est comme ça que tu gagnes ta vie ?

– J'avais l'intention de te montrer ça demain. Je m'occupe des arbres, je pêche, et, surtout, je me cache. C'est ma principale activité. Tu m'as infligé la pire défaite de ma vie en retrouvant si facilement ma trace. Bien sûr, je te suis reconnaissant d'être venue m'apporter cette terrible nouvelle. Peut-être ne me serais-je pas inquiété qu'Henrik ne m'écrive plus. Tôt ou tard j'aurais fini par savoir, peut-être même par hasard. Jamais je n'aurais supporté le choc. Et finalement c'est toi qui as été la messagère.

– Qu'as-tu fait de tous tes ordinateurs ? Toi qui devais éviter à l'humanité la disparition de la mémoire du temps présent ? Tu as dit une fois que les 0 et les 1 des ordinateurs étaient des démons qui allaient confisquer son histoire à l'humanité.

– J'y ai cru longtemps. Nous pensions que nous allions sauver le monde d'une épidémie destructrice causée par le virus du vide : la page blanche mortifère, l'archive vide, rongée par un cancer incurable, qui ferait de notre époque une énigme insoluble pour les générations futures. Nous croyions vraiment être sur le point de trouver un système d'archive alternatif, qui préserverait notre époque pour l'avenir. Nous cherchions une alternative aux 0 et aux 1. Ou plutôt, nous voulions produire un élixir qui garantirait qu'un jour les ordinateurs refuseraient de se vider de leur contenu. Nous avons créé une formule, un code source que nous avons par la suite vendu à une compagnie américaine. De cette façon, nous avons gagné énormément d'argent. Nous avions en outre stipulé dans le contrat que le brevet retomberait dans le domaine public au bout de vingt-cinq ans, pour pouvoir être utilisé gratuitement dans tous les pays. C'est comme ça que je me suis retrouvé un beau jour dans la rue à New York, avec à la main un chèque de cinq millions de dollars. J'en ai gardé un et j'ai donné le reste. Tu me suis ?

– Pour l'essentiel, oui.

– Je peux t'expliquer en détail.

– Pas maintenant. As-tu donné quelque chose à Henrik ?

Aron sursauta et la regarda d'un air interrogateur.

– Pourquoi lui aurais-je donné de l'argent ?

– Ç'aurait été la moindre des choses d'aider financièrement ton propre fils.

– Je n'ai jamais reçu d'argent de mes parents, et aujourd'hui je les en remercie. Rien ne peut gâter un enfant autant que de lui offrir ce qu'il devrait gagner lui-même.

– À qui as-tu donné l'argent, alors ?

– Il y a l'embarras du choix. J'ai aidé une fondation, ici, en Australie, pour la préservation de la dignité des populations aborigènes, de leur mode de vie et leur culture. J'aurais pu donner mon argent à la recherche contre le cancer, pour la défense des forêts vierges, la lutte contre les invasions de sauterelles en Afrique de l'Est. J'ai tiré au sort et c'est l'Australie qui est sortie. Je me suis débarrassé de mon argent et je suis venu ici. Personne ne sait que je suis le donateur. C'est ce qui me fait le plus plaisir.

Aron se leva.

– Il faut que je dorme quelques heures. La fatigue me rend inquiet.

Elle resta sur le canapé, et ne tarda pas à entendre ses ronflements. Ils déferlaient tels des vagues dans sa mémoire : un souvenir de leur vie passée.

Le soir venu, il l'emmena dans un restaurant accroché à une falaise, comme un nid d'aigle. Ils étaient presque seuls, Aron avait l'air de bien connaître le serveur, et il disparut avec lui en cuisine.

Le repas fut pour elle un nouveau souvenir de l'époque où elle et Aron vivaient ensemble. Du poisson et du vin. Cela avait toujours été leur menu de fête. Elle se rappelait un été en particulier où ils avaient passé des vacances sous la tente à se nourrir des brochets qu'Aron tirait des eaux sombres des lacs forestiers.

Il s'adressait à elle à travers le choix du menu. C'était sa façon de s'approcher, de discrètement vérifier si elle avait oublié le passé, ou bien s'il était toujours vivant pour elle.

Un vent de mélancolie la traversa. L'amour ne se réveillerait pas, pas plus qu'ils ne pourraient ressusciter leur fils.

Cette nuit-là, ils dormirent tous deux lourdement. Elle se réveilla avec la sensation qu'il était entré dans sa chambre. Mais il n'y avait personne.

Le jour suivant, elle se réveilla tôt pour l'accompagner dans la petite forêt vierge dont il avait la charge. Ils quittèrent la maison avant le lever du jour. Les perroquets avaient disparu.

– Tu as appris à te lever de bonne heure, dit-elle.

– Aujourd'hui, je n'arrive pas à comprendre comment j'ai pu vivre si longtemps en détestant le petit matin.

Ils traversèrent Apollo Bay. La forêt était située dans une vallée en pente vers la mer. C'étaient les restes de la forêt originelle qui couvrait jadis le sud de l'Australie, aujourd'hui la propriété d'un de ceux qui avaient touché, en même temps qu'Aron, des millions de dollars de droits pour le code source qu'ils avaient vendu.

Ils s'arrêtèrent sur une esplanade couverte de graviers. De hauts eucalyptus formaient un mur devant eux. Un sentier serpentait et disparaissait en contrebas.

Ils se mirent en route, lui en tête.

– Je surveille la forêt, je veille à ce qu'il n'y ait pas de feux ni de déchets. Il faut une demi-heure pour inspecter la forêt et revenir au point de départ. Souvent, j'observe les visiteurs qui font ce tour. Certains restent égaux à eux-mêmes, d'autres en ressortent transformés. Une part de notre âme habite la forêt vierge.

Le sentier descendait en pente raide. Aron s'arrêtait parfois pour lui indiquer les arbres, leur nom, leur âge, les petits ruisseaux à leurs pieds où coulait la même eau depuis des millions d'années. Louise eut l'impression qu'en réalité il lui montrait sa propre vie, combien il avait changé.

Tout au fond de la vallée, au cœur de la forêt, se trouvait un banc. Aron essuya d'un revers de manche l'humidité qui suintait de partout. Ils s'assirent. La forêt était silencieuse, humide, froide. Louise aima cela, tout comme elle aimait les forêts infinies du Härjedalen.

– Je suis venu ici pour disparaître, dit Aron.

– Toi qui étais incapable de vivre sans être entouré d'une foule de gens !

– Quelque chose a changé.

– Quoi ?

– Tu ne me croirais jamais.

Un bruit d'ailes jaillit des arbres, dans l'enchevêtrement de lianes et de plantes grimpantes. Un oiseau s'envola vers la lointaine lumière du jour et disparut.

– J'ai perdu quelque chose en comprenant que je ne pourrais plus vivre avec Henrik et toi. Je vous ai trahis. Mais je me suis aussi trahi moi-même.

– Cela n'explique rien.

– Il n'y a rien à expliquer. Je ne me comprends pas moi-même. C'est la seule certitude que j'aie.

– Pour moi, c'est un prétexte. Est-ce que, pour une fois, tu ne pourrais pas dire exactement ce qui se passe ? Donner une vraie explication ?

– Je ne peux pas. Quelque chose s'est déclenché, et il fallait que je parte. Pendant un an j'ai bu, erré, coupé les ponts, dépensé mon argent. Puis j'ai atterri dans cette communauté de fous qui avaient entrepris de sauver la mémoire de l'humanité. Nous nous étions baptisés «Les Gardiens de la Mémoire». J'ai tenté de me soûler à mort, de me tuer au travail, de mourir de paresse, de m'épuiser à pêcher, de nourrir les perroquets jusqu'à tomber de fatigue. Mais j'ai survécu.

– J'ai besoin de ton aide pour comprendre ce qui s'est vraiment passé. La mort d'Henrik, c'est aussi ma mort. Je ne peux pas me réveiller à la vie sans connaître la vérité. Que faisait-il avant de mourir ? Où voyageait-il ? Quelle sorte de gens rencontrait-il ? Que s'est-il passé ? Est-ce qu'il t'en parlait ?

– Il a brusquement cessé de m'écrire voilà trois mois. Avant, je recevais souvent une lettre par semaine.

– As-tu encore ses lettres ?

– Je les ai toutes gardées.

Louise se leva.

– J'ai besoin de ton aide. Je veux que tu examines quelques CD-Roms que j'ai apportés. Ce sont des sauvegardes de la mémoire de son ordinateur, qui n'était plus dans l'appartement. Je voudrais que tu fasses ce dont tu es spécialiste, que tu creuses parmi les 0 et les 1 pour trouver ce qui s'y cache.

Ils continuèrent sur le sentier qui remontait vers leur point de départ. Un bus scolaire venait d'arriver, les enfants s'égaillaient dans leurs imperméables aux couleurs vives.

– Les enfants m'emplissent de joie, dit Aron. Ils aiment les grands arbres, les ravins mystérieux, le bruit des ruisseaux qu'on entend sans les voir.

Ils s'installèrent dans la voiture. La main d'Aron s'attarda sur la clé de contact.

– Ce que j'ai dit pour les enfants vaut aussi pour les adultes. Moi aussi je peux aimer un ruisseau que j'entends sans le voir.

Sur le chemin du retour, Aron s'arrêta dans un magasin pour acheter des provisions. Louise le suivit. Il semblait connaître tout le monde, ce qui cadrait mal avec sa volonté de passer inaperçu. Quand ils se furent engagés sur la route de montagne abrupte, elle lui fit part de son étonnement.

– Ils ne savent pas comment je m'appelle, ni où j'habite. Il y a une différence entre connaître quelqu'un et le reconnaître. Que mon visage ne leur soit pas inconnu les rassure. Je fais partie du paysage. Ils ne cherchent pas à en savoir plus. Ils me voient régulièrement, je ne fais pas d'histoires et je paie comptant, cela leur suffit.

Ce même jour, il cuisina, de nouveau du poisson. Pendant le repas, il parut d'humeur plus légère, comme soulagé, non pas de son chagrin, mais d'un poids qui avait quelque chose à voir avec elle.

Après dîner, il voulut qu'elle lui parle encore de l'enterrement, et de Nazrin.

– Il ne l'a jamais mentionnée dans ses lettres ?

– Jamais. Quand il parlait de ses petites amies, elles n'avaient jamais de nom. Il leur donnait un visage et un corps, mais jamais de nom. Il était bizarre par bien des côtés.

– Il tenait de toi. Pendant son enfance, puis son adolescence, j'ai toujours pensé qu'il était comme moi. Maintenant je sais que c'est à toi qu'il ressemblait. Je pensais qu'avec le temps la roue allait tourner et qu'il reviendrait vers moi.

Elle éclata en sanglots. Il se leva et sortit répandre sur la table des graines pour les oiseaux.

Plus tard dans l'après-midi, il posa devant elle deux liasses de lettres.

– Je pars pour quelques heures. Mais je reviens.

– Oui, dit-elle. Ne disparais pas, cette fois.

Sans qu'il le lui dise, elle savait qu'il descendait au port pour pêcher. Elle commença sa lecture. Il était parti pour la laisser seule. La solitude a toujours été quelque chose d'important pour lui, pensa-t-elle. La sienne surtout. Mais peut-être a-t-il désormais appris à respecter aussi celle dont les autres ont besoin.

La lecture des lettres lui prit deux heures. Ce fut un douloureux voyage dans un paysage inconnu, le monde d'Henrik. À mesure qu'elle s'y enfonçait, elle découvrait qu'elle n'en avait jamais su grand-chose. Elle n'avait jamais pu comprendre Aron. À présent, elle se rendait compte que son fils aussi avait été une énigme. Elle ne l'avait connu qu'en surface. Ses sentiments pour elle avaient été réels, il l'avait aimée, mais il l'avait tenue largement à l'écart de son monde intérieur. Tout en lisant, elle était tenaillée par une jalousie sourde dont elle n'arrivait pas à se défaire. Pourquoi ne s'était-il pas confié à elle comme il l'avait fait avec Aron? C'était pourtant elle qui l'avait élevé et avait pris ses responsabilités, alors qu'Aron s'était enfui dans son univers d'alcool et de chimères informatiques.

Elle était bien obligée de se l'avouer : les lettres la blessaient, l'emplissaient de colère contre son fils mort.

Que découvrait-elle qu'elle ignorait jusqu'alors, et qui lui faisait penser avoir connu un Henrik si différent de celui qu'il était pour Aron ? Henrik s'adressait à Aron dans une langue étrangère. Dans ces lettres, il s'efforçait de développer un raisonnement, sans se contenter, comme il le faisait avec elle, de décrire des sentiments ou des impressions.

Elle repoussa les lettres et sortit. La mer grise dansait, loin en contrebas, les perroquets montaient la garde dans les eucalyptus.

Moi aussi j'ai plusieurs visages. Un devant un homme comme Vassilis, un avec Henrik, un autre pour mon père, et Dieu sait lequel encore face à Aron. De minces fils de laine me rattachent à moi-même, mais tout cela est aussi fragile qu'une porte reposant sur des gonds rouillés.

Elle se replongea dans les lettres. Elles couvraient une période de neuf ans. Espacées au début, puis plus nombreuses à certaines périodes. Henrik racontait ses voyages. À Shanghai, il s'était rendu sur la fameuse promenade en bord de mer, où il avait été fasciné par l'habileté des découpeurs de silhouettes : « Ils parviennent à couper les silhouettes de façon à dévoiler quelque chose de l'intériorité du modèle. Je me demande comment c'est possible. » En novembre 1999 il était à Phnom Penh, en route pour Angkor Vat. Louise essaya de rassembler ses souvenirs. Il ne lui avait jamais parlé de ce voyage, il lui avait juste dit qu'il était parti faire un tour en Asie avec une amie. Dans deux lettres adressées à Aron, il la décrivait : « belle, silencieuse et mince ». Ils avaient fait ensemble le tour du pays, effrayés par « le grand silence qui règne après toutes les horreurs qui ont eu lieu ici. Je commence à comprendre à quoi je veux consacrer ma vie : faire ce qui est en mon pouvoir pour soulager les souffrances de mes semblables, et y trouver de la grandeur, même si c'est peu de chose ». Il devenait parfois sentimental, presque pathétique dans sa grande douleur face à l'état du monde.

Nulle part pourtant dans ces lettres adressées à Aron il ne mentionnait le président Kennedy et son cerveau disparu. Aucune des femmes qu'il décrivait ne correspondait non plus à Nazrin.

Le plus frappant, ce qui la blessait le plus, c'est que jamais il ne la nommait. Pas un mot sur sa mère occupée à ses fouilles sous le soleil brûlant de la Grèce. Pas une allusion à leur relation, à leur confiance. Son silence reniait son existence. Elle pouvait bien admettre qu'il se taise par égard pour son père, mais c'était malgré tout une sorte de trahison. Ce silence la tourmentait.

Elle se força à continuer, jusqu'aux dernières lettres, qu'elle lut avec la plus grande attention. Et ce qu'elle attendait sans doute inconsciemment : une enveloppe avec un timbre lisible. *Lilongwe, Malawi, mai 2004*. Il y racontait une expérience bouleversante au Mozambique, la visite d'un endroit où étaient soignés des malades et des mourants :

> La catastrophe est si insoutenable qu'on se tait. Mais le plus effrayant, c'est que les gens dans les pays occidentaux ne comprennent pas ce qui est en train de se passer. C'est la capitulation de l'humanisme, on ne veut même pas aider ces malheureux en les empêchant de continuer à s'infecter ou en assurant aux mourants une fin de vie digne, aussi courte soit-elle.

Il y avait encore deux lettres, toutes deux sans enveloppe. Louise supposa qu'elles dataient de son retour en Europe. Les lettres avaient été envoyées à deux jours d'intervalle, les 12 et 14 juin. Il semblait très en verve, exprimant son découragement dans la première, sa joie dans la seconde. Dans la première, il avait baissé les bras, et dans l'autre on pouvait lire : « J'ai fait une découverte effroyable qui me donne pourtant l'envie d'agir. Mais cela me fait peur aussi. »

Elle lut et relut ces phrases. Que voulait-il dire ? Une découverte, l'envie d'agir, la peur ? Comment Aron avait-il réagi à cette lettre ?

Une fois encore, elle reprit les lettres, cherchant à comprendre en lisant entre les lignes. Rien. Dans la dernière lettre, postée le 14 juin, il revenait une dernière fois sur sa peur. « J'ai peur, mais je fais ce que je dois faire. »

Elle s'étendit sur le canapé. Le sang lui martelait violemment les tempes.

Je ne connaissais qu'une infime partie de lui. Peut-être Aron le connaissait-il mieux. Mais, surtout, il le connaissait sous un jour tout à fait différent.

Aron revint à la nuit tombée, avec du poisson. Quand elle le rejoignit à la cuisine pour laver des pommes de terre, il l'attrapa soudain et essaya de l'embrasser. Elle se déroba. Elle ne s'y attendait pas du tout, elle n'imaginait pas qu'il tenterait de l'approcher ainsi.

– Je croyais que tu en avais envie.

– Envie de quoi ?

Il haussa les épaules.

– Je ne sais pas. Je n'ai pas fait exprès. Excuse-moi.

– Bien sûr que tu l'as fait exprès. Mais il n'y a plus rien de ce genre entre nous. En tout cas pas de mon côté.

– Cela n'arrivera plus.

– Non, cela n'arrivera plus. Je ne suis pas venue ici pour me trouver un homme.

– Tu as quelqu'un d'autre ?

– Ce que nous avons de mieux à faire en ce moment, c'est de laisser de côté nos vies privées. N'est-ce pas ce que tu avais l'habitude de dire ? Qu'il ne faut pas fouiller trop profond dans l'âme d'autrui ?

– Je disais ça, et je le pense toujours. Dis-moi seulement si tu as quelqu'un de stable dans ta vie.

– Non. Il n'y a personne.

– Dans ma vie non plus il n'y a personne.

– Ce n'est pas la peine de répondre à des questions que je ne te pose pas.

Il la regarda avec surprise. Sa voix était devenue stridente, pleine de reproches.

Ils mangèrent en silence, la radio allumée, diffusant les informations. Une collision ferroviaire à Darwin, un meurtre à Sydney.

Ils terminèrent par un café. Louise alla chercher les CD-Roms et les documents qu'elle avait apportés et les déposa devant Aron. Il les regarda sans y toucher.

Il s'échappa de nouveau. Elle entendit démarrer la voiture, et il ne revint qu'à minuit passé. Elle dormait déjà, mais fut réveillée par le claquement des portières. Elle l'écouta se déplacer en silence dans la maison. Elle pensait qu'il s'était endormi quand soudain elle l'entendit taper sur le clavier de son ordinateur. Elle alla sans faire de bruit l'observer par l'embrasure de la porte. Il avait installé une lampe, et était absorbé devant l'écran. Elle se souvint soudain de l'époque de leur vie commune, de la grande concentration qui parfois figeait complètement les traits de son visage. Pour la première fois depuis leur rencontre sur la jetée, sous la pluie, elle ressentit pour lui un élan de gratitude.

À présent, il m'aide. Je ne suis plus seule.

Elle dormit cette nuit-là d'un sommeil agité. De temps en temps, elle se levait et retournait l'observer par l'embrasure de la porte. Il travaillait à l'ordinateur, ou lisait les documents d'Henrik qu'elle avait apportés. Vers quatre heures du matin, elle le vit étendu sur le canapé, les yeux grands ouverts.

Juste avant six heures, elle perçut un bruit dans la cuisine et se leva. Il se tenait près de la cuisinière, en train de préparer du café.

– Je t'ai réveillée ?

– Non. Tu as dormi ?

– Pas beaucoup, mais assez. Tu sais bien que je ne dors jamais beaucoup.

– Autant qu'il m'en souvienne, tu pouvais dormir jusqu'à dix ou onze heures.

– Seulement quand je travaille dur et longtemps.

Elle remarqua une pointe d'irritation dans sa voix et battit aussitôt en retraite.

– Comment ça s'est passé ?

– C'était étrange d'essayer de pénétrer dans son univers. Je me suis senti comme un voleur. Il avait installé de solides barrières contre les intrus, que je ne suis pas parvenu à franchir. J'avais l'impression de me battre en duel avec mon fils.

– Qu'as-tu découvert ?

– Il faut d'abord que je boive du café. Et toi aussi. Quand nous vivions ensemble, nous avions une règle tacite ; jamais de conversation sérieuse avant d'avoir bu notre café dans un silence religieux. Tu as oublié ?

Louise n'avait pas oublié. Elle se souvenait de tous ces petits-déjeuners silencieux qu'ils avaient partagés.

Ils burent leur café. L'essaim rougeoyant des perroquets voletait autour de la table.

Ils reposèrent leurs tasses et s'installèrent sur le canapé. Elle guettait le moindre de ses gestes, craignant qu'il n'essaie à nouveau de la toucher. Mais il se contenta d'allumer l'ordinateur et attendit que l'écran s'éclaire, ce qu'il fit avec un roulement de tambour frénétique.

– Il a installé cette musique lui-même. Ce n'est pas si difficile

113

que ça si on est un professionnel de l'informatique, mais pour un utilisateur lambda, c'est une autre paire de manches. Henrik avait-il une formation en informatique ?

Tu n'en sais rien parce que tu étais toujours absent. Dans ses lettres, il ne t'écrivait jamais à quoi il travaillait, ni ce qu'il étudiait. Il savait qu'au fond cela ne t'intéressait pas.

– Pas que je sache.

– Que faisait-il ? Il m'écrivait qu'il poursuivait des études, mais ne disait jamais lesquelles.

– Il a étudié un semestre l'histoire des religions à Lund. Puis il s'en est lassé. Après ça, il a obtenu une licence de taxi, et a gagné sa vie en installant des persiennes.

– Il s'en sortait ?

– Il était économe, même quand il partait en voyage. Il disait qu'il ne voulait pas décider ce qu'il ferait dans la vie avant d'en être tout à fait sûr. En tout cas il ne s'occupait pas spécialement d'informatique, il n'était qu'un simple utilisateur. Qu'est-ce que tu as trouvé ?

– En fait, rien.

– Mais tu es pourtant resté debout toute la nuit ?

Il lui jeta un regard.

– Il m'a semblé entendre que tu t'es réveillée à plusieurs reprises.

– Bien sûr, je me suis réveillée, mais je ne voulais pas te déranger. Qu'est-ce que tu as trouvé ?

– Une idée de sa façon d'utiliser son ordinateur. Ce que je ne suis pas parvenu à ouvrir, toutes ces portes closes, tous ces hauts murs et ces impasses qu'il a installés donnent une idée de ce qu'il y avait derrière.

– Et qu'est-ce que c'est ?

Aron sembla soudain inquiet.

114

– La peur. C'est comme s'il avait construit toutes les protections possibles pour empêcher quiconque d'accéder à ce qu'il cachait dans son ordinateur. Ces CD-Roms sont une soupape de sécurité profondément enfouie dans le monde caché d'Henrik. Moi aussi, j'ai protégé le contenu de mes ordinateurs, mais jamais de cette façon. C'est très adroitement exécuté. Je suis un cambrioleur habile, d'habitude je trouve la faille du système si je m'en donne la peine. Mais là, non.

La peur. La voilà qui revient. Nazrin parlait de joie. Mais Henrik, lui, dans les derniers temps de sa vie, parlait de peur. Et c'est ce qu'Aron vient de découvrir.

– Les fichiers que je peux ouvrir ne contiennent rien de particulier. Il tient ses comptes, est en contact avec des sites de vente en ligne, surtout pour acheter des livres et des films. Toute la nuit, je me suis heurté à des portes blindées.
– Et tu n'as rien découvert d'inattendu ?
– Si, j'ai trouvé quelque chose. Quelque chose qui n'était pas à sa place, enregistré au milieu des fichiers système. Je l'ai remarqué tout à fait par hasard. Regarde ça !
Louise se rapprocha. Aron pointa son doigt sur l'écran.
– Un petit fichier qui n'a rien à faire dans le système. Ce qui est bizarre, c'est qu'il n'a même pas cherché à le cacher. À cet endroit, il n'y a aucune protection.
– Pourquoi a-t-il fait ça, à ton avis ?
– Il ne peut y avoir qu'une seule raison. Pourquoi laisser un fichier accessible quand on cache tous les autres ?
– Pour qu'on le trouve ?
Aron opina du chef.
– C'est en tout cas une possibilité. Ce qu'on voit dans ce fichier, c'est qu'Henrik a un appartement à Barcelone. Tu étais au courant ?

– Non.

Louise pensa au « B » qui apparaissait dans l'agenda d'Henrik. Cela pouvait-il être le nom d'une ville, et non d'une personne ?

– Il a un petit appartement dans une rue qui porte un nom curieux : « impasse du Christ ». C'est en centre-ville. Il a noté le nom de la concierge, Mme Roig, le loyer qu'il paye. Si je comprends bien ses notes, il dispose de cet appartement depuis quatre ans, depuis décembre 1999. Il semble avoir signé le contrat le dernier jour du siècle. Henrik aimait-il les rituels ? La nuit du Nouvel An ? Est-ce une bouteille à la mer ? Était-ce important pour lui de signer un contrat à une date bien particulière ?

– Je n'ai jamais réfléchi à cela. Mais il aimait revenir aux endroits où il était déjà passé.

– L'humanité se divise en deux groupes : ceux qui détestent revenir sur leurs pas et ceux qui adorent ça. Tu sais à quel groupe j'appartiens. Et toi ?

Louise ne répondit pas. Elle tira à elle l'ordinateur et lut ce qu'il y avait à l'écran. Aron se leva et sortit s'occuper de ses perroquets. D'instinct, Louise eut peur qu'il disparaisse brusquement.

Elle enfila son manteau et le suivit. Les oiseaux s'envolèrent. Ils restèrent côte à côte à regarder la mer.

– Un jour, je verrai arriver un iceberg, j'en suis sûr.

– Je me fiche complètement de ton iceberg. Je veux que tu m'accompagnes à Barcelone et que tu m'aides à comprendre ce qui est arrivé à Henrik.

Il ne répondit pas. Mais elle savait que cette fois, il ferait ce qu'elle voulait.

– Je descends pêcher au port, dit-il au bout d'un moment.

– C'est ça. Mais débrouille-toi pour trouver quelqu'un qui puisse surveiller tes arbres pendant ton absence.

Deux jours plus tard, ils quittèrent les perroquets et se mirent en route pour Melbourne. Aron portait un costume brun tout chiffonné. Louise avait acheté les billets, mais n'avait pas protesté quand Aron lui avait donné de l'argent. À dix heures et quart, ils embarquèrent dans un vol Lufthansa à destination de Barcelone, via Bangkok et Francfort.

Ils discutèrent de la marche à suivre à leur arrivée. Ils n'avaient pas les clés de l'appartement, ils ne savaient pas comment la concierge allait réagir. Que se passerait-il si elle refusait de les laisser entrer ? La Suède avait-elle un consulat à Barcelone ? Ils ne pouvaient pas prévoir la suite des événements. Mais Louise insistait pour qu'ils formulent clairement leurs questions. S'enfermer dans le silence ne les avancerait à rien et ne les rapprocherait pas d'Henrik, ils continueraient à le chercher parmi les ombres.

Quand Aron s'endormit la tête sur son épaule, elle se raidit, mais le laissa faire.

Ils atterrirent à Barcelone vingt-sept heures plus tard. Trois jours après avoir quitté les perroquets rouges, le soir, ils se retrouvèrent devant la maison, dans cette étroite ruelle qui portait le nom du Christ.

Aron lui prit la main, et ils entrèrent ensemble.

Deuxième partie

L'éclaireur

> Mieux vaut allumer une lampe que maudire l'obscurité.
>
> CONFUCIUS

9

La concierge, Mme Roig, habitait au rez-de-chaussée, à gauche dans le hall de l'immeuble. La lumière s'alluma en crépitant.

Ils avaient décidé de dire la vérité. Henrik était mort, ils étaient ses parents. Aron sonna. La seule concierge que Louise avait jamais vue était celle de l'immeuble parisien où elle avait vécu six mois au milieu des années soixante-dix : trapue, ébouriffée, plus ou moins édentée, campée devant une télévision toujours allumée, avec à l'arrière-plan les pieds nus de son mari posés sur une table.

Une femme d'environ vingt-cinq ans ouvrit la porte. Sa beauté faisait manifestement effet sur Aron. Il baragouinait l'espagnol. Dans sa jeunesse, il avait passé six mois à Las Palmas, à travailler comme serveur dans des bars.

Le prénom de Mme Roig était Blanca, et elle salua aimablement de la tête en entendant Aron expliquer qu'il était le père d'Henrik et que la femme qui se tenait à son côté était sa mère.

Blanca Roig souriait sans se douter de ce qui allait suivre. Louise se dit que malheureusement il présentait les choses à l'envers. Aron comprit son erreur et l'implora du regard. Mais Louise détourna les yeux.

– Henrik est mort, dit-il. C'est pour cela que nous sommes venus. Pour voir son appartement et récupérer les affaires qu'il a laissées.

Blanca sembla d'abord ne pas comprendre, comme si l'espagnol d'Aron était soudain devenu incompréhensible.

– Henrik est mort, répéta-t-il.

Blanca pâlit et croisa ses bras serrés contre sa poitrine.

– Henrik est mort ? Qu'est-ce qui s'est passé ?

Aron regarda à nouveau Louise.

– Un accident de voiture.

Louise ne voulait pas laisser Henrik mourir dans un accident de voiture.

– Il est tombé malade, dit-elle en anglais. Vous comprenez l'anglais ?

Blanca fit oui de la tête.

– Il est tombé malade et il est mort.

Blanca recula d'un pas et les fit entrer chez elle. L'appartement était exigu, deux petites pièces, une cuisine moins grande encore, une salle de bains derrière un rideau de plastique. Louise fut étonnée de découvrir au mur deux affiches en couleur représentant des scènes de la Grèce antique. Pas de trace d'un mari ou d'enfants : Blanca semblait vivre seule dans l'appartement. Elle les pria de s'asseoir. Louise vit qu'elle était secouée. Henrik avait-il été un simple locataire ? Ils avaient le même âge.

Blanca avait les larmes aux yeux. Louise pensa qu'elle ressemblait à Nazrin, elles auraient pu être sœurs.

– Quand a-t-il séjourné dans l'appartement pour la dernière fois ?

– En août. Il est arrivé tard dans la nuit, je dormais, et il se déplaçait toujours sans aucun bruit. Il est venu le lendemain frapper à ma porte. Il m'a donné des graines de fleurs. C'était son habitude quand il rentrait de voyage.

– Combien de temps est-il resté ?

– Une semaine. Peut-être dix jours. Je ne l'ai pas beaucoup

vu. Je ne sais pas ce qu'il fabriquait, mais en tout cas cela se passait la nuit. Il dormait pendant la journée.

– Vous ne savez pas du tout ce qu'il faisait ?

– Il disait qu'il écrivait des articles de journaux. Il était toujours pris par le temps.

Louise et Aron échangèrent un rapide regard. Prudence maintenant, pensa Louise. Ce n'est pas le moment de s'emballer.

– On manque toujours de temps quand on travaille pour un journal. Savez-vous sur quels sujets il écrivait ?

– Il disait qu'il faisait partie d'un mouvement de résistance.

– C'est le mot qu'il utilisait ?

– Je ne comprenais pas bien ce qu'il voulait dire. D'après lui, c'était comme en Espagne pendant la guerre civile, et il aurait été du côté de ceux qui luttaient contre Franco. Nous ne parlions pas très souvent de ses activités, nous évoquions surtout des choses pratiques. Je faisais sa lessive, son ménage. Il payait bien.

– Il avait beaucoup d'argent ?

Blanca fronça les sourcils.

– Si vous êtes ses parents, vous devriez le savoir.

Louise comprit qu'il fallait intervenir.

– Il était à l'âge où l'on ne raconte pas tout à ses parents.

– C'est vrai qu'il ne parlait jamais de vous. Je ne devrais peut-être pas dire ça ?

– Nous étions très proches. C'était notre enfant unique, dit Aron.

Louise se demanda avec une pointe d'effroi comment il pouvait mentir de façon si convaincante. Henrik avait-il hérité cela de lui ? Cachait-il la vérité avec autant d'assurance ?

Blanca se leva et sortit de la pièce. Louise voulut dire quelque chose, mais Aron fit non de la tête en formant le mot « attends » sur ses lèvres. Blanca revint avec un trousseau de clés.

– Il habitait au dernier étage.

123

– À qui louait-il l'appartement ?

– À un commandant à la retraite qui vit à Madrid. En fait, c'est la propriété de sa femme. Mais le commandant Mendez s'occupe de tout ce qui concerne l'immeuble.

– Savez-vous comment il a trouvé cet appartement ?

– Non. Il est juste venu un beau jour, le contrat de location à la main. Avant lui, il y avait deux étudiants américains pénibles qui passaient leur temps à écouter de la musique à plein tube et inviter des filles. Je ne les supportais pas. Tout a changé quand Henrik s'est installé ici.

Blanca les précéda dans le hall et ouvrit la porte de l'ascenseur.

– Quelqu'un est-il venu demander de ses nouvelles ces dernières semaines ?

– Non.

Louise redoubla de vigilance. Un rien avait éveillé son attention. La réponse était sortie trop vite, trop bien préparée. Blanca Roig s'attendait à ce qu'on lui pose cette question. Quelqu'un était passé et elle ne voulait pas le dire. Elle chercha le regard d'Aron en entrant dans l'ascenseur, mais il semblait n'avoir rien remarqué.

L'ascenseur grinça en montant.

– Henrik avait-il souvent de la visite ?

– Jamais. Très rarement en tout cas.

– C'est étrange. Henrik aimait être entouré.

– Alors il devait voir du monde ailleurs.

– Recevait-il des lettres ? demanda Aron.

L'ascenseur s'arrêta. Quand Blanca ouvrit la porte, Louise remarqua qu'il y avait trois verrous, dont un au moins semblait avoir été posé récemment.

Blanca poussa la porte et s'effaça.

– Son courrier est sur la table de la cuisine, dit-elle. Je suis en bas si vous avez besoin de moi. Je n'arrive toujours pas à croire qu'il soit mort. Cela doit être terrible pour vous. Je ne ferai jamais d'enfants, j'aurais trop peur de les voir mourir.

Elle tendit les clés à Aron. Louise sentit poindre une vague irritation. Aron passait toujours pour le plus important aux yeux des gens.

Blanca disparut dans l'escalier. Ils attendirent pour entrer d'entendre se refermer sa porte au rez-de-chaussée. De la musique arrivait jusqu'à eux. La lumière du palier s'éteignit. Louise sursauta.

Pour la seconde fois, j'entre dans un appartement où Henrik est mort. Il n'est pas ici, il repose dans sa tombe, et pourtant il est ici.

Ils pénétrèrent dans le vestibule et refermèrent la porte. L'appartement, petit et étroit, avait été autrefois une partie du grenier. Il y avait un vasistas, des poutres apparentes, un plafond en pente. Une pièce, une petite cuisine, une salle de bains avec des WC. De l'entrée, ils pouvaient embrasser du regard tout l'appartement.

Le courrier était sur la table de la cuisine. Louise le feuilleta : des dépliants publicitaires, une facture d'électricité et une proposition pour un nouvel abonnement téléphonique. Aron avait poussé la porte de l'unique pièce de l'appartement. Il se tenait au centre quand elle entra à son tour. Elle vit ce qu'il voyait. Des murs nus, sans aucune décoration. Un lit avec une couverture rouge, un bureau, un ordinateur, des livres et des classeurs sur une étagère. Rien d'autre.

C'est ici que vivait Henrik. Il n'avait parlé de cet appartement à aucun d'entre nous. C'est Aron qui lui a appris à se construire des cachettes.

Sans un mot, ils firent le tour de l'appartement. Louise tira le rideau d'une penderie : des chemises, des pantalons, une veste, un panier plein de sous-vêtements, quelques chaussures. Elle attrapa une paire de pataugas qu'elle leva dans la lumière. Il y avait de la terre rouge sur la semelle de caoutchouc. Aron s'assit au bureau et ouvrit l'unique tiroir. Elle reposa les chaussures et se pencha sur son épaule. Un bref instant, elle eut envie de passer la main dans ses cheveux fins. Le tiroir était vide.

Louise s'assit sur un tabouret près du bureau.
– Blanca n'a pas dit la vérité.
Aron la regarda, étonné.
– Quand je lui ai demandé si quelqu'un était venu, elle a répondu trop vite. Ça ne sonnait pas juste.
– Pourquoi mentirait-elle ?
– Autrefois, tu avais l'habitude de dire que tu respectais mon intuition.
– Il y a tant de choses que je disais autrefois et que je ne dirais plus aujourd'hui. Bon, j'allume l'ordinateur.
– Pas encore ! Attends ! Est-ce que tu peux imaginer Henrik dans cet appartement ?
Aron pivota sur la chaise et regarda autour de lui.
– En fait, non. Mais il faut admettre que je le connaissais à peine. C'est toi qui peux répondre à cette question, pas moi.
– Il a habité ici, c'est un fait avéré. Il a loué cet appartement en cachette pendant quatre ans. Mais je ne peux pas me l'imaginer ici.
– Tu veux donc dire que c'est un autre Henrik qui a vécu ici ?
Louise hocha la tête.

*Aron avait toujours facilement suivi le cours de ses pensées.
À l'époque où ils étaient proches, ils jouaient à deviner les réac-
tions l'un de l'autre. Et même si leur amour était mort, ce jeu
était sans doute encore bien vivant.*

– Un autre Henrik, qu'il voulait cacher.
– Mais pourquoi ?
– N'es-tu pas le mieux à même de répondre ?
Aron fit la grimace avec irritation.
– J'étais un poivrot, je fuyais tout et tout le monde, mes res-
ponsabilités vis-à-vis d'autrui et surtout vis-à-vis de moi-même.
Je ne peux pas croire qu'Henrik ait été comme moi.
– Comment peux-tu en être si sûr ? C'était ton fils.
– Tu ne l'aurais jamais laissé me ressembler autant.
– Comment fais-tu pour être si certain d'avoir raison ?
– Jamais de ma vie je n'ai eu aucune certitude, sauf celle du
doute qui me poursuit toujours.
Aron contrôla la prise d'alimentation de l'ordinateur et releva
l'écran. Il remua les doigts comme s'il portait d'invisibles gants
de caoutchouc et s'apprêtait à commencer une opération.
Il la regarda.
– Il y a une lettre d'Henrik que je ne t'ai pas montrée. C'était
une sorte de confidence qu'il ne voulait pas que je partage avec
qui que ce soit. Ou peut-être que ce n'était pas ça du tout. Mais
ce qu'il m'a raconté était si énorme que je ne voulais le partager avec personne, pas même avec toi.
– Tu n'as jamais rien voulu partager avec moi.
Il poussa un soupir exaspéré.
– Je vais te raconter.

C'était une des dernières lettres qu'Aron avait reçues avant de
prendre le large, et de renoncer à ses élucubrations informatiques,

bien décidé à abandonner les archives à leur sort. Il venait d'aller chercher à New York le gros chèque, le sauf-conduit pour le reste de sa vie, et était retourné à Terre-Neuve rassembler ses affaires dont il avait brûlé la plus grande partie. La lettre avait été postée à Paris. Une connaissance d'Henrik, jeune violoncelliste bosniaque – impossible de savoir la nature de leur relation, ni s'il s'agissait d'un homme ou d'une femme –, avait gagné un concours pour jeunes solistes, et devait jouer avec l'un des plus importants orchestres parisiens. Au cours d'une des premières répétitions, Henrik avait eu l'occasion de s'asseoir au milieu de l'orchestre, derrière les cordes, devant les vents. Une expérience bouleversante : le son puissant l'avait transpercé comme une grande douleur. Cet instant lui avait révélé la « force extraordinaire qui pouvait jaillir de la souffrance ». Il n'avait plus fait mention de l'événement par la suite.

– Nous avions un fils qui, assis au milieu d'un orchestre, apprenait quelque chose sur la douleur. C'était une personne remarquable.

– Allume l'ordinateur, dit-elle. Continue à chercher.

Elle attrapa sur l'étagère quelques-uns des classeurs et les emporta à la cuisine. Le sang tambourinait à ses tempes, comme si la douleur dont Henrik parlait dans sa lettre la rongeait de l'intérieur. Pourquoi ne lui avait-il rien dit, à elle ? Pourquoi avait-il préféré raconter cette histoire d'orchestre à Aron, qui ne s'était jamais occupé de lui ?

Elle regarda au-dehors, par-dessus les toits sombres. Cette pensée la remuait. Au cœur de son chagrin, Henrik lui infligeait une autre souffrance, dont elle avait honte.

Elle chassa cette idée.

Il y a plus important. Tout le reste est plus important. Blanca a menti. C'est un nouveau tesson à assembler aux autres pour que cela commence à ressembler à quelque chose. Je ne sais pas si son mensonge est le début ou la fin d'une histoire. A-t-elle menti parce que Henrik le lui avait demandé ? Ou quelqu'un d'autre l'a-t-il exigé d'elle ?

Elle commença à feuilleter les classeurs. Chaque page était un nouveau fragment, arraché à un tout inconnu. Henrik vivait une double vie, il avait un appartement à Barcelone dont personne ne savait rien. Où trouvait-il l'argent ? Un appartement au centre de Barcelone, ça ne pouvait pas être donné. *Je vais suivre ses traces, chaque page est un nouveau croisement.*

Il n'y avait rien au sujet de Kennedy et de son cerveau, ni photocopies d'archives, ni articles, ni notes personnelles. En revanche, Henrik avait amassé de la documentation sur les plus grandes entreprises d'industrie pharmaceutique. Surtout des articles critiques, et des déclarations d'ONG comme Médecins sans frontières. Il avait souligné des passages, pris des notes. Encadré en rouge un paragraphe qui affirmait que personne ne devrait mourir de la malaria aujourd'hui, et tracé un point d'exclamation dans la marge. Dans un autre classeur, il avait réuni des articles et des extraits de livres sur l'histoire de la peste.

Tesson après tesson. Toujours pas d'unité. Quel rapport avec Kennedy et son cerveau ? Y a-t-il seulement un rapport ?

Dans la pièce voisine, elle entendit Aron se racler la gorge. De temps en temps il tapait sur le clavier.

C'était souvent ainsi quand nous étions ensemble : lui assis dans une pièce, moi dans une autre, mais toujours la porte ouverte entre les deux. Un jour il l'a fermée. Quand je l'ai rouverte, il était parti.

Aron vint à la cuisine boire un verre d'eau. Il avait l'air fatigué. Elle demanda s'il avait trouvé quelque chose, mais il secoua la tête.

– Pas encore.

– Quel loyer payait-il pour cet appartement, à ton avis ? Ce n'est sûrement pas donné.

– Il faudra demander à Blanca. Qu'est-ce qu'il y a dans ses classeurs ?

– Il a rassemblé beaucoup de matériel sur les maladies. La peste, la malaria, le sida. Mais rien sur moi ni sur toi. Il souligne en rouge des passages, des phrases, même des mots parfois, met des points d'exclamation.

– Alors il faut chercher dans ce qu'il souligne. Ou peut-être plutôt dans ce qu'il ne souligne pas.

Aron retourna à l'ordinateur. Louise ouvrit le petit réfrigérateur. Il était presque vide.

Il était minuit passé. Louise était à la table de cuisine, en train de feuilleter lentement un des derniers classeurs. Toujours des coupures de presse, tirées de journaux anglais ou américains, mais aussi une série d'articles du *Monde*.

Le cerveau de Kennedy. Il y a quelque part un rapport entre ton obsession pour le cerveau du président assassiné et ce que j'ai à présent sous les yeux. J'essaie de regarder avec tes yeux, de tourner avec tes mains les pages de ces classeurs. Que cherchais-tu ? Qu'est-ce qui t'a tué ?

Elle sursauta. Sans qu'elle s'en aperçoive, Aron était entré dans la cuisine. Elle comprit tout de suite qu'il avait trouvé quelque chose.

– Qu'est-ce qu'il y a ?

Il s'assit en face d'elle. Elle vit qu'il était bouleversé, qu'il avait

130

peur peut-être, et cela l'effraya plus que tout : une des raisons pour lesquelles elle était jadis tombée amoureuse, c'est qu'elle était persuadée qu'il la protégerait contre tous les dangers.

– J'ai trouvé un fichier secret caché dans un autre. Comme des poupées russes.

Il se tut. Louise attendait la suite. Mais Aron restait muet. À la fin, elle alla s'installer devant l'ordinateur et lut. Il y avait peu de mots. Impossible de dire à quoi elle s'attendait. À tout, mais pas à ça.

> Et je porte donc aussi la mort en moi. Tout devient intolérable. Je vais peut-être perdre la vie avant d'avoir trente ans. C'est le moment d'être fort et de changer la donne. Ce fait intolérable doit devenir une arme. Rien ne doit plus me faire peur. Pas même le fait d'être séropositif.

Louise sentit son cœur s'emballer. Dans sa confusion, elle se dit qu'elle devrait téléphoner à Artur pour lui raconter. Au même moment, elle se demanda ce que Nazrin savait. *Était-elle aussi contaminée ? L'avait-il contaminée ? Était-ce pour cela qu'il n'avait plus eu la force de vivre ?*

Les questions se bousculaient. Il lui fallut se tenir au bord de la table pour ne pas tomber. Elle entendit Aron sortir de la cuisine et entrer dans la pièce.

Au moment où elle allait tomber, elle sentit ses mains qui l'attrapaient pour la retenir.

10

Plusieurs heures plus tard, ils fermèrent la porte de l'appartement et sortirent pour respirer et avaler un petit-déjeuner. Blanca dormait, ou en tout cas ne donna aucun signe de vie quand ils quittèrent l'immeuble.

La douceur du petit matin les surprit.

— Si tu veux dormir, tu peux rentrer à l'hôtel. J'ai besoin de prendre l'air, mais je peux me promener seule.

— À cette heure-ci, à Barcelone ? Tu serais un véritable aimant ! Une femme seule, dans la rue, tu as perdu la tête ?

— J'ai l'habitude de me débrouiller toute seule. J'ai appris à me débarrasser des michetons prêts à sortir leur portefeuille pour tirer leur coup.

Aron eut du mal à cacher son étonnement.

— Je ne t'ai jamais entendue parler ainsi.

— Il y a beaucoup de choses que tu ne connais pas de moi. Par exemple mon vocabulaire.

— Si tu veux être seule, fais comme si j'étais ton ombre. Comme un imperméable qu'on prend sous le bras, juste au cas où il se mettrait à pleuvoir.

Ils suivirent une des artères principales, qui descendait vers une place. Il y avait peu de circulation, les restaurants étaient vides. Une voiture de police roulant au pas les dépassa.

Louise était très fatiguée. Aron marchait sans un mot à côté d'elle, toujours aussi secret. Louise ruminait la découverte de la séropositivité d'Henrik. Il était plus mort encore à présent, rendu inaccessible par cette maladie qui l'avait envahi. Mais était-ce pour autant la cause de sa mort ? N'avait-il simplement pas eu la force de supporter son sort, dont il venait de prendre conscience ?

– Pourquoi l'analyse sanguine à l'autopsie n'a-t-elle rien révélé ? demanda soudain Aron. Est-ce que c'était trop tôt ? Son infection était-elle si récente que les anticorps n'avaient pas eu le temps de se former ? Et dans ce cas, comment pouvait-il être si certain d'avoir été contaminé ?

Aron éclata en sanglots, tout à coup, sans crier gare. Il pleurait fort, et Louise ne se rappelait pas l'avoir jamais vu pleurer, sauf quand il était ivre et sentimental, et qu'il se lançait dans de grandes déclarations d'amour. Pour elle, les larmes d'Aron avaient toujours été associées à l'odeur d'alcool ou à la gueule de bois. Mais cette fois il n'y avait rien de tout cela, juste son chagrin.

Ils étaient dans la rue, à Barcelone. C'était l'aube, et Aron pleurait. Quand il se fut calmé, ils cherchèrent un café ouvert. Ils prirent un petit-déjeuner, puis retournèrent à l'appartement.

La porte à peine ouverte, Aron disparut dans la salle de bains. Il revint les cheveux mouillés, peigné et les yeux rouges.

– Pardon pour mon manque de dignité.

– Dès que tu ouvres la bouche, il faut que ce soit pour dire des bêtises !

Aron leva les bras pour couper court à la discussion.

Ils continuèrent à explorer l'ordinateur d'Henrik, avec Aron dans le rôle de l'éclaireur résolu.

– Uncas, dit-elle. Tu te souviens de lui ?

– *Le Dernier des Mohicans.* James Fenimore Cooper. Je

l'ai dévoré quand j'étais gosse. Je rêvais d'être le dernier de ma lignée, la lignée d'Aron. Mais les filles lisent aussi ce livre ?

– Mon père le lisait à voix haute. Je ne crois pas qu'il ait jamais pensé que ce n'était pas pour les filles. Il me lisait juste ce qu'il avait lui-même envie d'écouter. J'ai bien dû avoir quelques autres livres quand j'avais sept ou huit ans, mais c'est l'histoire d'Uncas dont je me souviens.

– De quoi te souviens-tu le mieux ?

– Du passage où l'une des filles du colonel Munroe saute de la falaise et choisit de mourir pour échapper aux Indiens assoiffés de sang. C'était moi, courageuse jusqu'à la fin. J'espérais qu'un jour moi aussi je me retrouverais au bord de la falaise.

Aron passa cette journée à entrer par effraction dans la vie d'Henrik, sous le regard de Louise. Il travaillait fébrilement à pénétrer dans les pièces qu'Henrik avait tenté de verrouiller. Des portes furent arrachées de leurs gonds, d'autres furent crochetées, mais chaque fois il ne trouvait que de nouvelles questions, rarement des réponses. Depuis combien de temps Henrik se soignait-il ? Depuis combien de temps était-il infecté ? Qui l'avait contaminé ? Le savait-il seulement ? Il avait noté qu'il était malade en juillet 2004 :

Le virus est en moi, je le redoutais, et à présent j'en ai la certitude. Aujourd'hui, avec les médicaments, je peux vivre dix ans sans craindre le lendemain, mais cela reste une condamnation à mort. C'est de cela qu'il sera le plus dur de se libérer.

Pas un mot sur les circonstances, où, avec qui, comment. Ils essayèrent de remonter en arrière, feuilletèrent ses agendas fragmentaires et chaotiques, suivirent les pistes de différents voyages, mais rien n'était très clair, quelque chose leur échappait. Louise se mit à la recherche d'anciens billets d'avion, en vain.

Aron pénétra dans un programme avec lequel Henrik tenait assez régulièrement ses comptes. La chose les frappa en même temps : en août 1998, Henrik avait noté l'entrée d'une forte somme, 100 000 dollars.

– C'est plus de 800 000 couronnes, dit Aron. Mais d'où pouvait donc venir tout cet argent, nom de Dieu ?

– Ce n'est pas indiqué ?

– Il n'y a que le numéro de son compte en banque en Espagne.

Aron continua à chercher, sans en croire ses yeux. En décembre de la même année, 25 000 dollars tombent brusquement du ciel. Un beau jour, l'argent apparaît sur son compte, Henrik note la somme, sans en indiquer l'origine. En paiement de quoi ? Aron interrogea Louise du regard, mais elle ne savait pas quoi répondre. Il y avait d'autres transferts. De grosses sommes étaient arrivées sur le compte d'Henrik au printemps 2000. Aron calcula qu'il avait reçu 250 000 dollars en tout.

– Il a eu accès à d'importantes sommes d'argent. Il en a dépensé la plus grande partie, mais nous ne savons pas comment. En tout cas, il avait les moyens de s'offrir plusieurs appartements comme celui-ci. Et il a pu voyager autant qu'il lui plaisait.

Louise remarqua qu'Aron s'enfonçait toujours plus profondément dans le monde d'Henrik. Il était inquiet.

Il y voit peut-être plus clair que moi. C'est beaucoup trop d'argent pour tomber comme ça du ciel.

Aron cherchait et grognait quand il tombait dans une impasse.

– Exactement comme son adresse. *Impasse du Christ.*

– Henrik disait souvent qu'il ne croyait pas au hasard.

Avec tout cet argent à sa disposition, il pouvait bien sûr choisir l'adresse qu'il voulait.

Aron continua à taper sur le clavier. Soudain, il s'arrêta net. Louise était accroupie devant une étagère.

– Qu'est-ce que c'est ?

– Quelque chose est en train de s'ouvrir, je ne sais pas ce que c'est.

Une sorte de neige scintillante couvrit l'écran. Puis l'image s'éclaircit. Ils se penchèrent, Louise touchant presque la joue d'Aron.

Un texte apparut :

> Le flambeau dans la main de Diogène. Je comprends à présent que je vis à une époque où la dissimulation de la vérité a été élevée au rang d'art et de science. Des vérités qu'on laissait autrefois éclater comme des évidences au grand jour sont désormais tenues cachées. Sans flambeau, il est presque impossible d'aller à la recherche d'un être humain. Les vents glacés éteignent la flamme. On peut choisir de la laisser éteinte, ou de la rallumer. Et ainsi continuer à chercher l'humain.

– Que veut-il dire ? dit Aron.

– Diogène a demandé à Alexandre de se déplacer parce qu'il lui faisait de l'ombre, répondit Louise. Diogène circulait un flambeau à la main à la recherche d'un être humain. Un être humain de bon aloi, une créature morale. Il méprisait l'avarice et la naïveté. Il y a des compagnies d'assurances et des agences de détectives qui ont pris son nom comme symbole. *L'éclaireur*, celui qui s'oppose aux ténèbres.

Ils continuèrent à lire la profession de foi qu'Henrik s'était adressée à lui-même :

Il y a trois mauvais génies qui m'effraient plus que tout. La firme Winckelman & Harrison, et son programme de recherche génétique dans son grand complexe en Virginie, pas très loin d'ailleurs du quartier général de la CIA à Langley. Personne ne sait au juste ce qui se passe derrière ces murs gris, mais des enquêteurs anglais qui traquent l'argent des trafics d'armes et de drogue, et même des bénéfices de la traite d'esclaves sexuels en Europe et en Amérique du Sud ont remonté des pistes qui les ont menés jusqu'à Winckelman & Harrison. Le principal propriétaire est un homme insignifiant portant le nom de Riverton, qui vit semble-t-il aux îles Caïmans, mais personne ne le sait avec certitude. Le deuxième génie du mal est la multinationale suisse Balco, qui poursuit officiellement des projets de recherche sur de nouveaux antibiotiques actifs contre les souches de bactéries résistantes. Mais quelque chose se cache derrière cette façade. La rumeur parle de centres de recherche secrets au Malawi et en Tanzanie où sont testés des médicaments contre le sida, et personne ne sait ce qu'il s'y passe vraiment. Enfin, le dernier génie n'a même pas de nom. Mais en Afrique du Sud un certain nombre de chercheurs travaillent en secret sur le sida. On parle de décès inexpliqués, d'individus qui disparaissent sans laisser de traces. Personne ne sait, mais il faut rallumer les flambeaux éteints.

Aron se recula sur sa chaise.

– D'abord il parle d'un seul flambeau. Puis tout à coup de plusieurs. Qu'est-ce que cela veut dire ? Un groupe qui cherche à démasquer ces compagnies pharmaceutiques ?

– Cela pourrait bien être Henrik. Même si je le croyais immunisé contre toute velléité de déterrer les secrets enfouis.

– Il n'a jamais voulu devenir comme toi ?

– Archéologue ? Jamais. Il détestait même jouer dans les bacs à sable quand il était petit.

Aron montra du doigt l'écran brillant.

– Il devait vraiment bien s'y connaître en informatique. Surtout que son système d'exploitation n'est pas le plus récent. On se demande bien pourquoi : avec autant d'argent, pourquoi ne s'était-il pas offert le dernier système ? Je ne vois qu'une raison possible.

– Il gardait son argent pour autre chose ?

– Chaque centime comptait. La question est de savoir pour quoi faire.

Aron ouvrit un nouveau puits et remonta encore un des secrets d'Henrik des profondeurs de l'ordinateur. C'était une série d'articles qui avaient été directement scannés dans l'ordinateur.

– Il ne l'a pas fait ici, il n'y a pas de scanner. Il y en avait un dans l'appartement de Stockholm ?

– Je n'en ai pas vu.

– Tu sais ce que c'est qu'un scanner ?

– Nous n'en trouvons pas parmi les antiquités de nos fouilles, mais il nous arrive d'en utiliser.

Ils lurent les articles : deux du journal anglais *The Guardian*, deux du *New York Times* et du *Washington Post*. Il y était question de médecins corrompus qui avaient vendu des informations sur l'état de deux patients. Le premier souhaitait rester anonyme, le second se présentait sous sa vraie identité : Steve Nichols. Tous deux avaient été victimes d'importantes extorsions de fonds parce qu'ils étaient séropositifs.

Nulle part Henrik n'avait écrit le moindre commentaire. Les articles se dressaient, tels des piliers au centre d'une pièce dont il était absent. Les fortes sommes en sa possession pouvaient-elles être le fruit d'une extorsion de fonds ? Pouvait-il être un maître chanteur ? Louise était certaine qu'Aron se posait les mêmes questions qu'elle. L'idée était si abjecte et inconcevable qu'elle la rejeta. Mais Aron demeurait silencieux, caressant d'un doigt le clavier. La vérité sur les activités d'Henrik pouvait-elle ressembler à un sombre tunnel débouchant dans une salle plus sombre encore ?

Ils ne savaient pas. Alors ils en restèrent là.

Ils quittèrent l'immeuble sans que Blanca se montre. Ils allèrent faire un tour en ville, et quand enfin ils rentrèrent à leur hôtel, Aron lui demanda si elle le laisserait venir dormir dans sa chambre.

– Je n'ai pas le courage de rester seul.

– Prends tes propres oreillers, et ne me réveille pas si je dors.

Après quelques heures à peine, Louise fut réveillée par Aron qui venait de se lever. Il avait enfilé son pantalon, mais était encore torse nu. Elle le regarda les yeux mi-clos et découvrit une cicatrice qui lui traversait l'omoplate gauche, comme si quelqu'un l'avait tailladé. Jadis, elle se reposait souvent la tête appuyée contre son dos, et il n'y avait pas de cicatrice. De quand datait-elle ? D'une de ces rixes d'ivrognes dans lesquelles il se jetait avec l'obstination d'un trompe-la-mort, et que la plupart du temps il provoquait lui-même ? Il enfila sa chemise et vint s'asseoir sur le rebord du lit.

– Je vois que tu es réveillée.

– Où vas-tu ?

– Nulle part. Dehors. Prendre un café. Je ne peux pas dormir. Je vais peut-être aller dans une église.

– Mais enfin, tu n'as jamais mis les pieds dans une église !

– Je n'ai même pas encore allumé de cierge pour Henrik. Pour ça, il vaut mieux être seul.

Aron attrapa sa veste, lui fit un signe de la tête, passa la porte et disparut.

Elle se leva et suspendit le panneau «Ne pas déranger» à la poignée de sa porte. Revenant vers le lit, elle s'arrêta devant le miroir mural et regarda son reflet. *Quel visage Aron voit-il?* On m'a toujours dit que j'avais un visage à ellipses. Mes collègues, ceux qui me sont assez proches pour oser me dire ce qu'ils pensent, prétendent que j'en change chaque matin. Je n'ai pas un double visage, comme Janus, mais dix, quinze masques différents. Des mains invisibles placent un de ces masques sur mon visage à l'aube, si bien que je ne sais pas quelle est mon expression pour la journée.

Elle en rêvait la nuit.

Louise Cantor, archéologue, penchée sur une fouille, coiffée d'un masque de théâtre hellénique.

Elle se remit au lit, mais ne parvint pas à se rendormir. Le sentiment de désespoir qui la rongeait ne lui laissait pas de répit. Elle appela Artur. L'appel sonna dans le vide. Sur un coup de tête, elle composa le numéro de Nazrin. Pas de réponse là non plus. Elle laissa un message, qu'elle rappellerait, mais qu'elle n'était pas facilement joignable parce qu'elle était en voyage.

Comme elle s'apprêtait à quitter la chambre pour aller prendre un café, elle s'aperçut qu'Aron avait oublié sa clé sur la table.

À l'époque des soupçons, quand je pensais qu'il me trompait, l'année avant le naufrage de notre mariage, je fouillais ses valises et je lui faisais les poches en cachette. Je feuilletais ses agendas, je me débrouillais toujours pour être la première à aller chercher le courrier. À cette époque, j'aurais pris ces clés pour entrer dans sa chambre.

Cette idée lui fit honte. Pendant son séjour en Australie, dans la maison aux perroquets rouges, à aucun moment elle n'avait eu l'impression qu'il y avait une femme dans la vie d'Aron, qu'il aurait cachée à cause de sa venue. Et, quand bien même, cela n'aurait pas été ses affaires. L'amour qu'elle avait jadis eu pour lui ne pouvait pas être déterré et restauré.

Elle but un café et sortit se promener. Elle se dit qu'elle devrait téléphoner en Grèce pour parler avec ses collègues. Mais pour leur dire quoi ?

Elle s'arrêta au milieu du trottoir et comprit qu'elle ne retournerait peut-être jamais en Grèce pour travailler, seulement quelques jours pour récupérer ses affaires et fermer la maison. L'avenir était une page blanche. Elle fit demi-tour et revint à l'hôtel. Une femme de ménage s'apprêtait à faire sa chambre. Louise descendit attendre à la réception. Une très belle femme cajolait un chien, un homme lisait un journal une loupe à la main. Elle remonta dans sa chambre. La clé était toujours là, Aron n'était pas encore revenu. Elle l'imagina dans une église, devant un cierge.

Je ne sais rien de son chagrin, rien de sa douleur. Un jour, il entrera en éruption, comme un volcan. La lave brûlante qu'il aura jusqu'alors contenue jaillira par les fissures de son corps, et il mourra, semblable à un dragon crachant le feu.

Elle rappela Artur. Cette fois-ci, il répondit. Il avait neigé pendant la nuit. Artur aimait la neige, il s'y sentait en sécurité, elle le savait. Elle lui dit qu'elle était à Barcelone avec Aron, qu'ils avaient trouvé un appartement inconnu où Henrik avait vécu. Mais elle ne lui dit pas qu'il était séropositif. Elle ne savait pas bien comment Artur aurait réagi. La conversation fut brève,

Artur n'aimait pas parler au téléphone. Il tenait toujours l'écouteur un peu écarté de son oreille, ce qui la forçait à crier.

Après avoir raccroché, elle téléphona en Grèce. Elle eut de la chance : elle tomba sur le chef des fouilles, un collègue d'Uppsala qui l'avait remplacée. Louise lui demanda des nouvelles du travail : la campagne de fouilles de l'automne entrait dans sa dernière phase, tout se passait comme prévu. Elle décida de jouer cartes sur table : elle ne savait pas quand elle pourrait revenir à son poste. Ce n'était pas trop grave pour l'instant, puisque les fouilles allaient être interrompues pour l'hiver. Ce qui se passerait ensuite, l'an prochain, si les crédits étaient accordés, personne ne le savait.

La ligne fut coupée. Quand elle essaya de rappeler, elle entendit une voix de femme qui l'invitait en grec à renouveler son appel ultérieurement.

Elle s'étendit sur le lit et s'endormit. Il était midi et demi quand elle se réveilla. Aron n'était toujours pas rentré.

Pour la première fois, elle sentit monter en elle une sourde inquiétude. Quatre heures pour prendre un café et allumer un cierge à l'église ? Était-il parti ? N'avait-il plus le courage de continuer ? Devrait-elle attendre encore six mois pour qu'il la rappelle, de l'autre bout du monde, ivre et larmoyant ? Elle ramassa la clé et alla dans sa chambre. Sa valise était posée, ouverte, sur le banc à bagages. Des vêtements mal rangés, un rasoir dans un étui déchiré. Elle chercha à tâtons parmi les vêtements. Dans une pochette en plastique, elle trouva une très grosse somme d'argent. Elle la mit en sécurité dans son portefeuille. Au fond de la valise, il y avait un livre dans lequel Bill Gates méditait sur l'avenir de l'informatique. Elle le feuilleta, et vit qu'Aron avait souligné des passages et pris des notes en marge. Comme Henrik, pensa-t-elle. Ils se ressemblent. Moi, je n'ai jamais écrit le moindre mot dans la marge d'un livre.

Elle reposa le livre et en consulta un autre. C'était un essai

142

sur les énigmes mathématiques classiques restées sans solution. La page à laquelle Aron s'était arrêté était écornée. Il allait commencer un nouveau chapitre, consacré au théorème de Fermat.

Louise reposa le livre et regarda autour d'elle. Elle jeta un coup d'œil dans la poubelle. Il y avait une bouteille de vodka vide. Depuis qu'elle l'avait retrouvé sur la jetée, elle n'avait jamais remarqué d'odeur d'alcool le matin. Pourtant, depuis leur arrivée à Barcelone, il avait donc vidé une bouteille de vodka. Pas de verre : il avait bu au goulot. Mais quand ? Ils étaient restés ensemble presque tout le temps.

Louise retourna dans sa chambre et se rendit compte qu'elle lanternait en attendant le retour d'Aron. Je ne bouge plus quand l'éclaireur s'arrête, pensa-t-elle avec un sentiment de malaise. Pourquoi rester comme ça sans rien faire ?

Elle laissa un mot sur sa table et sortit. Elle déjeuna dans un petit restaurant près de l'hôtel. Au moment de payer, voyant qu'il était quinze heures passées, elle pensa qu'Aron devait être rentré à l'hôtel à présent. Elle consulta son téléphone portable : il n'avait pas appelé ni laissé de message.

Il se mit à pleuvoir. Elle se dépêcha de rentrer, son manteau tiré sur la tête. L'homme à la réception fit non de la tête. « M. Cantor n'est toujours pas rentré. S'il a téléphoné ? Non, il n'y a pas de message pour Mme Cantor. »

Alors, elle commença à vraiment s'inquiéter. Mais c'était une inquiétude nouvelle. Aron ne s'était pas enfui. Quelque chose s'était passé. Elle l'appela sur son portable, en vain.

Elle attendit dans sa chambre jusqu'au soir. Aucun signe d'Aron. Elle l'avait appelé à plusieurs reprises, son portable était éteint. Vers dix-neuf heures, elle descendit à la réception. Elle s'installa dans un fauteuil et observa les gens qui allaient et venaient entre la sortie de l'hôtel, la réception, le bar et le kiosque à journaux. Un homme assis près de la porte étudiait une carte. Elle l'observa en cachette. Quelque chose avait attiré son attention. L'avait-elle déjà vu quelque part ? Elle alla au bar boire un verre de vin, puis encore un. Quand elle revint dans le hall, l'homme à la carte n'était plus là. Une femme avait pris sa place. Elle parlait au téléphone. Elle était trop loin pour que Louise puisse comprendre quelle langue elle parlait, et encore moins ce qu'elle disait.

Vers vingt heures trente, Louise but un dernier verre de vin. Puis elle sortit de l'hôtel. Aron avait emporté les clés de l'appartement d'Henrik. C'était bien sûr là qu'il avait passé la journée, devant l'ordinateur d'Henrik. Elle marcha vite, et tourna dans l'impasse du Christ. Au moment d'arriver devant le porche, elle se retourna. Avait-elle deviné une ombre cachée dans un recoin obscur hors de la lumière des réverbères ? Surgissant de nulle part, la peur s'empara d'elle à nouveau.

Était-ce cette peur dont Henrik parlait dans ses conversations avec Nazrin, et dans ses notes personnelles ?

Louise poussa la porte et sonna chez Blanca. Elle mit du temps à ouvrir.

— J'étais au téléphone. Mon père est malade.

— Avez-vous vu mon mari aujourd'hui ?

Blanca fit non de la tête.

— C'est sûr ?

— Il ne s'est pas montré.

— C'est lui qui a les clés. Il y a dû y avoir un malentendu entre nous.

— Je vais vous ouvrir. Vous n'aurez qu'à tirer la porte en partant.

Louise se dit qu'elle devrait demander à Blanca pourquoi elle avait menti. Mais quelque chose l'en empêchait : pour l'heure, il fallait avant tout qu'elle retrouve Aron.

Blanca lui ouvrit et redescendit. Louise se figea, l'oreille tendue dans la pénombre. Elle alluma les lumières les unes après les autres et fit le tour de l'appartement.

Soudain, ce fut comme si plusieurs des fragments épars s'assemblaient, formant un motif inattendu.

Quelqu'un veut éliminer Aron. Ça a un rapport avec Henrik, avec le cerveau du président, avec les voyages d'Henrik, sa révolte, sa maladie et sa mort. Aron était un éclaireur. C'était lui le plus dangereux, celui qu'il fallait éliminer d'abord pour que personne ne puisse emprunter le chemin.

Louise fut glacée de peur. Prudemment, elle s'approcha de la fenêtre et regarda dans la rue.

Il n'y avait personne, mais elle eut l'impression que quelqu'un venait de disparaître.

11

Une fois rentrée à son hôtel, Louise fut poursuivie par l'insomnie. Elle revivait les pires moments de son existence, la disparition d'Aron. Quand il avait commencé à expédier des quatre coins du globe ses larmoyantes lettres d'ivrogne. Voilà qu'il s'était envolé à nouveau. Et elle n'arrivait pas à dormir.

Dans une tentative pour conjurer les forces qui l'éloignaient, elle alla dans sa chambre et se glissa dans le lit qu'il n'avait pas défait. Mais elle ne parvenait toujours pas à dormir. Des pensées l'assaillaient de toutes parts. Elle devait les saisir au vol avant qu'elles n'aillent s'écraser à terre. Que s'était-il passé ? S'était-elle malgré tout trompée ? Avait-il une fois encore filé en douce en l'abandonnant avec Henrik ? Pouvait-il être assez brutal pour feindre d'avoir de la peine et prétendre aller allumer un cierge à l'église alors qu'il avait en fait décidé de partir ?

Elle se leva et sortit des mignonnettes du minibar. Sans regarder ce qu'elle buvait, elle ingurgita un mélange de vodka, de liqueur de cacao et de cognac. L'alcool lui apporta un apaisement, bien sûr trompeur. Couchée sur le lit, elle entendit la voix d'Aron.

Personne ne peut peindre une vague. Un geste, un sourire, un clin d'œil peuvent être fixés sur une toile par un artiste habile.

De même la douleur, l'angoisse, comme chez Goya, cet homme désespéré qui étend le bras vers le peloton d'exécution. On peut saisir tout cela, j'ai vu tout cela restitué de façon crédible. Mais une vague, jamais. La mer se dérobe toujours, les vagues échappent toujours à ceux qui tentent de les saisir.

Elle se souvint de leur voyage en Normandie. Le premier qu'ils faisaient ensemble. Aron devait donner des conférences sur le rapprochement futur du téléphone et de l'ordinateur. Elle avait demandé un congé à l'université d'Uppsala pour l'accompagner. Ils avaient passé une nuit à Paris. On entendait de la musique orientale à travers les murs de leur chambre d'hôtel.

Tôt le matin, ils avaient pris le train pour Caen. Ils s'aimaient passionnément. Aron l'avait attirée dans les toilettes du wagon, et elle avait fait l'amour avec lui dans cet espace exigu en se disant que jamais elle n'aurait pu imaginer une chose pareille.

À Caen, ils avaient erré plusieurs heures dans la magnifique cathédrale. Elle avait regardé Aron de loin et avait pensé : Voilà l'homme avec lequel je vais passer le reste de ma vie.

Le soir, après la conférence qui lui avait valu de longs applaudissements, elle lui raconta ce qu'elle avait ressenti dans la cathédrale. Il l'avait regardée, l'avait prise dans ses bras en lui disant qu'il avait ressenti la même chose. Ils s'étaient rencontrés pour vivre ensemble le reste de leurs jours.

Le lendemain, très tôt, sous une pluie battante, ils avaient roulé dans une voiture de location jusqu'aux plages du débarquement de juin 1944. Dans une branche américaine de sa famille, Aron avait un parent, le *private* Lucas Cantor, mort à Omaha Beach, avant même d'avoir posé le pied sur la terre ferme. Ils avaient flâné dans le vent et la pluie sur la plage déserte. Aron était renfermé et muet, Louise n'avait pas voulu le déranger. Elle avait cru qu'il était ému, mais, longtemps après, il lui avait dit que s'il avait été si silencieux, c'était parce qu'il était transi jusqu'aux os sous cette fichue pluie glacée. Qui se souciait de Lucas Cantor ? Celui qui était mort était mort, surtout trente-cinq ans après.

Mais c'était là, sur une de ces plages de Normandie, qu'il avait fini par s'arrêter, et rompre le silence. Montrant d'un geste la mer, il avait dit qu'aucun artiste ne pouvait peindre une vague de façon crédible. Même Michel-Ange n'aurait pas su la peindre, ni Phidias la sculpter. Les vagues montrent aux hommes leurs limites, avait-il ajouté.

Elle avait tenté de protester, en citant des exemples. Et les marines hollandaises, les représentations du déluge biblique, la mer dans les bois gravés japonais ? Mais Aron n'en démordait pas, il avait même haussé le ton, ce qui l'avait surprise, car c'était la première fois.

Il n'était pas donné à un homme de peindre une vague qu'une autre vague aurait reconnue comme telle. Aron avait parlé, et il n'en serait pas autrement.

Ils n'avaient jamais reparlé de vagues depuis cette fois-là, sur la plage où Lucas Cantor avait été abattu avant même d'atteindre le rivage. Pourquoi y repensait-elle à présent ? Y avait-il là un signe, un message qu'elle s'envoyait à elle-même au sujet de la disparition d'Aron ?

Elle se leva du lit et alla à la fenêtre ouverte. Il faisait nuit, une brise entrait dans la chambre. La circulation s'entendait au loin, du bruit montait de la cuisine d'un restaurant.

Soudain, elle comprit que la douceur de la nuit était trompeuse. Aron ne reviendrait pas. Les ombres qu'elle avait devinées dans l'obscurité, le mensonge de Blanca, le pyjama d'Henrik, tout lui disait qu'elle-même était peut-être en danger. Elle s'éloigna de la fenêtre, et vérifia que la porte était bien fermée. Son cœur battait la chamade. Elle n'arrivait plus à contrôler le cours de ses pensées.

Elle rouvrit le minibar et attrapa les dernières mignonnettes. Vodka, gin, whisky. Elle s'habilla. Il était quatre heures et quart. Elle inspira à fond avant d'oser ouvrir la porte. Le couloir était désert. Elle crut pourtant voir une ombre disparaître du côté de l'ascenseur. Elle resta immobile. Non, elle avait rêvé.

Elle prit l'ascenseur jusqu'à la réception déserte.

Une vitre donnait sur une pièce en retrait, d'où filtrait la lumière bleue d'une télévision. Le son était faible. Un vieux film, pensa-t-elle. Le portier de nuit l'avait entendue arriver, et il sortit. Il était jeune, à peine plus âgé qu'Henrik. Sur le revers de sa veste était indiqué son nom, Xavier.

– Mme Cantor se lève tôt. La nuit est douce, mais il pleut. J'espère que rien ne vous a réveillée ?

– Je n'ai pas dormi. Mon mari a disparu.

Xavier jeta un œil sur le tableau des clés.

– C'est moi qui ai sa clé. Il n'est pas dans sa chambre. Il est absent depuis hier matin, presque vingt-quatre heures.

Xavier ne semblait pas troublé par l'inquiétude de Louise.

– Ses affaires sont-elles toujours dans sa chambre ?

– Rien n'a été touché.

– Alors il va sûrement rentrer. C'est peut-être seulement un malentendu ?

Il pense que nous nous sommes disputés, pensa Louise, furieuse.

– Ce n'est pas un malentendu. Mon mari a disparu. J'ai peur qu'il se soit passé quelque chose de grave. J'ai besoin d'aide.

Xavier la regarda d'un air dubitatif. Louise ne baissa pas les yeux.

Xavier hocha la tête et prit un téléphone. Il dit quelque chose en catalan. Il reposa doucement le combiné, comme pour éviter de réveiller les autres clients.

– Le chef de la sécurité de l'hôtel, le señor Castells, habite tout près. Il arrive dans dix minutes.

– Merci de votre aide.

Il y a trente ans, je serais tombée amoureuse de lui. Comme je suis tombée dans les bras d'un homme dans un avion pour l'Écosse. Mais on ne m'y prendra plus à présent. Ni avec lui, ni avec Aron que je suis allée déterrer en Australie et qui vient encore de disparaître.

Elle attendit. Xavier lui servit une tasse de café. La peur la minait. Un vieil homme en blouse passa sur la pointe des pieds.

Le señor Castells était un homme d'une soixantaine d'années. Il entra sans un bruit, vêtu d'un long manteau et coiffé d'un borsalino. Xavier lui indiqua Louise de la tête.

– Mme Cantor, chambre 533, elle a perdu son mari.

Elle se dit que cela ressemblait à une réplique de cinéma. Le señor Castells ôta son chapeau, la toisa du regard puis l'emmena dans une pièce voisine de la réception. Petite, sans fenêtre, mais avec des meubles confortables. Il la pria de s'asseoir et enleva son manteau.

– Racontez. N'omettez rien. Prenez tout votre temps.

Elle parla lentement, récapitulant autant pour elle-même que pour le señor Castells qui de temps à autre notait quelque chose dans un carnet. Son attention semblait s'aiguiser à chaque fois qu'elle mentionnait Henrik, et sa mort. Elle parla jusqu'au bout sans qu'il l'interrompe. Il resta un moment absorbé dans ses pensées avant de se redresser sur sa chaise.

150

– Vous ne voyez rien qui puisse raisonnablement expliquer qu'il se soit retiré ?

– Il ne s'est pas « retiré ».

– Je comprends votre peine. Mais si j'ai bien saisi, rien n'indique que la mort de votre fils ait été causée par quelqu'un d'autre que lui-même. La police suédoise s'est prononcée. Ne croyez-vous pas que votre mari a tout simplement été choqué ? Il a peut-être besoin d'être seul ?

– Je sais qu'il s'est passé quelque chose. Mais je ne peux pas le prouver. C'est pour cette raison que j'ai besoin d'aide.

– Peut-être faut-il malgré tout prendre son mal en patience et attendre ?

Louise se leva violemment.

– Je crois que vous n'avez pas compris, dit-elle. Cet hôtel va avoir de gros ennuis si vous ne m'aidez pas. Je veux parler à la police.

– Bien sûr, vous allez parler à la police. Je comprends votre émotion. Mais je vous suggère de vous rasseoir.

Sans sembler troublé par son explosion de colère, il s'approcha du téléphone et appuya sur la touche d'un numéro en mémoire. Après une courte conversation, le señor Castells reposa le combiné.

– Deux inspecteurs de police parlant anglais arrivent. Ils vont prendre votre déposition et lancer immédiatement les recherches. En attendant qu'ils arrivent, je vous propose de boire un café.

L'un des policiers était d'un certain âge, l'autre plus jeune. Ils s'assirent dans le bar désert. Elle répéta son histoire pendant que le plus jeune écrivait. Ils lui posèrent peu de questions. À la fin de l'entretien, le plus âgé lui demanda une photo d'Aron.

Elle avait pris son passeport. Aron ne serait pas parti sans, fit-elle remarquer. Ils demandèrent à emporter le passeport pour en faire copier la photo et noter toutes les données utiles. Elle le récupérerait d'ici quelques heures.

Les policiers se retirèrent à l'aube. Le chef de la sécurité avait disparu, la porte de son bureau était fermée à clé. Xavier n'était pas derrière le comptoir de la réception.

Elle monta dans sa chambre, se coucha sur le lit et ferma les yeux. *Aron est allé dans une église, il a allumé un cierge, et depuis, plus rien.*

Elle se redressa sur le lit. Était-il seulement arrivé jusqu'à l'église ? Elle se leva et déplia une carte du centre de Barcelone.

Quelle était l'église la plus proche de l'hôtel, ou de l'appartement d'Henrik ? La carte n'était pas très claire, elle ne pouvait pas savoir avec certitude quelle église il avait choisie. Mais il avait sûrement opté pour une pas trop loin d'ici. Aron ne faisait pas de détour quand il s'était fixé un but précis.

Quand on lui rendit le passeport, deux heures plus tard, elle ramassa sa veste, son sac, et quitta la chambre.

Elle trouva Blanca en train d'essuyer la vitre de la porte d'entrée.

— Il faut que je vous parle. Tout de suite.

Sa voix était stridente, comme si elle passait un savon à un étudiant incapable de faire son travail sur un chantier de fouilles. Blanca portait des gants en caoutchouc jaunes. Louise lui posa une main sur le bras.

— Aron est allé à l'église hier. Il n'est pas revenu. Quelle église a-t-il pu choisir, dans les environs ?

Blanca secoua la tête.

Louise insista :

— Une église, ou une chapelle ? Quelque part où la porte est ouverte, où on peut venir allumer un cierge.

Blanca réfléchit. Les gants jaunes énervaient Louise, qui dut se faire violence pour ne pas les lui arracher.

– Il y a beaucoup d'églises à Barcelone, petites et grandes. La plus proche est l'Eglesia de San Felip Neri, dit-elle.

Louise se leva.

– Nous y allons.

– Qui ça, nous?

– Vous et moi. Enlevez ces gants.

La façade de l'église était fissurée, et la porte de bois sombre entrouverte. La nef baignait dans la pénombre. Louise resta un moment sans bouger, le temps d'habituer ses yeux au changement de lumière. Blanca de son côté fit le signe de croix, mit un genou à terre et se signa encore une fois. Au fond, près de l'autel, une femme chassait la poussière avec un plumeau.

Louise donna à Blanca le passeport d'Aron.

– Allez lui montrer la photographie, chuchota-t-elle. Demandez-lui si elle reconnaît Aron.

Louise se tint en retrait pendant que Blanca montrait la photographie. La femme l'examina dans la lumière d'un beau vitrail. *Marie avec son fils mort sur la croix. Madeleine au visage détourné.* Une lumière bleutée tombait du ciel.

On peut peindre le ciel. Mais pas une vague.

Blanca se tourna vers Louise.

– Elle le reconnaît. Il était ici hier.

– Demandez-lui quand.

Des questions, des réponses entre Blanca et la femme.

– Elle ne se souvient pas.

– Il faut qu'elle se souvienne. Donnez-lui de l'argent pour qu'elle se souvienne!

– Je ne crois pas qu'elle veuille de l'argent.

153

Louise comprit qu'elle avait blessé Blanca au nom de toutes les femmes catalanes. Mais ce n'était pas le moment de se soucier de cela. Elle insista pour que Blanca répète la question.

Blanca dit :

— Peut-être entre treize et quatorze heures. Le père Ramón est passé juste après et lui a raconté que son frère s'était cassé une jambe.

— Qu'est-ce que l'homme de la photographie a fait, une fois ici ?

— Il s'est assis sur un banc de la première rangée.

— A-t-il allumé un cierge ?

— Elle n'a pas remarqué. Il fixait le vitrail, ses mains, ou bien il restait assis, les yeux fermés. Elle lui jetait un œil de temps à autre, comme on fait quand on regarde les gens sans vraiment les voir.

— Demandez-lui s'il y avait quelqu'un d'autre dans l'église. Est-il venu seul ?

— Elle ne sait pas s'il est arrivé seul. Mais il n'y avait en tout cas personne assis à côté de lui sur le banc.

— Est-ce que quelqu'un est entré pendant ce temps ?

— Seulement les deux sœurs Perez, qui viennent tous les jours. Elles allument un cierge pour leurs parents et s'en vont aussitôt.

— Personne d'autre ?

— Pas qu'elle se souvienne.

Louise avait beau ne pas comprendre le catalan que parlait la femme au plumeau, elle entendait dans sa voix comme une incertitude.

— Demandez encore. Expliquez-lui qu'il est très important pour moi qu'elle se souvienne. Dites-lui que cela concerne mon fils mort.

Blanca fit non de la tête.

154

– Ce n'est pas la peine. Elle fait déjà tout ce qu'elle peut pour répondre.

La femme se tapotait la jambe avec son plumeau, sans rien ajouter d'autre.

– Est-ce qu'elle peut montrer exactement où Aron s'est assis ?

La femme sembla étonnée, mais indiqua l'endroit.

– Et elle, où était-elle ?

Elle désigna un angle de l'autel, là où retombait un arc de la voûte. Louise se retourna. De là où elle était, elle ne pouvait voir que la moitié du portail. Il était toujours entrouvert. *Quelqu'un pouvait être entré sans qu'Aron l'entende. Mais quelqu'un pouvait aussi l'avoir attendu dehors.*

– Quand est-il parti ?

– Elle ne sait pas. Elle était sortie chercher un nouveau plumeau.

– Combien de temps s'est-elle absentée ?

– Peut-être dix minutes.

– Et quand elle est revenue, il n'était plus là ?

– C'est ça.

Louise venait d'apprendre une nouvelle très importante. Aron n'avait laissé aucune trace parce qu'il ne se doutait pas que quelque chose allait arriver.

– Remerciez-la et dites-lui que son aide a été précieuse.

Elles retournèrent chez Blanca. Louise essaya de prendre une décision. Allait-elle lui dire de but en blanc qu'elle la soupçonnait d'avoir menti au sujet des visites qu'Henrik aurait reçues ? Ou s'approcherait-elle prudemment en attendant que Blanca choisisse d'elle-même de lui dire la vérité ? Blanca avait-elle peur ? Ou y avait-il une autre raison ?

Elles s'installèrent dans le séjour.

– Je vais vous dire exactement ce qu'il en est. Aron a disparu, et j'ai peur qu'il lui soit arrivé quelque chose.

— Qu'est-ce qui aurait pu arriver ?

— Je ne sais pas. Mais la mort d'Henrik n'était pas naturelle. Peut-être savait-il quelque chose qu'il n'aurait pas dû savoir.

— Et quoi ?

— Je ne sais pas. Le savez-vous ?

— Il ne m'a jamais raconté ce qu'il faisait.

— La dernière fois, vous avez dit qu'il vous parlait de ses articles. Vous en a-t-il montré ?

— Jamais.

À nouveau, Louise remarqua une légère altération dans sa voix. Blanca réfléchissait avant de répondre.

— Vraiment jamais ?

— Pas que je me souvienne.

— Et vous avez bonne mémoire ?

— Pas plus mauvaise qu'une autre, je crois.

— Je voudrais revenir sur un point au sujet duquel vous avez déjà répondu. Juste pour vérifier que j'ai bien compris.

— J'ai du travail qui attend.

— Ce ne sera pas long. Vous avez dit que personne n'était venu rendre visite à Henrik ces derniers temps ?

— Vous avez bien compris.

— Est-ce que quelqu'un aurait pu venir à votre insu ?

— Il est rare qu'on entre ou qu'on sorte sans que je le voie ou l'entende.

— Mais vous devez bien sortir de temps en temps faire des courses ?

— Dans ce cas, ma sœur me remplace. Elle me raconte à mon retour ce qui s'est passé. Si Henrik avait eu de la visite, ou si quelqu'un avait demandé après lui, je l'aurais su.

— Quand Aron et moi sommes partis en pleine nuit, l'avez-vous entendu ?

— Oui.

— Comment pouvez-vous être sûre que c'était nous ?

– J'écoute toujours le bruit des pas. Aucun bruit de pas ne ressemble à un autre.

Je n'arrive à rien avec elle, pensa Louise. Elle n'a pas peur, et pourtant elle ne me dit pas toute la vérité. Qu'essaie-t-elle donc de cacher?

Blanca regarda sa montre. Son impatience ne semblait pas feinte. Louise se décida à franchir le pas, au risque de se heurter à un mutisme complet.

– Henrik a parlé de vous dans plusieurs lettres.

À nouveau une rapide altération, cette fois dans la posture de Blanca. À peine visible, elle n'échappa pourtant pas à Louise.

– Il parlait de vous comme de sa propriétaire. Il n'a jamais mentionné de colonel à la retraite.

– J'espère qu'il n'a rien raconté de négatif à mon sujet.

– Pas du tout. Plutôt le contraire.

– Que voulez-vous dire?

Le pas était franchi. Louise ne pouvait plus reculer.

– Je crois que vous lui plaisiez. En cachette, je crois qu'il était tombé amoureux de vous.

Blanca détourna le regard. Louise allait continuer quand elle leva la main.

– Ma mère m'a écrasée toute sa vie. Elle a piétiné tous mes sentiments depuis mes douze ans, quand pour la première fois je suis tombée amoureuse. À ses yeux, mon amour pour un homme n'a jamais été rien d'autre qu'une trahison de son amour pour moi. Si j'aimais un homme, je la haïssais. Si je voulais être avec un homme, je l'abandonnais. Elle était terrible. Elle vit toujours, mais elle ne se rappelle plus qui je suis. Je trouve cela formidable de lui rendre visite à présent qu'elle ne me reconnaît plus. Je comprends que cela puisse sembler brutal, à juste titre. Mais je dis les choses comme elles sont: je peux lui tapoter la joue en lui disant que je l'ai toujours détestée, elle ne comprend pas de quoi je parle. Pourtant elle m'a appris une chose : à aller droit au fait, sans tourner autour du pot inutilement pendant une éternité. Ne jamais me comporter comme vous en ce moment. Si vous avez une question, posez-la.

– Je crois qu'il était amoureux de vous, mais je n'en suis pas sûre.

– Il m'aimait. Quand il était ici, nous couchions ensemble presque tous les jours. Jamais la nuit, là, il voulait rester seul.

Louise sentit quelque chose s'assombrir en elle. Henrik avait-il contaminé Blanca ? Avait-elle dans ses veines le virus mortel sans même le savoir ?

– Et vous, vous l'aimiez ?

– Pour moi, il n'est pas mort. Je le désirais. Mais je ne crois pas que je l'aimais.

– Alors vous devez savoir sur lui beaucoup de choses que vous n'avez pas racontées.

– Que voulez-vous que je raconte ? Comment il faisait l'amour, les positions qu'il préférait, s'il voulait faire des choses inavouables ?

Louise se sentit offensée.

– Je ne veux rien savoir de ce genre.

– Et je n'en dirai rien non plus. Mais en tout cas personne n'est venu lui rendre visite.

– Il y a quelque chose dans votre voix qui fait que je ne vous crois pas.

– Croyez ce que vous voulez. Pourquoi mentirais-je ?

– C'est justement ce que je me demande : pourquoi ?

– J'ai cru que vous parliez de moi quand vous avez demandé si Henrik recevait de la visite. Une étrange façon d'exprimer ce que vous vouliez savoir sans oser le demander.

– Je ne pensais pas à vous. Henrik n'a jamais parlé de vous dans ses lettres. Je n'ai fait que deviner.

– Terminons cette conversation sans mentir. Avez-vous d'autres questions ?

– Henrik recevait-il de la visite ?

Ce qui se produisit alors surprit Louise et allait changer tout le cours de ses recherches. Blanca se leva d'un bond, ouvrit le tiroir d'un bureau et en tira une enveloppe.

– Henrik m'a donné ça la dernière fois qu'il est venu. Il a dit qu'il voulait que je le garde. Je ne sais pas pourquoi.

– Qu'y a-t-il dans l'enveloppe ?

– Elle est cachetée. Je ne l'ai pas ouverte.

– Pourquoi me la montrez-vous seulement maintenant ?

– Parce que c'est à moi qu'elle était destinée. Il ne vous a pas mentionnés, ni vous ni votre mari, quand il me l'a donnée.

Louise retourna l'enveloppe. Blanca l'avait-elle ouverte quand même ? Disait-elle la vérité ? Cela avait-il de l'importance ? Elle ouvrit l'enveloppe : une lettre et une photo. Blanca se pencha au-dessus de la table pour voir. Sa curiosité n'était pas feinte.

Une photo en noir et blanc, de format carré, l'agrandissement de ce qui avait peut-être été la photo d'un passeport. La surface de l'image était granuleuse, un visage légèrement flou regardait droit dans les yeux de Louise. Une belle femme noire qui souriait. On apercevait ses dents blanches entre ses lèvres, ses cheveux étaient habilement tressés, plaqués sur sa tête.

Louise retourna la photo. Henrik avait écrit un nom, une date : *Lucinda, 12 avril 2003.*

Blanca regarda Louise.

– Je la reconnais. Elle est venue lui rendre visite.

– Quand ?

Blanca réfléchit.

– Après la pluie.

– Qu'est-ce que vous voulez dire ?

159

– Un orage qui a inondé tout le centre de Barcelone. De l'eau a envahi le rez-de-chaussée de l'immeuble. Elle est venue le jour suivant. Henrik a dû aller la chercher à l'aéroport. En juin 2003, au début du mois. Elle est restée deux semaines.

– D'où venait-elle ?

– Je ne sais pas.

– Qui est-ce ?

Blanca la fixa avec une étrange expression du visage.

– Je crois qu'Henrik l'aimait vraiment beaucoup. Il était toujours réservé quand il m'arrivait de les rencontrer tous les deux ensemble.

– Henrik a-t-il parlé d'elle après sa visite ?

– Jamais.

– Et votre relation ?

– Un jour, il est descendu et m'a demandé si je voulais dîner chez lui. J'ai dit oui. La cuisine n'était pas bonne. Mais j'ai passé la nuit avec lui. On aurait dit qu'il avait décidé que tout redeviendrait comme avant la visite de cette fille.

Louise prit la lettre restée dans l'enveloppe et commença à lire. C'était l'écriture d'Henrik, celle qu'il avait quand il était pressé, sa plume faisait des embardées qui rendaient ses phrases anglaises à peine lisibles. Aucune salutation à Blanca, la lettre commençait directement, comme si elle avait été arrachée à un contexte inconnu :

Grâce à Lucinda, je commence à voir plus clairement ce que je cherche à comprendre. Ce qu'elle a pu me raconter des souffrances honteuses infligées à des hommes par pur appât du gain, je ne le croyais pas possible. Je dois toujours me débarrasser de ma plus grande illusion, qui est de croire que le pire a déjà eu lieu. Lucinda peut me parler d'autres ténèbres dures et impénétrables comme l'acier. C'est là que se cachent des reptiles qui ont blindé leur cœur, et qui dansent sur les tombes de tous ceux qui sont morts en vain. Lucinda sera mon éclaireur. Si je suis longtemps absent, c'est que je suis avec elle. Elle habite une baraque de ciment et de tôle ondulée derrière les ruines d'une maison, Avenida Samora Machel, n° 10, à Maputo. Si elle n'est pas là, on peut la trouver au bar Malocura à la Feira Popular, au centre de la ville. C'est là qu'elle est serveuse le soir à partir de onze heures.

Louise tendit la lettre à Blanca, qui la lut lentement, formant en silence les mots sur ses lèvres. Elle replia la lettre et la posa sur la table.

– Que veut-il dire en écrivant qu'elle sera son éclaireur ? demanda Louise.

Blanca secoua la tête.

– Je ne sais pas. Mais elle a dû compter pour lui.

Blanca remit la lettre et la photo dans l'enveloppe, et tendit le tout à Louise.

– Tenez, c'est à vous.

Louise fourra la lettre dans son sac.

– Comment Henrik payait-il son loyer ?

– Il me le remettait trois fois par an. Il n'y a rien à payer avant le Nouvel An.

Blanca la raccompagna dehors. Louise inspecta la rue. Il y avait un banc de pierre sur le trottoir opposé. Et un homme assis, qui lisait un livre. Elle ne le quitta des yeux que lorsqu'il tourna lentement la page.

– Que va-t-il se passer à présent ? demanda Blanca.

– Je ne sais pas. Mais je donnerai de mes nouvelles.

Blanca lui caressa rapidement la joue en disant :

– Les hommes s'enfuient toujours quand ils n'en peuvent plus. Aron reviendra certainement.

Louise se détourna vite et se mit à marcher pour ne pas éclater en sanglots.

De retour à l'hôtel, elle trouva les deux policiers qui l'attendaient. Ils s'installèrent dans des fauteuils dans un coin du hall.

Le plus jeune prit la parole, un carnet à la main, dans un anglais parfois difficile à comprendre :

– Malheureusement, nous n'avons pas pu retrouver votre mari, M. Aron Cantor. Il n'est dans aucun hôpital ni aucune morgue. Ni enfermé dans aucun poste de police. Toutes les données le concernant sont dans notre système opérationnel. Il n'y a plus qu'à surveiller.

Elle avait la sensation d'étouffer. Elle n'en pouvait plus.

– Merci de votre aide. Voici mon numéro de téléphone, et il y a une ambassade de Suède à Madrid.

Les policiers saluèrent et s'en allèrent. Elle retomba dans le fauteuil moelleux et se dit qu'elle avait vraiment tout perdu. Il ne restait plus rien.

Elle était ravagée par la fatigue. Il faut que je dorme, pensa-t-elle. Rien d'autre. Je n'y vois plus clair. Demain je partirai d'ici.

Elle se leva et gagna l'ascenseur. Elle regarda une dernière fois dans le hall. Personne.

12

Quand l'avion décolla de l'aéroport de Madrid, tard dans la soirée, ce fut comme si elle fournissait elle-même la puissance des centaines de milliers de chevaux de poussée. Louise Cantor, assise à la place 27A, pressait sa joue contre le hublot pour arracher l'avion du sol. Elle avait bu : de la vodka et du vin rouge, à jeun, entre Barcelone et Madrid, et pendant l'escale à Madrid. Ce n'est que lorsqu'elle avait commencé à se sentir mal qu'elle s'était forcée à avaler une omelette. Le reste du temps, inquiète, elle avait fait les cent pas dans l'aéroport. Il lui semblait qu'elle allait rencontrer un visage connu. Une certitude prenait corps, terrifiante : quelqu'un la surveillait sans relâche.

De l'aéroport, elle appela Nazrin et son père. Nazrin était dans la rue à Stockholm, la liaison était mauvaise, et elle ne savait pas si elle avait bien compris ce qu'elle lui avait dit au sujet de l'appartement d'Henrik à Barcelone. La communication avait été interrompue, comme si on avait brouillé l'onde radio. Louise tenta à quatre reprises de la rappeler, mais chaque fois elle tomba sur une voix qui l'invitait à réessayer plus tard.

Artur était à la cuisine au moment où elle l'appela. Il a cette voix quand il prend son café, pensa-t-elle. Un souvenir de l'époque où j'étais partie pour Östersund. Je jouais à deviner s'il buvait son café, s'il était en train de lire, ou peut-être de faire la cuisine. Il comptait les points. Une fois par an, il me donnait le résultat. Ce que je devinais le mieux, c'était quand il buvait son café.

Elle essaya de rassembler ses esprits, de parler lentement, mais il la perça à jour sur-le-champ.

– Quelle heure est-il à Madrid ?

– Comme chez toi. Peut-être une heure de plus ou de moins. Pourquoi ?

– Donc, ce n'est pas le soir ?

– C'est l'après-midi. Il pleut.

– Pourquoi es-tu saoule au milieu de la journée ?

– Je ne suis pas saoule.

Elle n'entendit plus rien à l'autre bout du fil. Artur avait immédiatement battu en retraite, il ne supportait pas les mensonges, qui le frappaient de plein fouet. Elle avait honte.

– J'ai bu du vin. Où est le problème ? J'ai peur en avion.

– Première nouvelle.

– Je n'ai pas peur en avion. J'ai perdu mon fils, mon unique enfant. Et maintenant Aron est parti.

– Tu ne t'en sortiras pas si tu n'arrêtes pas de boire.

– Va au diable !

– Va au diable toi-même !

– Aron est parti.

– Ce n'est pas la première fois qu'il disparaît. Il est toujours revenu la queue entre les jambes quand cela lui convenait. Aron fuit quand la pression devient trop forte. Il s'échappe alors par une de ses portes dérobées.

– Il ne s'agit pas de queue entre les jambes ni de portes dérobées cette fois-ci.

Elle lui raconta les dernières vingt-quatre heures. Il ne posa aucune question. La seule chose qu'elle entendait était sa respiration. *Le plus fort sentiment de sécurité que l'on pouvait me procurer quand j'étais enfant. L'entendre respirer.* Quand elle eut fini, le silence fit le va-et-vient entre eux.

— Je suis la trace d'Henrik. La lettre, et la photographie de cette Lucinda.

— Qu'est-ce que tu sais de l'Afrique ? Tu ne peux pas y aller seule.

— Qui viendrait avec moi ? Toi ?

— Je ne veux pas que tu y ailles.

— Tu m'as appris à me débrouiller toute seule. J'ai assez peur pour être certaine de ne pas faire de bêtises.

— Tu es saoule.

— Ça va passer.

— Tu as de l'argent ?

— J'ai l'argent d'Aron.

— Tu es sûre de ce que tu fais ?

— Non. Mais il faut que je parte.

Artur marqua un long silence.

— Ici, il pleut, dit-il enfin. Mais bientôt, il va commencer à neiger. On le voit aux nuages toujours plus lourds au-dessus des montagnes. La neige arrive bientôt.

— Il faut que je le fasse, il faut que je sache ce qui s'est passé, répondit-elle.

La conversation achevée, elle s'installa sous un escalier roulant, parmi des chariots à bagages abandonnés. C'était comme si quelqu'un avait donné un coup de massue sur le tas de tessons qu'elle avait eu tant de peine à rassembler. Maintenant les morceaux étaient encore plus petits, encore plus difficiles à recoller.

Le motif, c'est moi, pensa-t-elle. Pour le moment, c'est mon visage que les éclats représentent. Rien d'autre.

Elle embarqua à destination de Johannesburg juste avant onze heures du soir. Au moment de poser le pied dans l'avion, elle eut un moment d'hésitation. *C'est de la folie. Je m'enfonce dans le brouillard au lieu d'essayer d'en sortir.*

Elle continua à boire toute la nuit. À côté d'elle une femme noire paraissait avoir des douleurs d'estomac. Elles n'échangèrent que quelques regards.

Déjà à l'aéroport, en attendant l'embarquement, Louise s'était dit qu'après tout rien n'indiquait qu'ils étaient en route pour un pays africain. Les passagers de couleur étaient peu nombreux, la plupart étaient de type européen.

Que savait-elle, au fond, du continent noir ? Quelle place l'Afrique occupait-elle dans sa conscience ? Pendant ses études à Uppsala, la lutte contre l'Apartheid en Afrique du Sud avait mobilisé un important mouvement de solidarité. Elle avait participé à quelques manifestations, mais sans s'engager vraiment. Nelson Mandela était pour elle un personnage mystérieux aux pouvoirs quasiment surhumains, comme les philosophes grecs de ses manuels. Au fond, l'Afrique n'existait pas. C'était un continent d'images floues, souvent insoutenables. Des morts, des corps gonflés, un continent croulant sous des monceaux de cadavres. Des mouches couvrant les yeux d'enfants affamés, des femmes apathiques aux poitrines taries. Elle se souvenait des images d'Idi Amin Dada et de son fils, habillés comme des soldats de plomb dans leurs uniformes grotesques. Elle avait toujours cru voir de la haine dans le regard des Africains. Mais n'était-ce pas plutôt sa propre peur qu'elle découvrait dans ces sombres miroirs ?

Pendant la nuit, ils survolèrent le Sahara. Elle volait vers un continent aussi inconnu pour elle que pour les Européens qui y avaient débarqué, plusieurs siècles auparavant. Une page blanche. Elle se rendit compte tout à coup qu'elle n'avait pas pensé à se faire vacciner. Allait-on lui refuser le visa d'entrée ? Risquait-elle de tomber malade ? Ne devrait-elle pas prendre des médicaments pour ne pas attraper la malaria ? Aucune idée.

Elle essaya de suivre un film pendant la nuit, une fois la lumière éteinte dans la cabine. Mais elle ne parvenait pas à se concentrer. Elle remonta la couverture jusqu'au menton, inclina son siège et ferma les yeux.

Presque aussitôt, elle sursauta, les yeux grands ouverts dans le noir. *Comment cherche-t-on ce que quelqu'un a cherché ?* Elle n'arriva pas à aller au bout de cette pensée qui se dérobait. Elle referma les yeux. S'assoupit par intermittence, et enjamba à deux reprises sa voisine endormie pour aller demander de l'eau à une hôtesse.

Au-dessus des tropiques, ils entrèrent dans une zone de fortes turbulences. Les secousses étaient violentes, le voyant de la ceinture de sécurité se ralluma. Par le hublot, elle put voir qu'ils traversaient un orage. Des éclairs déchiraient la nuit, comme si quelqu'un actionnait un chalumeau géant. Vulcain, pensa-t-elle. Dans sa forge, il frappe son enclume.

À l'aube, elle aperçut les premiers rayons de lumière à l'horizon. Elle prit le petit-déjeuner, et sentit l'angoisse lui nouer le ventre. Un paysage gris et brun apparut enfin sous ses yeux. L'Afrique n'était-elle pas d'un vert tropical ? Ce qu'elle voyait ressemblait plus à un désert ou à un champ de chaume brûlé.

Elle détestait l'atterrissage, elle avait toujours peur. Elle ferma les yeux en se cramponnant à son accoudoir. L'avion se posa sur la piste, ralentit, tourna vers le terminal et s'arrêta. Elle resta encore longtemps à bord, sans se presser, contrairement aux autres passagers, qui semblaient vouloir sortir de cette boîte en toute hâte. La chaleur africaine, chargée de ses parfums inconnus, prit lentement le pas sur l'air conditionné stérile. Elle recommença à respirer. L'atmosphère lui rappelait la Grèce, même si c'était une autre moiteur, et d'autres senteurs. Ni thym, ni romarin. Peut-être le poivre ou la cannelle, se dit-elle. Et une odeur de fumée.

Elle sortit de l'appareil, gagna le hall de transit et présenta son billet au contrôle. L'homme derrière le guichet lui demanda son passeport. Il le feuilleta et la regarda.

– Vous n'avez pas de visa ?

– On m'a dit que je pourrais en acheter un à l'aéroport de Maputo.

– C'est parfois possible, parfois non.

– Que se passera-t-il si ce n'est pas possible ?

L'homme haussa les épaules. Son visage noir était brillant de sueur.

– Alors vous serez la bienvenue en Afrique du Sud. Que je sache, il n'y a rien à voir au Mozambique, pas un lion, pas un léopard, même pas un hippopotame.

– Je ne suis pas venue ici pour voir des animaux !

Je crie. Ma voix est fatiguée et désagréable. Je suis épuisée, en sueur, mon fils est mort. Comment peut-il comprendre ça ?

– Mon fils est mort, dit-elle brusquement, alors que personne ne lui avait rien demandé.

L'homme fronça les sourcils.

– Vous obtiendrez certainement votre visa à Maputo, dit-il. Surtout si votre fils est mort. Je suis désolé.

Elle marcha jusqu'au grand hall des départs, changea de l'argent et alla boire un café. Elle devait par la suite se souvenir de ces heures passées à l'aéroport comme d'une longue attente enfermée dans une pièce vide : aucun bruit, aucune musique, aucun appel de départ ou consigne de sécurité. Rien qu'un grand silence, et une confusion de couleurs.

L'impression d'un lieu vide. Ce n'est qu'à l'annonce de son avion, « South African Airways 143 to Maputo », qu'elle retomba dans la réalité.

Elle s'endormit d'épuisement et se réveilla en sursaut quand l'avion atterrit à Maputo. Par le hublot, elle distingua davantage de verdure. Une verdure pâle, râpée, un désert laborieusement tapissé d'une herbe rase.

Le paysage lui rappela le crâne d'Aron.

La chaleur s'abattit brutalement sur elle quand elle quitta l'avion pour gagner le terminal. La lumière du soleil la força à plisser les yeux. Mon Dieu, qu'est-ce que je fais ici ? se demanda-t-elle. Je suis venue chercher une jeune fille qui s'appelle Lucinda. Pourquoi ?

Elle n'eut aucune difficulté à acheter un visa, même si elle soupçonna qu'on lui faisait payer beaucoup trop cher le tampon sur son passeport. Trempée de sueur, elle resta plantée là avec sa valise. J'ai besoin d'une carte, pensa-t-elle. J'ai besoin d'une voiture et d'un hôtel, surtout d'un hôtel.

Un homme noir en uniforme se tenait près d'elle. Sur une pancarte, elle pouvait lire : *Hotel Polana*. Il vit qu'elle le regardait.

– Hotel Polana ?

– Oui.

– Votre nom ?

– Je n'ai pas réservé.

Elle avait réussi à lire son nom sur son badge. Rogerio Mandlate.

– Monsieur Mandlate, pensez-vous qu'il y a quand même une chambre libre ?

– Je ne peux rien promettre.

Elle partit en bus en compagnie de quatre Sud-Africains blancs. La ville fermentait dans la chaleur étouffante. Ils traversèrent des quartiers très pauvres, grouillants de monde, surtout d'enfants.

Elle se dit tout à coup qu'Henrik avait dû effectuer le même trajet qu'elle. Il avait vu ce qu'elle voyait. Mais avait-il eu les mêmes impressions ? Elle n'en savait rien. Elle n'aurait jamais de réponse à cette question.

Le soleil était à son zénith quand elle arriva à l'hôtel tout blanc, aux allures de palais. On lui donna une chambre avec vue sur l'océan Indien. Elle régla l'air conditionné pour rafraîchir la pièce, et songea aux matins d'hiver glacés du Härjedalen. La grande chaleur et le grand froid s'annulent, pensa-t-elle. J'ai appris en Grèce à supporter la grande chaleur, car mon corps était habitué à l'extrême inverse. La Suède et la Grèce m'ont bien préparée pour le climat insensé de ce pays.

Elle se dévêtit devant le courant d'air froid qui sortait du conditionneur mural, puis passa sous la douche. Lentement, elle commença à se défaire du long voyage en avion.

Assise sur le bord du lit, elle sortit son téléphone portable et appela Aron. Il ne répondit pas. Une voix l'invitait à rappeler ultérieurement. Elle s'étendit, tira sur elle la mince couverture et s'endormit.

À son réveil, elle ne savait plus où elle était. La chambre s'était refroidie, l'horloge indiquait douze heures cinquante. Elle avait dormi plus de trois heures d'un sommeil lourd, sans rêves. Elle se leva, s'habilla, s'aperçut qu'elle avait faim. Elle mit son passeport et celui d'Aron, ainsi que la plus grande partie de son argent, dans le coffre-fort, où elle entra un code, les quatre premiers chiffres du numéro de téléphone d'Artur, 8854. Elle aurait dû l'appeler pour lui donner des nouvelles, mais elle avait d'abord besoin de manger quelque chose et de voir ce que cela faisait de se retrouver dans un pays dont elle ne savait rien.

Dans le hall somptueux, seules les femmes noires occupées à nettoyer la poussière pouvaient lui rappeler qu'elle se trouvait en Afrique. Presque tous les clients étaient européens. Elle commanda une salade au restaurant. Elle regarda autour d'elle. Des serviteurs noirs, des clients blancs. Elle chercha un bureau de change. Dans une boutique de journaux, elle acheta une carte de Maputo et un guide du pays. Dans une autre partie de l'hôtel, elle tomba sur un casino. Elle n'entra pas, jeta juste un coup d'œil à des hommes obèses en train de jouer seuls aux machines à sous. Elle contourna l'hôtel, passa devant la vaste piscine et descendit jusqu'à la balustrade qui séparait le parc de l'hôtel de la plage et de la mer. Elle s'installa à l'ombre d'une marquise. La mer lui évoquait la mer Égée, elle avait la même couleur turquoise, les mêmes reflets changeants en plein soleil.

Un serveur apparut et lui demanda si elle désirait quelque chose.

Mon fils, pensa-t-elle. *Mon fils vivant et la voix d'Aron au téléphone qui dit que tout va bien.*

Elle secoua la tête, le serveur avait brisé le cours de ses pensées.

Elle ressortit. Le devant de l'hôtel donnait sur un parking. Des vendeurs de rue s'attroupaient de l'autre côté du mur d'enceinte. Elle hésita un instant, mais continua à marcher, dépassa les vendeurs qui proposaient des sculptures odorantes en bois de santal, des girafes, d'amusants éléphants, des petites boîtes, des chaises et des bonshommes sculptés aux visages grotesques. Elle traversa la rue, nota qu'Avis avait un bureau de location à l'angle, et continua le long d'une large avenue qui à son grand étonnement portait le nom de Mao Tsé-toung.

171

Quelques enfants des rues étaient assis autour d'un feu d'im-mondices. L'un d'eux se précipita vers elle en tendant la main. Elle secoua la tête et pressa le pas. Le gosse avait l'habitude, et n'insista pas. C'est trop tôt, pensa-t-elle. Je m'occuperai des mendiants plus tard.

Elle tourna dans une rue moins fréquentée, puis dans une autre bordée de murs derrière lesquels des chiens furieux aboyaient. La rue était déserte, c'était le moment le plus chaud de la journée, l'heure de la sieste. Elle faisait attention où elle mettait les pieds. Les dalles du trottoir étaient défoncées, des bouches d'égout étaient ouvertes. Elle se demanda comment on pouvait marcher dans ces rues la nuit.

C'est alors qu'elle fut agressée. Deux hommes, par-derrière. Sans un bruit, l'un des deux hommes la ceintura et l'immobilisa. L'autre pointa un couteau contre sa joue. Il avait les yeux rouges, les pupilles dilatées, sous l'influence de la drogue. Son anglais se réduisait presque uniquement au mot «fuck». L'homme qui l'entourait de ses bras, dont elle ne pouvait pas voir le visage, lui cria dans l'oreille : «Give me money !»

Elle garda la tête froide et réussit à ne pas céder au choc. Elle répondit lentement : «Prenez ce que vous voulez, je ne résiste pas.»

L'homme qui était derrière elle lui arracha le sac qu'elle avait pendu à l'épaule gauche, et s'enfuit. Elle n'eut pas le temps de voir son visage, juste qu'il était pieds nus, que ses vêtements étaient en loques et qu'il courait très vite. L'homme aux pupilles dilatées la piqua sous l'œil avec son couteau et s'enfuit. Lui non plus n'avait pas de chaussures.

Ils avaient tous les deux l'âge d'Henrik.

Ensuite seulement elle se mit à crier. Mais personne ne semblait l'entendre, il n'y avait que ces chiens invisibles qui aboyaient

172

derrière les murs. Une voiture s'engagea dans la rue. Elle lui barra la route en agitant les bras. Du sang coulait de sous son œil sur son chemisier blanc. L'homme blanc derrière le volant hésita à s'arrêter. Elle continua à crier en courant vers la voiture. Qui démarra alors en marche arrière, fit demi-tour en dérapant et disparut. Sa tête commença à tourner, elle ne pouvait se préserver du choc plus longtemps.

Ce maudit Aron aurait empêché ça ! Il aurait dû être ici pour me protéger. Mais il est parti, il est parti !

Elle s'effondra sur le trottoir et inspira profondément pour ne pas s'évanouir. Elle poussa un cri en sentant une main lui toucher l'épaule. C'était une femme noire. Elle portait un panier plein de cacahuètes, sentait fort la sueur, son chemisier était déchiré et son corps entouré d'une étoffe sale.

Louise expliqua qu'elle avait été agressée. La femme ne comprenait visiblement pas, elle parla dans sa langue, puis en portugais.

Elle l'aida à se relever. Elle prononçait le mot « hospital », mais Louise lui répondit « Polana, Hotel Polana ». La femme hocha la tête, la saisit fermement par le bras, plaça en équilibre sur sa tête le panier tressé plein de cacahuètes et se mit en route en la soutenant. Louise arrêta l'hémorragie avec un mouchoir. Ce n'était pas une plaie profonde, juste une égratignure. Mais elle avait l'impression qu'on lui avait planté le couteau en plein cœur.

La femme, à son côté, souriait pour l'encourager. Elles arrivèrent à l'entrée de l'hôtel. Louise n'avait pas d'argent, tout était dans son sac. Elle fit un geste des bras. La femme secoua la tête, sans cesser de sourire de ses belles dents blanches, et continua son chemin. Louise la regarda s'éloigner et disparaître dans l'air troublé par la chaleur.

Une fois dans sa chambre, quand elle se fut lavé le visage, tout s'effondra autour d'elle. Elle s'évanouit sur le sol de la salle de bains. En revenant à elle, elle ne savait pas combien de temps elle était restée inconsciente, peut-être quelques secondes.

Immobile sur le carrelage, elle entendit un homme rire dans une chambre voisine, et, juste après, une femme pousser un cri de joie. Elle se dit qu'elle avait eu de la chance de n'être pas plus gravement blessée.

Lors d'un séjour à Londres, quand elle était très jeune, un inconnu avait un soir essayé de l'attirer de force sous une porte cochère. Elle s'était dégagée en donnant des coups de pied, en criant, en mordant. Jamais depuis la violence n'avait croisé son chemin.

Était-ce sa faute ? Aurait-elle dû s'assurer qu'elle pouvait se déplacer sans risque dans les rues en plein jour ? Non, ce n'était pas sa faute, elle refusait de se sentir coupable. Que ses agresseurs aient été pieds nus et en guenilles ne leur donnait pas le droit de lui planter un couteau dans la joue et de lui arracher son sac.

Elle se releva. Avec précaution, elle alla s'étendre sur le lit. Elle était secouée. Comme un vase qu'on venait de briser sous ses propres yeux. Les tessons étaient épars autour d'elle. La mort d'Henrik venait de la rattraper. Voilà qu'elle s'effondrait et rien ne pourrait la retenir. Elle se redressa sur le lit dans une tentative maladroite de résister, mais se recoucha tout de suite et se laissa dériver.

C'était le raz-de-marée dont elle avait entendu parler, cette vague que personne ne pouvait représenter, une vague qui se déchaînait avec une violence inimaginable.

J'ai essayé de la prendre de vitesse. Me voilà en Afrique, mais il est mort et je ne sais pas ce que je fais ici.

Après la vague vint l'épuisement. Elle resta plus de vingt-quatre heures étendue sur le lit. Au matin, quand la femme de ménage ouvrit la porte, elle se contenta de la congédier d'un geste de la main. Il y avait des bouteilles d'eau sur la table de nuit, et elle ne mangea rien d'autre qu'une pomme qu'elle avait depuis Madrid.

Pendant la nuit, elle alla à la fenêtre contempler le jardin éclairé et la piscine. Au-delà s'arrondissait la mer, un phare clignotait, les feux de position d'invisibles bateaux de pêche se balançaient dans l'obscurité. Un veilleur de nuit faisait tout seul sa ronde dans le jardin. Quelque chose lui rappelait Argos, ses fouilles en Grèce. Mais c'était très loin, et elle se demanda si elle y retournerait même un jour. Pouvait-elle seulement envisager de poursuivre sa carrière d'archéologue ?

Henrik est mort comme je suis morte moi-même. Une personne peut être détruite une fois dans sa vie, mais pas deux. Est-ce pour cela qu'Aron a disparu ? Pour ne pas me réduire en miettes une seconde fois ?

Elle se remit au lit, s'assoupit par intermittence. Ce n'est qu'au début de l'après-midi qu'elle sentit ses forces revenir. Elle prit un bain puis descendit déjeuner. Elle s'assit dehors, sous une marquise. Il faisait chaud, mais la brise marine apportait de la fraîcheur. Elle consulta la carte qu'elle avait achetée. Elle localisa l'hôtel, et chercha longtemps avant de repérer le quartier appelé *Feira Popular*.

Après son repas, elle s'installa à l'ombre d'un arbre et regarda des enfants qui jouaient dans la piscine. Son téléphone à la main, elle finit par se décider à appeler Artur.

Sa voix venait d'un autre monde. Il y avait un décalage dans leurs voix. Ils entraient en collision, commençaient à parler en même temps.

– C'est étrange de s'entendre si bien à une si grande distance.

– L'Australie était encore plus loin.

– Tout va bien ?

Elle faillit lui raconter son agression. Un bref instant, elle eut envie de se pencher pour pleurer sur son épaule. Mais elle se reprit et ne dit rien.

– L'hôtel où je suis descendue ressemble à un palais.

– Je croyais que c'était un pays pauvre.

– Pas pour tout le monde. La richesse permet de voir tous ceux qui n'ont rien.

– Je ne comprends toujours pas ce que tu comptes faire.

– Ce que je t'ai dit. Je vais me mettre à la recherche de l'amie d'Henrik, une jeune fille du nom de Lucinda.

– As-tu des nouvelles d'Aron ?

– Aucune. Il est toujours disparu. Je pense qu'on l'a tué.

– Pour quelle raison voudrait-on le tuer ?

– Je ne sais pas. J'essaie de trouver pourquoi.

– Je n'ai que toi. J'ai peur quand tu es si loin.

– Je suis toujours prudente.

– Parfois ça ne suffit pas.

– Je te rappellerai. Il a neigé ?

– Cette nuit, d'abord quelques flocons, puis de plus en plus. J'ai assisté au spectacle depuis la cuisine. Comme si la terre se couvrait de sérénité blanche.

La terre se couvre de sérénité blanche. Deux hommes m'ont agressée. M'ont-ils suivie depuis l'hôtel ? Ou bien étaient-ils tapis dans l'ombre, sans que je les remarque ?

Elle les haïssait, voulait les voir roués de coups, sanguinolents, hurlant de douleur.

À vingt et une heures, elle descendit à la réception demander un taxi pour la conduire à la *Feira Popular*. Le réceptionniste la regarda d'abord d'un air étonné, puis sourit.

– Le portier va vous aider. Il ne faut pas plus de dix minutes pour s'y rendre.

– Est-ce dangereux ?

Elle s'étonna de poser cette question, qui s'était imposée à elle. Mais ses agresseurs la hanteraient, où qu'elle se trouve, elle le savait bien. Même l'homme qui l'avait attaquée à Londres tant d'années auparavant lui revenait de temps en temps à l'esprit.

– Pourquoi dangereux ?

– Je ne sais pas. Je vous pose la question.

– Il y a peut-être bien quelques femmes dangereuses là-bas. Mais je ne crois pas que vous les intéressiez du tout.

Des prostituées, pensa-t-elle. N'y en a-t-il pas partout ?

Elle traversa la ville. L'intérieur du taxi sentait le poisson, le chauffeur conduisait vite, et l'absence de rétroviseur ne semblait pas le déranger. Il faisait sombre, ce trajet avait des allures de descente aux enfers. Il la déposa à l'entrée de ce qui ressemblait à une fête foraine. Elle paya un ticket d'entrée, se demandant une fois de plus si on ne l'avait pas escroquée, puis se glissa dans un enchevêtrement de petits restaurants et de bars. Elle aperçut un vieux manège à l'abandon dont la plupart des chevaux n'avaient p s de tête, et une grande roue aux nacelles rouillées qui avait depuis longtemps cessé de tourner. Partout de la musique, des ombres, des pièces peu éclairées avec des gens penchés sur leur verre et leur bouteille. Des jeunes filles noires en minijupe, décolleté et talons aiguilles allaient et venaient d'un pas chaloupé : des femmes dangereuses à l'affût d'hommes inoffensifs.

Louise se mit en quête du bar « Malocura ». Elle se perdit dans l'enchevêtrement des baraques, revint à son point de départ, forcée de recommencer depuis le début. Elle sursautait parfois, comme si les mains de ses agresseurs l'attrapaient à nouveau. Elle croyait voir des couteaux briller partout. Elle entra dans un bar qui, à la différence des autres, était éclairé. Elle y but une bière et un verre de vodka. Elle s'étonna de reconnaître assis dans un coin du bar un couple de Sud-Africains avec qui elle avait fait le trajet depuis l'aéroport. Ils étaient tous deux ivres. L'homme donnait sans arrêt de grandes claques dans le dos de la femme, comme s'il voulait la faire tomber par terre.

Minuit passé, Louise continuait à chercher le Malocura. Elle finit par trouver. C'était le nom exact, écrit sur une pancarte en carton. Le bar était situé dans un coin du champ de foire, contre le mur d'enceinte. Louise jeta un œil dans la salle obscure avant de s'asseoir à une table.

Lucinda, au comptoir, chargeait son plateau de bouteilles de bière et de verres. Elle était plus mince que Louise ne se l'était imaginé. Mais c'était bien elle, il n'y avait aucun doute.

Lucinda alla servir ses bières.

Puis leurs regards se croisèrent. Louise leva la main. Lucinda s'approcha de sa table.

– Voulez-vous manger ?

– Je voudrais seulement un verre de vin.

– Nous n'avons pas de vin. Seulement de la bière.

– Et du café ?

– Personne ne demande du café, ici.

– Je prends une bière, alors.

Lucinda revint avec le verre et la bouteille brune qu'elle posa devant Louise.

– Je sais que vous vous appelez Lucinda.

– Qui êtes-vous ?

– La mère d'Henrik.

Elle se rendit compte alors qu'elle avait oublié que Lucinda

178

ne savait pas qu'Henrik était mort. Mais il était trop tard, elle ne pouvait pas revenir en arrière.

– Je suis venue vous dire qu'Henrik est mort. Je suis venue vous demander si vous savez pourquoi.

Lucinda se figea. Ses yeux très profonds, ses lèvres serrées.

– Je m'appelle Louise. Mais peut-être qu'il vous l'a déjà dit ?

A-t-il seulement dit qu'il avait une mère ? En a-t-il parlé ? Ou suis-je aussi inconnue pour toi que tu l'es pour moi ?

13

Lucinda ôta son tablier, échangea quelques mots avec le barman qui avait l'air d'être le patron, puis conduisit Louise dans un autre bar clandestin, plongé dans la pénombre. Des filles s'alignaient, assises le long du mur. Elles s'installèrent à une table, et Lucinda commanda de la bière sans demander son avis à Louise. La pièce était absolument silencieuse. Ni radio, ni musique. Les filles, très maquillées, ne parlaient pas les unes avec les autres. Elles fumaient en silence, observaient dans des miroirs de poche leur visage sans vie, ou balançaient les jambes avec impatience. Louise remarqua que plusieurs d'entre elles étaient très jeunes, treize, quatorze ans tout au plus. Leur jupe courte ne cachait rien de leurs jambes perchées sur des talons aiguilles, elles étaient presque seins nus. Maquillées comme des cadavres, pensa Louise. Des cadavres prêts à être enterrés, momifiés peut-être. Mais non, aucune prostituée n'est embaumée pour l'éternité : elles pourrissent sur pied sous leur couche de maquillage.

On apporta deux bouteilles, des verres et des serviettes. Lucinda se pencha vers Louise. Elle avait les yeux rouges.

– Recommencez. Lentement. Racontez ce qui est arrivé.

Lucinda paraissait sincère. Son visage, humide de sueur, était grand ouvert. Son effroi et sa surprise face au récit de Louise étaient manifestes.

– J'ai trouvé Henrik mort dans son appartement à Stockholm. Avez-vous eu l'occasion d'aller le voir là-bas ?

– Je ne suis jamais allée en Suède.

– Il était dans son lit, mort. Son corps était plein de somnifères. Il en est mort. Mais pourquoi s'est-il donné la mort ?

Une des filles s'avança pour demander du feu. Lucinda alluma sa cigarette. À la faveur de la flamme du briquet, Louise put voir son visage émacié.

Des taches noires sur les joues, charitablement dissimulées sous une couche de maquillage et de poudre. J'ai lu quels étaient les symptômes du sida. La mort s'annonce par des taches noires et des plaies qui ont du mal à cicatriser.

Lucinda restait assise, immobile.

– Je n'arrive pas à comprendre.

– Personne ne peut comprendre. Mais peut-être pourrez-vous m'aider. Qu'a-t-il pu se produire ? Est-ce que cela peut avoir un rapport avec l'Afrique ? Il était ici au début de l'été. Que s'est-il alors passé ?

– Rien qui aurait pu lui donner envie de mourir.

– Je dois savoir ce qui s'est passé. Qui était-il en arrivant ? Qui a-t-il rencontré ici ? Qui était-il en repartant ?

– Henrik était toujours égal à lui-même.

Il faut que je lui laisse du temps, pensa Louise. Elle est encore sous le choc. En tout cas, je sais à présent qu'Henrik comptait pour elle.

– C'était mon seul enfant, je n'avais personne d'autre.

Louise perçut un éclair dans les yeux de Lucinda. Une interrogation, peut-être de l'inquiétude.

– Il n'avait pas de frères et sœurs ?

– Non, il était enfant unique.

181

– Il disait qu'il avait une sœur, qu'il était le cadet.

– Ce n'est pas vrai. Je suis sa mère, je serais au courant.

– Comment saurais-je que vous dites la vérité?

Louise laissa éclater sa colère.

– Je suis sa mère, et je suis complètement anéantie par le chagrin. Vous me blessez en doutant de moi.

– Je ne pensais pas à mal. Mais le fait est qu'Henrik parlait tout le temps de sa sœur.

– Il n'a pas de sœur. Mais peut-être qu'il aurait voulu en avoir une.

Les filles contre le mur disparurent l'une après l'autre. Bientôt, elles furent seules dans la pénombre et le silence. Il ne restait que le barman, occupé à se limer l'ongle du pouce, l'air absent.

– Elles sont si jeunes. Les filles qui étaient là.

– Les plus jeunes sont les plus recherchées. Les Sud-Africains qui viennent ici apprécient les filles de douze ou treize ans.

– Elles n'ont pas des maladies?

– Vous voulez parler du sida? Celle à qui j'ai allumé une cigarette est malade. Pas toutes les autres. À la différence de beaucoup de filles de leur âge, elles savent de quoi il s'agit. Elles font attention. Elles ne sont pas les premières à mourir ou propager le virus.

Mais toi, oui. Tu le lui as donné, tu as ouvert la porte par laquelle la mort s'est glissée dans ses veines.

– Ces filles détestent leur métier. Mais elles n'ont que des Blancs pour clients. Alors elles disent à leurs petits amis qu'elles ne leur sont pas infidèles. Les Blancs, ça ne compte pas.

– Vraiment?

– Pourquoi en serait-il autrement?

Louise aurait voulu d'emblée lancer la question au visage de Lucinda. C'est toi qui l'as contaminé ? Tu ne savais pas que tu étais malade ? Comment as-tu pu ?

Mais elle ne dit rien.

– Il faut que je sache ce qui s'est passé, dit-elle au bout d'un moment.

– Il ne s'est rien passé pendant son séjour ici. Est-il mort seul ?

– Oui.

En fait je n'en sais rien, pensa Louise. Peut-être qu'il y avait quelqu'un.

Il lui sembla soudain avoir trouvé une explication pour le pyjama. Henrik n'était pas mort dans son lit. Ce n'est qu'après avoir perdu connaissance ou cessé de résister qu'il avait été déshabillé et revêtu d'un pyjama. Ceux qui étaient avec lui dans l'appartement ne connaissaient pas son habitude de dormir nu.

Lucinda éclata en sanglots. Tout son corps était secoué. Le barman qui examinait l'ongle de son pouce jeta à Louise un regard interrogateur. Elle lui fit comprendre d'un signe de tête qu'elles n'avaient pas besoin d'aide.

Louise lui prit la main. Elle était chaude et moite. Elle la serra fort. Lucinda se calma, s'essuya le visage avec une serviette.

– Comment m'avez-vous retrouvée ?

– Henrik a laissé une lettre à Barcelone où il parle de vous.

– Qu'est-ce qu'il a écrit ?

– Que s'il lui arrivait quelque chose, vous seriez au courant.

Au courant de quoi ?

– Je n'en ai aucune idée.

– Êtes-vous venue jusqu'ici juste pour me parler ?

– Il faut que j'essaie de comprendre ce qui s'est passé. Qui d'autre connaissait-il ici ?

– Henrik connaissait beaucoup de monde.

– Ce n'est pas la même chose qu'avoir des amis.

– Il y avait moi. Et Eusebio.

– Qui ?

– C'est ainsi qu'il l'appelait, Eusebio. Un employé de l'ambassade de Suède avec qui il jouait souvent au foot sur la plage le dimanche. Quelqu'un de très maladroit, qui n'avait rien d'un footballeur. Henrik habitait parfois chez lui.

– Je croyais qu'il était avec vous ?

– J'habite avec mes parents et mes frères et sœurs. Il ne pouvait pas dormir chez moi. Parfois il empruntait l'appartement d'employés de l'ambassade en déplacement. Eusebio l'aidait.

– Connaissez-vous son vrai nom ?

– Lars Håkansson. Je ne sais pas si je le prononce bien.

– Et vous habitiez là avec Henrik.

– Je l'aimais. Je rêvais de me marier avec lui. Mais je n'ai jamais habité avec lui chez Eusebio.

– Vous en aviez parlé ? De vous marier ?

– Jamais. J'en rêvais, c'est tout.

– Comment vous êtes-vous rencontrés ?

– Comme on se rencontre toujours, par hasard. Tout dans la vie ressemble à une rencontre au coin de la rue.

– À quel coin de rue vous êtes-vous rencontrés ?

Lucinda secoua la tête. Elle était inquiète.

– Il faut que je retourne au bar. Nous parlerons demain. Où logez-vous ?

– À l'hôtel Polana.

Lucinda fit la grimace.

– Henrik n'y serait jamais allé. Il n'avait pas les moyens.

Justement, il avait les moyens, pensa Louise. Il ne racontait pas tout à Lucinda non plus.

– C'est cher, répondit-elle. Mon voyage n'était pas prévu, comme vous pouvez le comprendre. Je vais changer d'hôtel.

– Depuis combien de temps est-il mort ?

– Quelques semaines.

– Il faut que je sache le jour.

– Le 17 septembre.

Lucinda se leva de table.

– Un moment, dit Louise en la retenant. Il y a quelque chose que je ne vous ai pas dit.

Lucinda se rassit. Le barman s'approcha. Lucinda paya les consommations. Louise sortit de l'argent de sa poche, mais Lucinda refusa en secouant la tête, presque agressivement. L'homme retourna à son bar et à l'ongle de son pouce. Louise prit son élan pour parvenir à prononcer les mots inévitables.

– Henrik était malade. Il avait le sida.

Lucinda ne montra pas d'émotion. Elle attendait que Louise ajoute quelque chose.

– Vous comprenez ce que je dis ?

– J'ai entendu.

– C'est vous qui l'avez contaminé ?

Le visage de Lucinda devint totalement inexpressif. Elle regarda Louise comme si elle était à des kilomètres.

– Avant d'évoquer quoi que ce soit d'autre, il me faut une réponse à cette question.

Le visage de Lucinda ne trahissait pas la moindre émotion. Ses yeux étaient plongés dans l'ombre. Elle répondit d'une voix parfaitement calme. Mais Louise avait appris d'Aron que la colère pouvait se cacher juste sous la surface, tout particulièrement chez les gens de qui on ne l'attend pas.

– Je ne voulais pas vous blesser.

– Je n'ai jamais vu chez Henrik ce que je découvre chez vous.

185

Vous méprisez les Noirs. C'est peut-être inconscient, mais c'est bien réel. Vous considérez que c'est notre propre faiblesse qui a plongé le continent dans une si grande misère. Comme la plupart des autres Blancs, vous pensez que le plus important est de savoir comment nous mourrons. Comment nous vivons, vous ne vous en souciez pas. La vie d'un malheureux Africain n'importe pas plus qu'un léger coup de vent. Ce mépris que je lis en vous, il n'y en avait pas trace chez Henrik.

– Vous ne pouvez pas m'accuser d'être raciste !

– C'est à vous de voir si cette accusation est fondée ou non. Mais puisque vous tenez à le savoir, sachez que ce n'est pas moi qui ai contaminé Henrik !

– Comment a-t-il contracté la maladie, alors ?

– Il allait aux putes. Les filles que vous avez vues tout à l'heure peuvent très bien être allées avec lui.

– Mais vous venez de dire qu'elles n'étaient pas porteuses du virus ?

– Il en suffit d'une. Il était négligent. Il ne mettait pas toujours de préservatif.

– Mon Dieu !

– Il oubliait d'en mettre quand il était saoul et passait de fille en fille. Quand il revenait en rampant vers moi après ses virées, il regrettait. Mais c'était vite oublié.

– Je ne vous crois pas. Henrik n'était pas comme ça.

– Ce qu'il était ou n'était pas, nous ne tomberons jamais d'accord là-dessus. Je l'aimais, vous étiez sa mère.

– Mais vous a-t-il contaminée ?

– Non.

– Pardon de vous avoir accusée. Mais j'ai du mal à croire qu'il vivait ainsi.

– Ce n'était pas le premier Blanc à débarquer dans un pays pauvre d'Afrique et à se jeter sur les femmes noires. Rien n'est plus important pour un homme blanc que de pénétrer entre les jambes d'une femme noire. Pareil pour un Noir avec une femme blanche. Allez faire un tour en ville, vous trouverez un millier d'hommes noirs prêts à tout pour coucher avec vous.

– Vous exagérez !

– Parfois la vérité est dans l'exagération.

– Il est tard, je suis fatiguée.

– Pour moi, il est tôt. Je ne peux pas rentrer chez moi avant demain matin.

Lucinda se leva.

– Je vous accompagne à la sortie pour m'assurer que vous trouviez un taxi. Rentrez dormir à votre hôtel. Nous nous reverrons demain.

Lucinda conduisit Louise à l'une des portes. Elle échangea quelques mots avec le gardien, et un homme avec des clés de voiture à la main surgit de l'ombre.

– Il va vous ramener.

– À quelle heure demain ?

Lucinda avait déjà tourné les talons. Louise la vit disparaître dans la nuit.

Le taxi sentait l'essence. Louise essaya d'imaginer Henrik au milieu de ces filles maigres avec leur minijupe et leur visage dur.

Arrivée à l'hôtel, elle but deux verres de vin au bar. Elle aperçut à nouveau les Sud-Africains blancs avec qui elle avait fait le trajet depuis l'aéroport.

Elle les détestait.

Elle se coucha et éteignit la lumière. L'air conditionné ronronnait dans le noir. Elle pleura jusqu'à ce qu'elle s'endorme, comme une enfant. En rêve, elle quitta les terres brûlées de l'Afrique pour retrouver les étendues enneigées du Härjedalen, ses vastes forêts, le silence, et son père qui la regardait avec une expression d'étonnement et de fierté.

Au matin, Louise apprit d'une réceptionniste que l'ambassade de Suède était voisine de l'hôtel. Après les vendeurs de rue et une station-service, elle tomberait sur le bâtiment ocre de l'ambassade.

– Hier, j'ai été agressée de l'autre côté, en tournant dans une petite rue.

La réceptionniste compatit en hochant la tête.

– Cela ne se produit hélas que trop souvent. Les gens sont pauvres, ils guettent nos clients.

– Je ne veux pas être à nouveau agressée.

– Rien ne vous arrivera sur le court trajet d'ici à l'ambassade. Avez-vous été blessée ?

– On ne m'a pas frappée, mais on m'a pointé un couteau sous l'œil.

– Je vois la marque. Je suis vraiment désolée.

– Ça ne risque pas d'y changer quoi que ce soit.

– Que vous ont-ils pris ?

– Mon sac à main. Mais j'avais presque tout laissé à l'hôtel. Il y avait un peu d'argent, mais pas mon passeport, ni mon téléphone, ni ma carte de crédit. Et mon peigne marron, si ça peut leur servir à quelque chose.

Louise prit le petit-déjeuner sur la terrasse, et éprouva un instant un troublant sentiment de bien-être. Comme si rien ne s'était passé.

Pourtant Henrik était mort, Aron avait disparu, des ombres flottaient dans la nuit, des gens qui pour une raison ou une autre les surveillaient, elle et Aron.

Sur le chemin de l'ambassade, elle ne cessa de se retourner. Un gros morceau de minerai de fer suédois tenait lieu de sculpture devant la grille peinte en vert. Un gardien en uniforme lui ouvrit.

Dans le hall d'entrée trônait l'habituel portrait officiel du roi et de la reine. Sur un canapé, deux hommes étaient en pleine conversation, en suédois, au sujet de « la sécheresse dans la province de Niassa et des mesures nécessaires qu'il faudrait prendre dès que les crédits seront accordés ». Un instant, elle se dit tristement qu'elle avait perdu tout contact avec son travail à Argos. Qu'avait-elle imaginé, cette nuit où elle était sortie fumer dehors pendant que les chiens de Mitsos aboyaient ? L'horreur avait surgi de nulle part.

Au guichet de l'accueil, elle demanda à parler à Lars Håkansson. La réceptionniste voulut savoir à quel sujet.

– Il connaissait mon fils. Dites-lui seulement que la mère d'Henrik est là. Cela suffira sûrement.

L'employée pianota longtemps sur le standard téléphonique avant de mettre la main sur ledit Lars Håkansson.

– Il descend.

Les deux hommes qui parlaient d'eau n'étaient plus là. Elle s'assit dans le canapé bleu foncé et patienta.

Un homme de petite taille, le crâne dégarni, le visage brûlé par une imprudente exposition au soleil, apparut derrière la porte vitrée. Il s'approcha d'elle, et elle remarqua tout de suite sa réserve.

– Vous êtes donc la mère d'Henrik Cantor ?

– Oui.

– Je dois hélas vous demander de me montrer une pièce d'identité. Par les temps qui courent, nous devons être prudents. Les terroristes n'ont pas particulièrement l'intention de nous faire sauter, mais le ministère des Affaires étrangères a durci les consignes de sécurité. Je ne peux faire entrer personne de l'autre côté de la porte vitrée sans m'être assuré de son identité.

Louise pensa à son passeport et à sa carte d'identité qu'elle avait laissés dans le coffre-fort de sa chambre d'hôtel.

– Je n'ai pas mon passeport sur moi.

– Alors nous devrons rester ici, à l'accueil.

Ils s'assirent. Elle ignorait la raison de son attitude réservée, qui la blessait.

– Pour simplifier les choses, ne peut-on pas commencer par admettre que je suis celle que je prétends être ?

– Certainement. Le monde est hélas ce qu'il est.

– Henrik est mort.

Il resta muet. Elle attendit.

– Que s'est-il passé ?

– Je l'ai trouvé mort dans son lit, à Stockholm.

– Je pensais qu'il vivait à Barcelone ?

Prudence, se dit Louise. *Il sait des choses que tu ne savais pas.*

– Avant sa mort, je ne me doutais pas le moins du monde qu'il avait un appartement à Barcelone. Je suis venue jusqu'ici pour tenter de comprendre. Avez-vous rencontré Henrik pendant son séjour ?

– Nous avons fait connaissance. Il a dû vous parler de moi.

– Jamais. C'est une femme noire, Lucinda, qui m'a parlé de vous.

– Lucinda ?

– Elle travaille dans un bar, le Malocura.

Louise sortit la photo et la lui montra.

– Je la connais. Mais elle ne s'appelle pas Lucinda. C'est Julieta.

– Elle a peut-être deux prénoms.

Lars Håkansson se leva du canapé.

– Tant pis pour les consignes de sécurité. Montons dans mon bureau. C'est loin d'être plus agréable, mais il y fait moins chaud.

190

Les fenêtres de son bureau donnaient sur l'océan Indien. Quelques bateaux de pêche à la voile triangulaire rentraient au port. Il lui proposa du café, elle accepta.

Il revint avec deux tasses blanches ornées du drapeau bleu et jaune.

– Je me rends compte que je ne vous ai pas présenté mes condoléances. Pour moi aussi, c'est une terrible nouvelle. Je tenais beaucoup à Henrik. J'ai plusieurs fois pensé que j'aurais aimé avoir un fils qui lui ressemble.

– Vous n'avez pas d'enfants ?

– Quatre filles d'un précédent mariage. Un bouquet de jeunes filles en fleur qui sauront bien se rendre utiles. Mais pas de fils.

Pensif, il mit un morceau de sucre dans sa tasse, et remua avec un crayon.

– Que s'est-il passé ?

– L'autopsie a révélé une forte concentration de somnifères dans son organisme, ce qui laisse supposer un suicide.

Il la regarda, étonné.

– Est ce possible ?

– Non. C'est pourquoi je suis à la recherche des vraies raisons. Et en tout état de cause, je pense que ce qui est arrivé prend racine ici.

– À Maputo ?

– Je ne sais pas. Dans ce pays, sur ce continent. J'espère que vous pourrez m'aider à trouver une réponse.

Lars Håkansson posa sa tasse et jeta un coup d'œil à sa montre.

– Où logez-vous ?

– Pour le moment, juste à côté de l'ambassade.

– Le Polana est un bon hôtel, mais cher. Pendant la Seconde

Guerre mondiale, il grouillait d'espions allemands et japonais. Aujourd'hui, ce sont les Sud-Africains oisifs.

— J'ai l'intention de changer d'hôtel.

— J'habite seul, et je ne manque pas de place. Vous pouvez venir chez moi, comme le faisait Henrik.

Elle accepta sur-le-champ.

Il se leva.

— J'ai une réunion avec l'ambassadeur et les responsables de la coopération. Une grosse somme a mystérieusement disparu d'un de nos comptes. Il s'agit bien sûr de corruption, d'un ministre avide qui a besoin d'argent pour construire une maison à ses enfants. Nous perdons un temps incroyable à nous occuper de ce genre d'agissements.

Il la raccompagna à l'accueil.

— Henrik avait laissé un sac de sport lors de son dernier séjour. Je ne sais pas ce qu'il contient. Mais en le rangeant dans le placard, j'ai trouvé qu'il était bien lourd.

— Il ne contient donc pas des vêtements ?

— Non, plutôt des livres, des papiers. Je peux l'apporter à l'hôtel ce soir. J'ai malheureusement un dîner avec un collègue français qu'il m'est impossible d'annuler. J'aurais préféré rester seul. La disparition d'Henrik m'attriste profondément. Je n'arrive pas encore bien à réaliser.

Ils se séparèrent dans le petit jardin, devant l'ambassade.

— Hier, je suis venue de ce côté et j'ai tout de suite été agressée.

— Vous avez été blessée ?

— Non. C'était ma faute. Je sais bien qu'il ne faut jamais aller dans les rues désertes, toujours rester là où il y a du monde.

– Les voleurs les plus malins ont une étonnante capacité à deviner si quelqu'un vient juste d'arriver dans le pays. Il est difficile de dire que ces gens sont des criminels. La pauvreté est effroyable. Que faire quand on a cinq enfants et pas de travail ? Si j'avais été un de ces malheureux, j'aurais essayé de voler quelqu'un qui me ressemble. Bon, je passerai déposer le sac ce soir, vers sept heures.

Elle revint à l'hôtel. Pour essayer de chasser ses idées noires, elle s'acheta un maillot de bain beaucoup trop cher dans une des boutiques de l'hôtel. Puis elle descendit à la piscine et, pour bien se fatiguer, aligna les longueurs dans le bassin désert.

Je flotte sur le lac Röstjärn. C'est là que j'allais nager avec mon père dans mon enfance. On ne pouvait pas voir à travers l'eau noire. Il avait l'habitude de me faire peur en disant qu'il n'y avait pas de fond. Nous y allions les soirs d'été, quand les moustiques sifflaient. J'aimais sa façon vigoureuse de nager.

Elle retourna dans sa chambre et se coucha nue sur les draps. Elle laissa ses pensées partir à la dérive.

Lucinda et Nazrin ? L'appartement à Barcelone et l'appartement à Stockholm ? Pourquoi se cachait-il ainsi derrière des rideaux de fumée ? Et pourquoi portait-il un pyjama quand il est mort ?

Elle s'endormit et fut réveillée par le téléphone.
– C'est Lars Håkansson. Je suis à la réception avec le sac d'Henrik.
– Il est déjà dix-neuf heures ? J'étais sous la douche.
– Je peux attendre. Je suis venu plus tôt que prévu. Il n'est que seize heures.

Elle s'habilla en hâte et se dépêcha de descendre l'escalier. Håkansson se leva à son arrivée. Il tenait un sac de sport noir avec Adidas écrit en lettres rouges.

– Je viendrai vous prendre à onze heures demain matin.

– J'espère que ça ne vous dérange pas ?

– Pas du tout. Pas le moins du monde.

Elle remonta dans sa chambre et ouvrit le sac. Pliés sur le dessus, il y avait un pantalon et une veste légère couleur kaki. Elle n'avait jamais vu Henrik porter ce genre de vêtements. À l'intérieur, des pochettes plastifiées pleines de documents, et quelques classeurs du même type que ceux qu'elle avait trouvés à Stockholm et Barcelone. Elle vida le fond du sac sur le lit. De la terre s'en échappa. Elle en prit entre ses doigts. *À nouveau cette terre rouge.*

Elle entreprit de parcourir ses papiers. Un insecte desséché, un papillon, tomba d'une liasse de photocopies. C'était un article en anglais, écrit par le professeur Ronald Witterman, de l'université d'Oxford : « La salle d'attente de la mort, un voyage dans le monde pauvre d'aujourd'hui. » L'article était habité par la rage. Il n'y avait là rien du ton calme et posé qui caractérise d'habitude les débats universitaires. Witterman laissait éclater sa colère :

> Nous n'avons jamais disposé d'autant de ressources pour rendre le monde vivable pour un nombre toujours croissant d'êtres humains. Au lieu de cela, nous compromettons notre conscience, notre intelligence, nos ressources matérielles en laissant se développer une misère effroyable. Nous avons depuis longtemps démissionné de nos responsabilités en nous en remettant à des institutions comme la Banque mondiale, dont la politique revient le plus souvent à sacrifier la souffrance des hommes sur l'autel de l'orthodoxie économique libérale. Nous avons depuis longtemps vendu notre âme.

194

Witterman est déchaîné, pensa-t-elle. Sa rage a attiré l'attention d'Henrik.

Dans les pochettes plastifiées, des pages arrachées à un cahier. Henrik avait commencé à traduire en suédois l'article du professeur Witterman. Elle vit qu'il avait eu du mal à trouver les mots justes, à se couler dans le rythme de ses longues phrases. Elle laissa l'article et continua à feuilleter. Le cerveau de Kennedy refit soudain surface. Les notes d'Henrik étaient griffonnées sur plusieurs feuilles volantes. Elle les remit en ordre et commença à lire.

Le 21 janvier 1967, le procureur Ramsey Clark passa un coup de téléphone. Il s'inquiétait de savoir comment il serait accueilli. Une secrétaire lui demanda d'attendre. Une voix bourrue répondit à l'autre bout du fil. Le président Lyndon Baines Johnson pouvait être charmant, mais aussi très désagréable quand il était contrarié.

— *Bonjour, monsieur le président.*

— *Mais qu'est-ce qui se passe, à la fin ? Je pensais qu'on en avait fini, après l'autopsie de Jack sur la base militaire ?*

— *On a fait venir les trois légistes à Washington. Il a fallu ramener Fink du Vietnam.*

— *Je me fous de Fink ! J'ai une délégation de l'Arkansas qui attend à ma porte. Ils veulent me parler blé et avoine. Je n'ai pas de temps à perdre avec cette maudite affaire !*

— *Pardon, monsieur le président. Je serai bref. Ils sont descendus aux Archives hier. Il y avait entre autres le Dr Humes, qui a témoigné devant la commission Warren au sujet d'une photo du poumon droit. Elle est décisive pour expliquer la mort de Kennedy.*

— *Ça, je l'ai lu dans le rapport de la commission ! Que voulez-vous, à la fin ?*

— Je crois que nous avons un problème. La photo n'y est plus.

— Comment ça, elle n'y est plus ?

— Elle a disparu. Probablement aussi une photo du point d'entrée de la balle mortelle.

— Comment diable des photos de l'autopsie de Kennedy peuvent-elles disparaître ?

— Comment un cerveau peut-il disparaître ?

— Que va-t-il se passer à présent ?

— Les médecins sont embarrassés : ils ont déclaré devant témoin et sous serment que les photos y étaient. Et maintenant elles ont disparu. Au moins l'une d'entre elles.

— Les journaux vont-ils déterrer tout ça ?

— Très probablement. Tout va refaire surface. La théorie du complot, qu'Oswald n'était pas seul, tout ce que nous avons essayé de verrouiller va ressortir au grand jour.

— Je n'ai plus de temps à perdre avec Jack. Il est mort. J'essaie de faire mon boulot de président, j'essaie de me débrouiller avec une guerre de dingues au Vietnam et des nègres qui vont débouler dans les rues si on ne règle pas vite la question des droits civiques. Arrangez-vous pour que ces médecins ne bavardent pas trop. Et renvoyez Fink au Vietnam dès que possible !

Henrik achevait le compte rendu en notant sa source : « Justice Department, recently opened Archives. » Il avait ajouté un commentaire personnel :

On enterre tout. On cache sous le tapis les faits gênants. Il faut déguiser la vérité. Nous vivons dans un monde où il est plus important de cacher les faits que de les révéler. Celui qui en secret éclaire les recoins les plus sombres ne peut jamais savoir ce qu'il va trouver. Je dois continuer à faire la lumière. Je vais bientôt abandonner ces documents sur le cerveau disparu de

Kennedy. Mais ils sont comme un manuel d'introduction au monde du mensonge, et donc à celui de la vérité.

Louise continua à parcourir les liasses de papier. Et tomba sur une carte du sud du Mozambique. Henrik avait entouré la ville de Xai-Xai et une zone au nord-ouest.

Louise mit la carte de côté. Tout au fond du sac, il y avait une enveloppe brune. Elle l'ouvrit. Elle contenait cinq silhouettes découpées dans du papier noir. Deux étaient des monstres aux formes géométriques. Les trois autres des profils humains.

Elle vit tout de suite que l'une d'entre elles représentait Henrik. C'était son profil, aucun doute. Elle sentit un malaise l'envahir, la silhouette était très bien faite. Mais Henrik n'était qu'une ombre, d'une certaine façon le papier noir camouflait le passé.

Elle examina les deux autres silhouettes. L'une représentait un homme, l'autre une femme. Le profil de la femme suggérait une Africaine. Pas de mention au dos. Les silhouettes étaient collées sur une feuille cartonnée. Aucune signature, rien qui puisse en indiquer l'auteur. Est-ce que cela pouvait être Henrik lui-même ?

Elle inspecta le contenu du sac encore une fois. À la fin, elle se rassit, les silhouettes à la main. Qu'est-ce que cela pouvait signifier ?

Elle descendit à la réception et sortit dans le jardin. Il soufflait de la mer un vent doux, chargé du parfum de mystérieuses épices.

Elle s'assit sur un banc et regarda la mer sombre. Une balise clignotait. Loin à l'horizon, un bateau faisait route vers le sud.

Elle poussa un cri quand Lucinda surgit dans son dos.

Pourquoi les gens d'ici se déplacent-ils tous sans bruit ? Pourquoi est-ce que je ne les entends pas arriver ?

197

Lucinda s'assit à côté d'elle.

– Qu'avez-vous trouvé dans le sac ?

Louise sursauta.

– Comment êtes-vous au courant ?

– J'ai rencontré Håkansson. C'est une grande ville, mais en même temps c'est minuscule. Je l'ai rencontré par hasard, et il m'a raconté.

– Il m'a dit que vous vous appeliez Julieta, qu'il ne connaissait pas de Lucinda.

Le visage de Lucinda était plongé dans l'ombre.

– Les hommes donnent parfois aux femmes le nom qu'ils veulent.

– Pourquoi les femmes devraient-elles accepter ça ?

Au même moment, mais trop tard, Louise comprit ce que Lucinda voulait dire.

– Pour lui, j'avais l'air d'une femme qui aurait dû s'appeler Julieta. Pendant trois mois nous nous sommes vus deux soirs par semaine, à des heures convenues, presque toujours dans les appartements discrets qu'on loue pour des rendez-vous de ce genre. Après, il a trouvé quelqu'un d'autre, ou sa femme est venue le rejoindre, je ne me souviens plus.

-- Je dois croire ça ?

La réponse fut cinglante.

– Que j'étais sa pute ? La poupée avec laquelle il s'amusait contre une poignée de dollars ou de rands sud-africains ?

Lucinda se leva.

– Je ne peux pas vous aider si vous refusez de comprendre ce qui se passe dans un pays pauvre.

– Je ne voulais pas vous blesser.

– Vous ne pourrez jamais comprendre, vous qui n'aurez jamais à envisager d'écarter les jambes pour pouvoir vous nourrir, vous, ou vos enfants et vos parents.

— Peut-être que vous pouvez m'expliquer ?

— C'est pour ça que je suis venue. Demain après-midi, je veux que vous m'accompagniez. Je veux vous montrer quelque chose. Quelque chose qu'Henrik a vu, lui aussi. Il ne vous arrivera rien, n'ayez pas peur.

— J'ai peur de tout ici, du noir, de me faire attaquer par des gens que je ne vois et n'entends pas. J'ai peur parce que je ne comprends pas.

— Henrik aussi avait peur. Mais il a essayé de s'en libérer. Il a essayé de comprendre.

Lucinda se retira. Le vent était toujours doux. Louise l'imagina qui marchait dans des rues sombres jusqu'au bar où elle travaillait.

Elle regarda autour d'elle dans le grand jardin de l'hôtel. Partout, elle croyait deviner des ombres dans le noir.

14

Elle était à la fenêtre, et regardait le soleil surgir de la mer. Dans son enfance, son père avait une fois parlé du monde comme d'une gigantesque bibliothèque pleine de levers de soleil et de crépuscules. Elle n'avait jamais bien compris ce qu'il voulait dire par là, comment on pouvait comparer les mouvements du soleil à des livres. À présent non plus, alors qu'elle contemplait la surface de la mer inondée de lumière, elle n'arrivait pas à saisir le fond de sa pensée.

Elle hésita à lui téléphoner pour lui demander. Mais y renonça.

Au lieu de cela, elle s'installa sur le petit balcon, et composa le numéro de l'hôtel à Barcelone. C'est Xavier qui lui répondit. «M. Cantor n'a pas donné de ses nouvelles, et la police non plus.» M. Castells l'aurait averti s'il y avait eu du nouveau.

«Nous n'avons pas non plus reçu de mauvaises nouvelles», cria-t-il, comme si la distance entre Barcelone et le sud de l'Afrique empêchait d'utiliser un ton de voix normal.

La liaison fut interrompue. Elle ne rappela pas, elle avait eu confirmation de ce qu'elle savait déjà : Aron était toujours porté disparu.

Elle s'habilla et descendit au restaurant. Le vent marin fraîchissait. Alors qu'elle venait de finir de manger, quelqu'un l'appela par son nom. « Madame Cantor », en accentuant la dernière syllabe. En se retournant, elle se trouva face au visage barbu d'un métis. Son regard était acéré. Quand il parlait, elle pouvait entrevoir ses mauvaises dents. Il était petit, corpulent et impatient.

– Louise Cantor ?

– C'est moi.

Son anglais portait des traces de portugais, mais restait compréhensible. Sans demander la permission, il s'assit en face d'elle. Il renvoya d'un geste la serveuse qui s'approchait.

– Je suis Nuno, un ami de Lucinda. J'ai appris que vous étiez ici et qu'Henrik était mort.

– Je ne sais pas qui vous êtes.

– Bien sûr que vous ne savez pas, je suis ici depuis moins d'une minute.

– Nuno comment ? Vous connaissiez mon fils ?

– Nuno da Silva. Je suis journaliste. Henrik est venu me voir il y a quelques mois. Il m'a posé des questions, des questions importantes. J'ai l'habitude des visiteurs, mais leurs questions ne m'intéressent pas toujours.

Louise essaya de se souvenir si Henrik avait mentionné son nom quelque part dans ses notes.

– Quelles questions ?

– Racontez-moi d'abord ce qui s'est passé. Lucinda m'a dit qu'il était mort dans son lit. Où était ce lit ?

– Pourquoi posez-vous une question si bizarre ?

– Parce qu'il avait l'air de quelqu'un qui changeait souvent de lit, un jeune homme en mouvement. Quand je l'ai rencontré, il m'a tout de suite fait penser à moi à vingt-cinq ans.

– Il est mort à Stockholm.

– J'y suis allé une fois. En 1974. Les Portugais étaient en

train de perdre la guerre dans leurs colonies africaines. Les capitaines allaient bientôt se soulever à Lisbonne. Il y avait une conférence, je ne sais toujours pas qui a payé pour mon voyage et mon visa. Mais c'était encourageant de voir tous ces jeunes Suédois nous soutenir de bon cœur, eux qui dans leur existence surprotégée n'avaient pas la moindre expérience de la guerre et des horreurs de l'oppression coloniale. Je me suis dit pourtant que c'était un pays étrange.

– En quoi ?

– Nous passions la journée à parler de liberté, mais il était impossible de trouver un endroit où boire une bière après dix heures du soir. Tout était fermé, ou l'alcool interdit. Personne ne pouvait expliquer pourquoi. Les Suédois nous comprenaient, mais ne se comprenaient pas eux-mêmes. Qu'est-ce qui est arrivé à Henrik ?

– Les médecins ont dit qu'il avait pris des somnifères.

– Il ne se serait jamais suicidé ! Il était malade ?

– Non.

Pourquoi mentir ? Pourquoi ne pas dire que c'est peut-être la peur de la maladie qui l'a tué ? Sans doute parce que je n'y crois pas moi-même. Il était malade, mais il se serait battu. Et il m'en aurait parlé.

– Quand cela s'est-il produit ?

– Le 17 septembre.

La réaction de l'homme aux cheveux sombres fut immédiate.

– Mais il m'a appelé quelques jours avant !

– Vous en êtes certain ?

– Je suis journaliste, mais aussi éditeur. Le quotidien que je diffuse par fax sort tous les jours sauf le dimanche. J'ai un calendrier greffé dans le cerveau. Il a appelé un mardi, et vous dites que c'est un vendredi que vous l'avez trouvé.

– Que voulait-il ?

– Il avait quelques questions qui ne pouvaient pas attendre.

La salle du petit-déjeuner commençait à se remplir. Surtout des Sud-Africains criards et bedonnants. Louise vit que Nuno perdait son calme.

– Je ne viens jamais ici. Il n'y a rien ici qui dise la vérité sur ce pays. Cela pourrait être un hôtel en France ou en Angleterre, pourquoi pas à Lisbonne. Ici, on a balayé la pauvreté, on l'a mise au rancart avec interdiction de se montrer.

– Je déménage aujourd'hui.

– Henrik n'aurait jamais posé le pied ici sauf pour une raison précise.

– Laquelle ?

– Aller trouver sa mère pour la convaincre de quitter l'hôtel. Pouvons-nous nous asseoir dehors ?

Il se leva sans attendre de réponse et disparut sur la terrasse.

– C'est quelqu'un de bien, glissa une serveuse à Louise. Il dit tout haut ce que d'autres pensent tout bas. Mais c'est dangereux.

– Comment ça ?

– La vérité est dangereuse. Nuno da Silva n'a pas peur, il est très courageux.

Nuno était accoudé à la balustrade, le regard perdu vers le large. Elle vint à côté de lui. Le soleil était voilé par une marquise qui bougeait dans le vent léger.

– Il est venu me voir avec ses questions. En fait c'étaient des affirmations autant que des questions. J'ai tout de suite compris qu'il était sur la trace de quelque chose.

– Quoi ?

Nuno da Silva secoua la tête d'un air irrité, il ne voulait pas qu'on l'interrompe.

– Notre première rencontre n'a pas bien commencé. Il a débarqué à la rédaction en demandant si je voulais bien être son Virgile. J'avais à peine entendu ce qu'il disait, mais je connais Virgile et Dante. Je me suis dit que c'était un étudiant attardé qui pour une raison obscure voulait se rendre intéressant. Alors je lui ai répondu à ma façon, d'aller au diable et de me laisser travailler. Il s'est excusé, il ne cherchait pas de Virgile, lui-même n'était pas Dante, il voulait seulement me parler. Je lui ai demandé pourquoi il était venu me voir, moi. Il a dit que c'était Lucinda qui lui avait suggéré de me contacter. Et surtout parce que tous ses interlocuteurs prononçaient tôt ou tard mon nom. Je suis la preuve vivante de la gravité de la situation présente. Je suis presque le seul à mettre en question l'ordre établi, les abus de pouvoir, la corruption. Je lui ai demandé d'attendre que j'aie fini de rédiger un article. Il s'est assis sur une chaise et a attendu sans rien dire. Ensuite, nous sommes sortis, mon journal a ses locaux dans un garage sur cour. Nous nous sommes assis sur des barils d'essence. C'est un bon endroit pour s'asseoir, parce qu'il est trop fatigant de s'y reposer. C'est la paresse qui donne mal au dos.

– Ça dépend pour qui. Mon père a été bûcheron. Son dos est démoli, mais ça n'a rien à voir avec de la paresse.

Nuno da Silva n'avait pas l'air de l'entendre.

– Il avait lu quelques articles que j'avais écrits au sujet du sida. Il était persuadé que j'avais raison.

– À quel sujet ?

– Sur l'origine de l'épidémie. Je ne mets pas en doute le fait que des chimpanzés morts, ou des gens qui ont mangé du singe ont un rapport avec la maladie. Mais qu'un virus si habile à se cacher, à muter, à toujours réapparaître sous des formes nouvelles n'ait pas été aidé à la naissance, ça, je ne veux pas le croire. Personne ne pourra me convaincre que ce virus ne provient pas à l'origine de quelque laboratoire secret, dans le genre de ceux que les Américains ont cherché en vain en Irak.

– Y a-t-il des preuves de cela ?

L'impatience de Nuno da Silva se transforma en franche irritation.

– Pour ce qui va de soi, il n'y a pas toujours besoin d'une preuve sur-le-champ. On finit par la trouver, tôt ou tard. Ce que les colonisateurs disaient autrefois vaut toujours : « L'Afrique serait le paradis sur terre sans ces maudits Africains qui y habitent. » Le sida est un instrument pour tuer les Noirs sur ce continent. Qu'une partie des homosexuels américains y passe avec quelques autres individus menant une vie sexuelle tout à fait rangée n'est qu'un dommage collatéral. Cette vision cynique est celle de ceux qui pensent avoir le droit de dominer le monde. Henrik était lui aussi parvenu aux mêmes conclusions. Mais il en ajoutait une autre, je m'en souviens mot pour mot. « Les hommes, en Afrique, sont en train d'exterminer les femmes. »

– Qu'est-ce qu'il voulait dire ?

– Les femmes ont très peu de possibilités de se protéger. La domination des hommes est terrible sur ce continent. Il règne ici des traditions patriarcales que je suis le dernier à vouloir défendre. Mais cela ne donne pas aux laboratoires occidentaux le droit de nous anéantir.

– Et après, que s'est-il passé ?

– Nous sommes restés peut-être une heure à parler. Je l'aimais bien. Je lui ai suggéré d'écrire à ce sujet dans des journaux européens, mais il m'a répondu que c'était trop tôt. *Pas encore.* Je m'en souviens très bien.

– Et pourquoi cela ?

– Il était sur la trace de quelque chose, mais il ne m'a jamais dit quoi. Manifestement, il ne voulait pas en parler. Il n'en savait peut-être pas assez. Puis nous nous sommes quittés. Je l'ai invité à revenir me voir. Mais il ne l'a jamais fait.

Il jeta un rapide coup d'œil à sa montre.

– Je dois y aller.

205

Elle essaya de le retenir.

– Quelqu'un l'a tué. Il faut que je sache qui et pourquoi.

– Il n'a rien dit que je n'aie répété. Je ne sais pas ce qu'il cherchait, même si je le devine.

– C'est-à-dire ?

Il secoua la tête.

– Des suppositions, rien d'autre. Peut-être que ce qu'il avait découvert lui pesait trop. On peut mourir de trop bien connaître les souffrances d'autrui.

– Vous avez dit qu'il était sur une piste ?

– Je crois qu'elle était en lui. Cette piste était une idée. Je n'ai jamais entièrement compris ce qu'il voulait dire. Il parlait de trafic de drogue. De grosses cargaisons d'héroïne en provenance des champs de pavot afghans. De bateaux à l'ancre dans les ports du Mozambique, la nuit, de vedettes rapides qui viennent les décharger, de transports nocturnes par des postes frontières sans surveillance vers l'Afrique du Sud, et de là vers le monde entier. Même s'il faut verser d'importants pots-de-vin pour corrompre policiers, douaniers, procureurs, juges, fonctionnaires, et bien sûr les ministres responsables, les profits sont colossaux. La drogue engendre aujourd'hui autant de bénéfice que toute l'industrie du tourisme. Plus que le commerce des armes. Henrik parlait à mots couverts d'un lien entre tout ça et l'épidémie de sida. D'où il tirait ses informations, je n'en sais rien. Maintenant je dois m'en aller.

Ils se séparèrent devant l'hôtel.

– Je logerai chez un fonctionnaire de l'ambassade de Suède, Lars Håkansson.

Nuno da Silva fit une grimace.

– Une personne intéressante.

– Vous le connaissez ?

– Je suis journaliste, et c'est mon métier de connaître ce qui en vaut la peine. Les choses comme les gens.

Il lui serra rapidement la main, tourna les talons et disparut dans la rue. Il avait l'air pressé.

La forte chaleur l'accablait. Elle regagna sa chambre. L'expression du visage de Nuno da Silva ne laissait aucun doute : il n'avait aucun respect pour Lars Håkansson.

Elle regarda au plafond en essayant de décider quelle carte elle devait jouer. Peut-être devrait-elle éviter Lars Håkansson. *Mais Henrik a logé là-bas. Je dois explorer les endroits où Henrik a pu laisser des traces.*

Il était neuf heures et quart. Elle appela Artur. Elle entendit à sa voix qu'il avait attendu son appel. Elle en eut la gorge nouée. Peut-être même n'avait-il pas dormi de la nuit.

Il n'y a plus que nous deux à présent. Les autres ont disparu.

Pour le rassurer, elle raconta que tout allait bien et qu'elle allait s'installer chez un membre de la représentation suédoise. De son côté, il lui dit qu'il neigeait toujours plus, plus de dix centimètres pendant la nuit. Et il avait trouvé un chien mort en allant chercher le courrier.

– Que lui est-il arrivé ?

– Je n'ai pas vu trace d'une voiture qui l'aurait renversé. On dirait plutôt que quelqu'un lui a fracassé le crâne avec un bâton, et l'a jeté sur le chemin.

– Tu l'as reconnu ?

– Non. Il n'était pas d'ici. Mais comment peut-on en vouloir à ce point à un chien ?

Après cette conversation, elle resta allongée sur le lit. *Comment peut-on en vouloir à ce point à un chien ?* Elle pensa à ce qu'avait dit Nuno da Silva. Et s'il avait raison, que l'affreuse épidémie du sida soit le résultat d'une conspiration visant à exterminer la population du continent africain ? Henrik aurait-il été un « dommage collatéral », comme il disait ? Cela lui sembla une absurdité totale. Henrik non plus n'aurait pas pu y croire. Jamais il n'aurait adhéré à une théorie du complot qui s'effondrait dès qu'on y regardait de près.

Elle s'assit dans le lit, ramenant les draps autour d'elle. L'air conditionné la fit frissonner, elle avait la chair de poule sur les bras.

Quelle était donc cette piste que Nuno da Silva pensait avoir décelée chez Henrik ? Une piste qu'il avait en lui-même. Quelle carte Henrik s'apprêtait-il à jouer ? Quelle idée avait-il derrière la tête ? Elle ne savait pas, mais elle sentait qu'elle approchait de quelque chose.

Elle poussa un juron, à haute voix. Se leva, resta longtemps sous une douche froide et fit ses bagages. Elle avait déjà payé sa chambre quand Håkansson arriva.

– J'étais justement en train de me dire que si j'avais été un garçon, mon père m'aurait appelée Lars.

– Un prénom parfait, facile à prononcer dans toutes les langues, sauf peut-être pour un Chinois qui parle le mandarin.

Mais tu voulais appeler Lucinda Julieta. Ça t'excitait tant de changer son nom ?

Elle lui demanda d'écrire son adresse, qu'elle laissa à la réception, pour qu'on la donne à Lucinda quand elle viendrait la voir.

208

Lars Håkansson se tenait en retrait, perdu dans ses pensées. Elle parlait à voix basse pour qu'il ne puisse pas entendre.

Il habitait rue Kaunda. Le quartier des ambassades, avec des drapeaux, des villas entourées de murs, des gardiens en uniforme et des chiens qui aboient. Ils passèrent la grille, et un homme qui travaillait au jardin lui prit sa valise, malgré ses protestations.

– La maison a été construite par un médecin portugais, expliqua Lars Håkansson. En 1974, quand les Portugais ont enfin compris que les Noirs allaient se libérer, il est parti. Il paraît qu'il a laissé un voilier, et un piano qui n'a jamais pu être chargé sur le paquebot pour Lisbonne et a moisi sur le quai. L'État s'est approprié les maisons vides. C'est désormais la Suède qui la loue : les contribuables paient mon loyer.

La maison était entourée d'un jardin, avec, derrière, de grands arbres. Un berger allemand au bout de sa chaîne la regarda avec méfiance. Il y avait deux domestiques, une jeune et une vieille.

– Graça, dit-il quand Louise salua la plus âgée. Elle fait le ménage. Elle est bien trop vieille pour ça. Mais elle veut rester. Je dois être le dix-neuvième Suédois pour qui elle travaille.

Graça attrapa ses valises d'une main ferme et les monta à l'étage. Louise observa avec effroi son corps tout maigre.

– Celina, dit Lars Håkansson en présentant la jeune fille. Elle a l'esprit vif et se débrouille en cuisine. Si vous avez besoin de quelque chose, voyez avec elle. Il y a toujours quelqu'un pendant la journée. Je rentre tard le soir. Dites-lui quand vous avez faim, elle vous fera à manger. Celina va vous montrer votre chambre.

Il était déjà en train de repartir quand elle le rattrapa.

– C'est la chambre où a logé Henrik ?

– Je pensais que c'était ce que vous vouliez. Mais sinon vous pouvez changer. D'après ce qu'on raconte, le Dr Sa Pinto avait une famille nombreuse, et chaque enfant avait sa chambre.

– Je voulais juste savoir.

– Voilà qui est fait.

Louise rentra dans la maison. Celina l'attendait en bas de l'escalier. Graça était redescendue, elle l'apercevait dans la cuisine. Louise suivit Celina à l'étage de cette maison toute blanche.

Elles pénétrèrent dans une chambre dont les murs étaient jaunis par des taches d'humidité. Elle sentit une vague odeur de moisi. Henrik avait donc dormi là. La pièce n'était pas grande, le lit prenait presque toute la place. Il y avait des barreaux à la fenêtre, comme en prison. Sa valise était sur le lit. Elle ouvrit la porte de l'armoire. Vide.

Elle resta sans bouger près du lit, essayant de s'imaginer Henrik dans cette pièce. Mais il n'y était pas. Elle ne le trouva pas.

Elle défit sa valise, puis se mit à la recherche d'une salle de bains, en jetant au passage un coup d'œil dans la grande chambre à coucher qui était celle de Lars Håkansson. Lucinda, ou plutôt Julieta, comme il l'appelait moyennant finance, avait-elle dormi dans ce lit ?

Elle éprouva soudain un profond dégoût. Elle redescendit au rez-de-chaussée, tira le bouchon d'une bouteille de vin à moitié pleine et but au goulot. Elle s'aperçut trop tard que Graça la regardait par la porte entrouverte de la cuisine.

À midi, on lui servit une omelette. Une table avait été dressée pour elle, comme au restaurant. Elle toucha à peine à la nourriture.

C'est le vide qui précède la décision, pensa-t-elle. Au fond, je sais déjà qu'il faut que je parte d'ici aussi vite que possible.

Elle but le café à l'arrière de la maison, où la chaleur n'était pas aussi forte. Au bout de sa chaîne, le chien la surveillait, prêt à bondir. Elle s'assoupit peu à peu. Elle fut réveillée par Celina qui lui touchait l'épaule.

– De la visite.

Louise se leva, encore tout endormie. Elle avait rêvé d'Artur, de son enfance. Ils nageaient dans les eaux noires de l'étang. C'était tout ce dont elle se souvenait.

Elle trouva Lucinda qui l'attendait dans le séjour.

– Vous dormiez ?

– Le chagrin et le sommeil se mêlent. Je n'ai jamais dormi tant et si peu depuis qu'Henrik est mort.

Celina vint demander quelque chose dans sa langue africaine. Lucinda répondit, Celina disparut. Louise se dit qu'elle se déplaçait si légèrement que ses pieds touchaient à peine le parquet sombre.

– Qu'est-ce que vous avez dit ? Je n'ai absolument rien compris.

Elle m'a demandé si je voulais boire quelque chose, et j'ai dit non.

Lucinda était habillée en blanc, elle portait des chaussures à talons. Ses cheveux tressés étaient serrés contre son crâne.

Lucinda est très belle. Elle a couché avec Henrik, comme avec Lars Håkansson.

Cette idée lui était désagréable.

– Je veux vous emmener faire un tour en voiture.

– Où ?

211

– Hors de la ville. Dans un endroit qui comptait beaucoup pour Henrik. Nous serons de retour ce soir.

Lucinda s'était garée à l'ombre d'un jacaranda en fleur. Des pétales bleu lavande étaient tombés sur le capot rouge. Sa voiture était vieille, cabossée. En prenant place sur le siège, Louise sentit une odeur de fruit.

Elles traversèrent la ville. Il faisait très chaud. Louise passa la tête par la fenêtre pour avoir de l'air. La circulation était chaotique, partout des véhicules tentaient de forcer le passage. Ils seraient presque tous immédiatement interdits de circulation en Suède, pensa-t-elle. Mais ce n'était pas la Suède, c'était un pays d'Afrique de l'Est où Henrik était venu peu de temps avant de mourir.

Elles arrivèrent à la périphérie de la ville : à perte de vue, des hangars déglingués, des trottoirs défoncés, des voitures rouillées et une marée infinie de piétons. À un feu rouge, Louise vit une femme qui portait un grand panier sur sa tête, et une autre avec une paire de chaussures rouges à talons. *Partout des fardeaux. Des fardeaux sur leurs têtes, et d'autres fardeaux, en elles, que je ne peux que deviner.*

Lucinda tourna à un carrefour embouteillé où les feux ne fonctionnaient pas. Elle se fraya un passage sans hésiter dans ce désordre. Louise aperçut un panneau indiquant Xai-Xai.

– Nous roulons vers le nord, dit Lucinda. En continuant tout droit, vous arriveriez dans votre pays.

Elles dépassèrent un vaste cimetière. Plusieurs cortèges funèbres se pressaient à la grille. Brusquement elles se retrouvèrent hors de la ville, la circulation diminua, les maisons basses en terre et tôle ondulée se firent plus rares. Le paysage prenait le dessus, de hautes herbes, et à l'horizon des montagnes, le tout dans des nuances de vert. Lucinda se concentrait sur la conduite. Des camions surchargés et des bus qui crachaient des nuages de gaz d'échappement bloquaient la route, et il n'y avait pas souvent moyen de les doubler. Louise regardait les gens dans les champs. Quelques hommes, mais surtout des femmes, levant et abattant leur houe, le dos courbé. Sur les bas-côtés, un flot ininterrompu de piétons.

— C'est la voiture d'Henrik, dit tout à coup Lucinda.

Elle venait de dépasser un bus dans un nuage de fumée, et la route rectiligne était dégagée.

— Il l'avait achetée pour 4 000 dollars, continua-t-elle. C'était beaucoup trop cher. En partant, il m'a demandé de m'en occuper jusqu'à son retour. Je suppose que c'est votre voiture à présent.

— Ce n'est pas la mienne. Pourquoi avait-il besoin d'une voiture ?

— Il aimait conduire. Surtout quand il s'est mis à fréquenter l'endroit où nous allons.

— Je ne sais toujours pas quelle est notre destination.

Lucinda ne répondit rien, et Louise n'insista pas.

— Il l'a achetée à un Danois qui vit ici depuis longtemps et dirige une petite usine. Tout le monde connaît Carsten. Un homme aimable avec un gros ventre, marié à une petite femme noire toute maigre qui vient de Quelimane. Ils passent leur temps à se disputer, même pendant la promenade du dimanche sur la plage. Ils font plaisir à voir quand ils se disputent, on sent bien qu'ils s'aiment beaucoup.

Elles roulèrent une bonne heure, la plupart du temps sans parler. Louise regardait changer le paysage. Parfois elle se disait qu'elle pourrait imaginer un paysage du Härjedalen, il suffirait de remplacer le vert par du blanc. Il y avait aussi quelque chose des paysages du Péloponnèse. Cela forme un tout, pensa-t-elle. Avec des éléments naturels, on peut créer toutes sortes de paysages.

Lucinda rétrograda et s'arrêta sur le bord de la route. Devant un arrêt de bus et un petit marché. Sur la terre battue, de petits kiosques où l'on vendait de la bière, des sodas et des bananes. Quelques gamins se précipitèrent vers la voiture avec des glacières. Lucinda acheta deux bouteilles d'eau gazeuse, en donna une à Louise et chassa les gamins. Ils lui obéirent tout de suite, sans insister pour vendre leurs paquets de gâteaux.

— Nous avions l'habitude de nous arrêter là.

— Vous et Henrik ?

— Parfois je ne comprends pas vos questions. Avec qui, sinon ? Un de mes anciens clients ?

— Je ne sais rien de la vie d'Henrik dans ce pays. Que cherchait-il ici ? Où allons-nous ?

Lucinda regarda des enfants qui jouaient avec un chiot.

— La dernière fois, il a dit qu'il aimait cet endroit. C'était là que le monde finissait, et là qu'il recommençait. Personne ne pourrait le retrouver.

— Il a dit ça ?

— Je me souviens de ses mots. Je lui ai demandé ce qu'il voulait dire, parce que je n'avais pas compris. Il dramatisait parfois. Mais quand il parlait de la fin et du commencement du monde, il était parfaitement calme. Comme si la peur qui l'habitait avait disparu, au moins pendant ce bref instant.

— Et qu'a-t-il répondu ?

— Rien. Il est resté silencieux. Puis nous sommes repartis. C'est tout. Autant que je sache, il n'est jamais revenu ici. Je ne sais pas pourquoi il a quitté Maputo. Je ne savais même pas qu'il devait partir. Du jour au lendemain, il n'était plus là. Personne ne savait rien.

Exactement comme Aron. La même façon de fuir, sans un mot, sans aucune explication. Exactement comme Aron.

214

– Allons nous asseoir à l'ombre, dit Lucinda en ouvrant la portière.

Louise la suivit jusqu'à un arbre dont le tronc se tordait en un banc noueux assez grand pour elles deux.

– L'ombre et l'eau, voilà ce qu'on partage dans les pays chauds. Que partagez-vous quand il fait froid ?

– La chaleur. Il y avait en Grèce un homme célèbre à qui un puissant empereur avait promis d'exaucer son vœu le plus cher : il lui a alors demandé de se déplacer pour ne plus lui cacher le soleil.

– Vous vous ressemblez, avec Henrik. Vous êtes aussi, comment dire ?... désemparés.

– Merci.

– Sans vous offenser.

– Je ne le prends pas mal, puisque vous trouvez que je ressemble à mon fils.

– Ce n'est pas l'inverse ? Ce n'est pas plutôt lui qui vous ressemblait ? Là-dessus, nous ne sommes pas d'accord. Je ne pense pas qu'on puisse tirer son origine de l'avenir. On ne peut pas aller au-devant de l'inconnu sans savoir à chaque instant ce qu'il y avait avant.

– C'est justement pour cette raison que j'ai été archéologue toute ma vie. Sans les fragments et les murmures du passé, il n'y a pas de présent, pas d'avenir, rien. Peut-être qu'au fond nous avons plus de points communs que vous ne pensez.

Les enfants qui jouaient avec le chiot passèrent en courant, soulevant un nuage de poussière du sol desséché.

Du pied, Lucinda dessina quelque chose qui ressemblait à une croix inscrite dans un cercle.

– Nous sommes en route pour un endroit où Henrik a connu une grande joie. Peut-être même a-t-il vécu là-bas quelque chose comme un état de grâce. Il avait acheté sa voiture sans dire pourquoi. Parfois, il disparaissait pendant des semaines sans donner d'explication. Un soir, il a débarqué au bar, longtemps après minuit, et il a attendu que je finisse mon service pour me reconduire chez moi. Il m'a parlé d'un certain Christian Holloway, qui avait mis sur pied quelques villages où l'on soignait des malades du sida. L'endroit qu'il avait visité n'avait pas de nom, car Holloway prêchait l'humilité : un nom, c'était déjà trop. Les malades ne payaient rien. Ceux qui y travaillaient étaient bénévoles, beaucoup d'Européens, mais aussi des Américains et des Asiatiques. Des personnes complètement désintéressées, qui vivaient simplement. Ce n'était pas une secte. Henrik disait qu'ils n'avaient pas besoin de dieux, puisque leur action relevait du divin. Ce matin-là, j'ai vu que quelque chose en lui avait changé. Il avait franchi le mur de désespoir contre lequel il s'était tant battu.

— Et après ?

— Il est reparti le matin suivant. Peut-être n'est-il revenu à Maputo que pour partager sa joie avec moi. Il avait trouvé quelque chose à mettre dans la balance avant que le mal ne triomphe complètement. Ce sont ses propres mots, il était parfois si grandiloquent ! Mais il le pensait vraiment. Henrik était ainsi fait. Il avait vu l'injustice, il avait vu que le sida était une peste dont personne ne voulait approcher. Est-ce que cela veut dire qu'il était déjà lui-même infecté ? Je ne sais pas. Je ne sais pas non plus comment cela s'est passé, ni quand. Mais chaque fois que je le voyais, il disait qu'il voulait me montrer le village d'Holloway, où la bonté et la conscience l'avaient emporté. Il a fini par m'y emmener. Une seule fois.

— Pourquoi a-t-il quitté le village pour rentrer en Europe ?

— Peut-être pourrez-vous obtenir une réponse en demandant là-bas.

Louise se leva.

– Je ne peux plus attendre. C'est encore loin ?

– Nous sommes à mi-chemin.

Le paysage était un mélange de brun et de vert. Elles parvinrent à une plaine le long d'un large fleuve, passèrent un pont et traversèrent la ville de Xai-Xai. Juste après, Lucinda obliqua dans un sentier qui avait l'air de s'enfoncer à perte de vue dans la savane. La voiture peinait et raclait sur la piste défoncée.

Après vingt minutes, elles se retrouvèrent tout à coup face à un village de cases blanches en pisé. Quelques bâtiments plus importants étaient regroupés autour d'une place couverte de sable. Lucinda arrêta la voiture à l'ombre d'un arbre.

– Voilà. C'est le village de Christian Holloway.

Je m'approche d'Henrik. Il était ici il y a seulement quelques mois.

– Henrik disait que les visiteurs étaient toujours les bienvenus. *On ne doit cacher la bonté à personne.*

– Il disait ça ?

– Je crois qu'il l'avait entendu dire par Holloway ou l'un de ses collaborateurs.

– Ce Holloway, qui est-ce, à la fin ?

– D'après Henrik, quelqu'un de très riche. Il n'était pas certain, mais il pensait qu'il avait fait fortune avec des brevets techniques qui facilitent l'extraction du pétrole au fond des océans. Il est riche et très discret.

– On ne dirait pas quelqu'un qui va consacrer sa vie aux malades du sida.

– Pourquoi pas ? J'ai rompu avec la vie que je menais avant, et je connais beaucoup de gens qui font pareil.

Lucinda mit un terme à la conversation en sortant de la voiture. Louise resta assise. Son corps était tout poisseux de sueur. Un instant plus tard, elle avait rejoint Lucinda. Il régnait un silence oppressant. La chaleur fit frissonner Louise. Elle sentait monter un malaise. Personne en vue, pourtant elle avait l'impression d'être observée.

Lucinda fit un geste vers une mare entourée d'une clôture.

– Henrik m'a parlé de cette mare, et du vieux crocodile.

Elles s'approchèrent. Au bord de l'eau boueuse, il y avait un gros crocodile. Lucinda et Louise sursautèrent. Il faisait au moins quatre mètres de long. Les restes sanglants d'un lapin ou d'un singe pendaient entre les mâchoires de l'animal.

– Henrik racontait qu'il avait au moins soixante-dix ans. Christian Holloway prétendait que c'était leur ange gardien.

– Un crocodile avec des ailes blanches ?

– Les crocodiles sont sur terre depuis deux cents millions d'années. Ils nous font peur à cause de ce qu'ils mangent, mais personne ne peut leur dénier le droit d'exister, ni refuser de reconnaître leur extraordinaire instinct de conservation.

Louise secoua la tête.

– Je ne comprends toujours pas ce qu'il a voulu dire. J'aimerais bien le demander à Holloway lui-même. Est-il ici ?

– Je ne sais pas. Henrik disait qu'il se montrait rarement. Il était toujours entouré d'obscurité.

– Henrik disait ça ? *Entouré d'obscurité ?*

– Je m'en souviens mot pour mot.

Une porte s'ouvrit dans l'un des bâtiments principaux. Il en sortit une femme blanche en tenue d'infirmière qui se dirigea vers elles. Louise remarqua qu'elle était pieds nus. Maigre, les cheveux courts, le visage couvert de rides. Elle avait l'air d'avoir l'âge d'Henrik.

– Bienvenue, dit-elle en mauvais portugais.

Louise répondit en anglais.

La femme changea de langue et se présenta comme Laura.

Lucinda, et maintenant Laura.

– Mon fils, Henrik Cantor, travaillait ici. Vous vous souvenez de lui ?

– Je suis arrivée des États-Unis il y a un mois.

– Il disait qu'on pouvait venir visiter.

– Tout le monde est bienvenu. Je vais vous montrer. Laissez-moi seulement vous mettre en garde : le sida n'est pas une belle maladie. Il ne se contente pas de tuer les gens en les rendant méconnaissables. Il provoque aussi une terreur qui peut être difficile à supporter.

Lucinda et Louise échangèrent un regard.

– Je supporte la vue de la peur et du sang, dit Lucinda. Et vous ?

– Je suis une fois arrivée la première sur les lieux d'un grave accident de la route. Il y avait du sang partout, quelqu'un avait eu le nez arraché, son sang giclait. J'ai tenu le coup. Ou en tout cas je me suis bien caché à moi-même que ça faisait mal.

Laura les précéda à l'intérieur d'une case. Après la lumière crue du soleil, Louise eut l'impression de pénétrer dans une obscurité d'église, les petites fenêtres créaient une atmosphère mystérieuse. *Christian Holloway est un homme entouré d'obscurité.* Une odeur suffocante d'urine et d'excréments les prit à la gorge en entrant : les malades étaient couchés sur des lits de camp ou sur des nattes à même le sol. Louise avait du mal à distinguer les visages. Pour elle, il n'y avait que des yeux brillants, des gémissements et cette odeur qui ne cessait que lorsqu'elles ressortaient un instant en plein soleil pour passer d'une case à l'autre. C'était comme remonter le temps et entrer dans une pièce où des esclaves attendaient qu'on les déporte. Elle chuchota une question à Laura qui lui répondit que les gens qui étaient cachés dans l'obscurité étaient des mourants qui ne reverraient jamais la lumière du soleil, ils étaient en phase terminale, on ne pouvait plus rien pour eux si ce n'est soulager leur douleur. Louise se dit que les cultures classiques, en particulier celle des Grecs, dont elle passait son temps à fouiller les tombes, avaient une conception très claire de la mort, et des salles d'attente avant et après la fin de la vie. *Me voici à présent avec Dante et Virgile au royaume des morts.*

La visite n'en finissait pas. Elles allaient de case en case. Partout des gémissements, des râles, des chuchotements, des paroles désespérées, abandonnées, qui semblaient éclater à la surface d'un magma invisible. Elle fut déchirée par les pleurs d'un enfant, ce qu'il y avait de pire, un enfant invisible en train de mourir.

Dans l'obscurité, on entrevoyait des jeunes Blancs qui se penchaient vers les malades avec un verre d'eau, des médicaments, tout en chuchotant des mots consolateurs. Louise aperçut une très jeune fille, le nez percé d'un anneau, qui tenait une main décharnée dans la sienne.

Elle essaya de s'imaginer Henrik dans cet enfer. Elle crut deviner sa présence. Il pouvait vraiment avoir séjourné ici, elle était certaine qu'il avait eu la force de venir en aide à ces gens.

Après la dernière case, quand Laura les eut conduites dans une pièce à l'air conditionné où il y avait un réfrigérateur avec de l'eau glacée, Louise demanda à rencontrer une personne qui avait connu Henrik. Laura sortit voir si elle pouvait trouver quelqu'un.

Lucinda restait sans rien dire, refusant de boire l'eau qui était sur la table. Elle ouvrit soudain la porte d'une pièce intérieure. Elle se retourna vers Louise.

La pièce était pleine de cadavres. À même le sol, sur des nattes, des draps souillés, un nombre incalculable de morts. Louise recula, Lucinda referma la porte.

— Pourquoi ne nous a-t-elle pas montré cette pièce ? demanda Lucinda.

— Pourquoi l'aurait-elle fait ?

Louise nota son malaise. En même temps, elle eut l'impression que Lucinda connaissait l'existence de cette pièce. Elle avait déjà eu l'occasion d'ouvrir cette porte.

Laura revint en compagnie d'un homme d'une trentaine d'années. Son visage était marqué, sa poignée de main molle. Il s'appelait Wim, était anglais et se souvenait bien d'Henrik. Louise choisit soudain de ne pas lui dire qu'il était mort. Elle n'avait pas le courage de l'ajouter à tous ces morts. Henrik n'avait pas sa place ici, c'était trop atroce de l'imaginer entreposé dans la pièce avec tous les autres cadavres.

— Vous étiez bons amis ?

— Il était replié sur lui-même. Beaucoup font cela pour tenir le coup.

— Y avait-il quelqu'un dont il était particulièrement proche ?

— Nous sommes tous amis.

Bon Dieu ! Réponds à mes questions ! Tu n'es pas devant le Seigneur, tu es devant moi, la mère d'Henrik.

— Vous ne faisiez pas que travailler ?

— Presque.

— Que vous rappelez-vous de lui ?

— Il était gentil.

221

– C'est tout ?

– Il ne parlait pas beaucoup. Je savais seulement qu'il était suédois.

Wim sembla à la fin se douter qu'il s'était passé quelque chose.

– Pourquoi ces questions ?

– Dans l'espoir d'avoir des réponses. Mais je vois bien qu'il n'y en a pas. Merci d'être venu.

Louise éprouva soudain un sentiment de colère à l'idée que cette personne pâle et molle était vivante alors qu'Henrik était mort. C'était une injustice qu'elle ne pourrait jamais accepter. Dieu croassait comme un oiseau de malheur au-dessus d'elle.

Elle sortit, plongea dans la chaleur paralysante. Laura leur montra les quartiers privés de ceux qui avaient choisi de soigner les malades, les dortoirs, les moustiquaires soigneusement pendues, le réfectoire qui empestait le détergent.

– Pourquoi êtes-vous venue ici ? demanda tout à coup Lucinda.

– Pour aider, pour me rendre utile. Je ne supportais plus ma propre passivité.

– Avez-vous déjà rencontré Christian Holloway ?

– Non.

– Vous ne l'avez même jamais vu ?

– Seulement en photo.

Laura désigna un mur dans le réfectoire, où pendait une photographie encadrée. Louise s'approcha pour la regarder : un homme de profil, cheveux gris, lèvres fines, nez pointu.

Quelque chose attira son attention, mais elle n'arrivait pas à savoir quoi. Elle retint son souffle et scruta l'image. Une mouche bourdonnait sur le verre.

– Il faut rentrer, dit Lucinda. Je ne veux pas rouler de nuit.

Elles remercièrent Laura et retournèrent à la voiture. Lucinda mit le contact et s'apprêtait à partir quand Louise lui demanda d'attendre. Elle courut dans la chaleur jusqu'au réfectoire.

Elle regarda une fois encore l'image de Christian Holloway. Elle comprit ce qu'elle avait découvert.

Le profil de Christian Holloway.

L'une des silhouettes dans le sac d'Henrik avait été découpée d'après la photographie qu'elle avait sous les yeux.

Troisième partie

Le découpeur de silhouettes

> Quand il y a le feu chez ton voisin,
> c'est aussi ton affaire.
>
> HORACE

15

Sur le chemin du retour, pendant le court crépuscule africain, les mêmes paroles revenaient à l'esprit de Louise, telle une litanie :

Henrik a disparu à jamais. Mais peut-être suis-je en train d'approcher de certaines de ses pensées, de ce qui le faisait avancer. Pour comprendre pourquoi il est mort, je dois comprendre pour quoi il voulait vivre.

Elles firent une halte à l'arrêt de bus. Des feux étaient allumés. Lucinda acheta de l'eau et des biscuits. Alors seulement Louise remarqua qu'elle avait faim.

– Pouvez-vous imaginer Henrik là-bas ? demanda Louise.

Le visage de Lucinda apparaissait dans la lueur des flammes.

– Je n'ai pas aimé cet endroit. Les autres fois non plus. Il y a quelque chose qui m'effraie.

– Tout est effrayant, non ? Tous ces morts, et tous ces gens couchés en attendant leur tour ?

– Non, autre chose. Ça ne se voyait pas, ça ne s'entendait pas, mais c'était bien là. J'ai essayé de découvrir ce qu'Henrik avait découvert, ce qui d'un seul coup l'avait terrorisé.

Louise regarda attentivement Lucinda.

– Il était mort de peur, les dernières fois que je l'ai vu. Je ne vous en ai pas parlé jusqu'à présent. Il avait perdu toute sa joie de vivre. Il était pâle, cela semblait venir du plus profond de lui-même. Il était devenu si silencieux. Avant, il n'arrêtait pas de parler. Il était parfois même fatigant à bavarder tout le temps. Mais, d'un coup, il y avait ce silence surgi de nulle part, cette pâleur, et il a disparu sans laisser de traces.

– Il a sûrement dit quelque chose. Vous couchiez ensemble, vous vous endormiez, vous vous réveilliez ensemble. Il ne faisait pas de rêves ? Il n'a vraiment rien raconté ?

– Il avait le sommeil agité les derniers temps, il se réveillait souvent en sueur bien avant l'aube. Une fois, j'ai voulu savoir de quoi il avait rêvé. Sa réponse a été : *De l'obscurité, de tout ce qui est caché*. Je lui ai demandé ce qu'il voulait dire, mais il est resté silencieux. Comme j'insistais, il a hurlé et a bondi hors du lit. Jour et nuit, il avait des accès de peur.

– *L'obscurité, ce qui est caché ?* Il ne parlait jamais de gens ?

– Il parlait de lui. Il disait que l'endurance était l'art le plus difficile.

– Qu'est-ce qu'il voulait dire ?

– Je ne sais pas.

Lucinda détourna le visage. Louise se dit qu'elle trouverait tôt au tard la question juste. Mais pour le moment, elle cherchait en vain la bonne clé.

Elles revinrent à la voiture et se remirent en route. La lumière des phares était éblouissante. Louise fit le numéro d'Aron. Pas de réponse.

J'aurais eu besoin de toi. Tu aurais vu ce que je ne vois pas.

Elles s'arrêtèrent devant la maison de Lars Håkansson. Les gardiens se levèrent.

— Je suis venue ici quelquefois, dit Lucinda. Mais seulement quand il avait trop bu.

— Henrik ?

— Non, Lars Håkansson, le bienfaiteur suédois. Il n'osait m'emmener chez lui, dans son propre lit, que quand il était ivre. Il avait honte face aux gardiens, il avait peur que cela se sache. Les Européens courent aux putes, mais en cachette. Pour qu'ils ne voient pas que j'étais dans la voiture, je devais me cacher sous une couverture. Parfois je sortais une main pour les saluer au passage. Le plus étonnant, c'est que le masque aimable qu'il a l'habitude de porter au dehors tombait dès qu'il était chez lui. Il continuait à boire, mais pas au point de ne plus réussir à baiser. C'est comme ça qu'il disait toujours : « baiser », je crois que ça l'excitait de chasser tout sentiment. C'était une opération brutale, clinique, un morceau de viande à trancher. Je devais me déshabiller et faire comme s'il n'était pas là. Juste un voyeur. Après, un autre jeu commençait. Je devais lui enlever tous ses vêtements, sauf son slip. Il le gardait, et je devais mettre son membre dans ma bouche. Puis il me prenait par derrière. Après, il était pressé d'en finir. On me donnait mon argent, on me reconduisait, et je n'avais plus besoin de m'appeler Julieta. Et ça lui était égal que les gardiens me voient.

— Pourquoi me racontez-vous cela ?

— Pour que vous sachiez qui je suis.

— Ou qui est Lars Håkansson ?

Lucinda opina en silence.

— Je dois aller travailler, il est déjà tard.

Lucinda déposa un baiser furtif sur sa joue. Louise sortit de la voiture, un des gardiens ouvrit le portail, qui grinçait.

Lars Håkansson l'attendait.

– J'étais inquiet de ne pas vous voir revenir. Vous n'avez pas laissé de message.

– J'aurais dû y penser.

– Avez-vous mangé? J'ai mis votre dîner de côté.

Elle le suivit dans la cuisine. Il la servit et lui versa un verre de vin. Le récit de Lucinda résonnait en elle de façon irréelle.

– Je suis allée visiter le village pour malades que Christian Holloway a installé près d'une ville au nom imprononçable.

– Xai-Xai. Avec un *ch* chuinté. Vous avez donc vu une de ces fameuses *missions*. Christian Holloway les appelle ainsi, même s'il ne se mêle pas de religion.

– Qui est-ce?

– Avec mes collègues, nous nous demandons parfois s'il existe vraiment, ou si c'est une sorte de fantôme évanescent. Personne ne sait grand-chose de lui, si ce n'est qu'il a un passeport américain et une immense fortune dont il arrose les malades du sida dans ce pays.

– Seulement au Mozambique?

– Au Malawi aussi, et en Zambie. Il paraît qu'il a deux de ses *missions* près de Lilongwe et une autre, peut-être plus, près de la frontière angolaise, en Zambie. On raconte que Christian Holloway a fait un pèlerinage aux sources du Zambèze. Il prend sa source en Angola dans une région montagneuse, un petit ruisseau qui se transforme en fleuve. On dit que d'un seul pied il a bloqué l'immense cours d'eau.

– Qu'est-ce qui lui a pris?

– Il n'est pas impossible de combiner la charité et la folie des grandeurs. Voire pire encore.

– Qui fait courir ce genre d'histoires?

– C'est comme avec le fleuve: quelques gouttes qui suintent, puis de fil en aiguille déferle une rumeur impossible à contenir. Mais l'origine demeure inconnue.

Il voulut la resservir, elle refusa. Elle ne reprit pas non plus de vin.

– Qu'est-ce que vous entendez par *pire encore*?

– Une grande fortune cache toujours un crime, cela ne date pas d'hier. Il suffit de regarder autour de soi sur ce continent. Des despotes corrompus qui croulent sous l'or au milieu de la plus atroce pauvreté. Christian Holloway ne semble pas être tout blanc lui non plus. L'ONG humanitaire anglaise Oxfam a fait une enquête sur lui et sur ses activités il y a de cela quelques années. Oxfam est une organisation remarquable qui fait beaucoup avec peu de moyens dans les pays pauvres. La vie de Christian Holloway est transparente, du moins au début. Propre, sans taches. L'héritier du plus gros producteur d'œufs des États-Unis. Une immense fortune bâtie, à part les œufs, dans des domaines variés comme les fauteuils roulants et les parfums. Christian Holloway a fait de brillantes études à Harvard, d'où il est sorti diplômé avant ses vingt-cinq ans. Il a alors mis au point différents modèles de pompes à pétrole qu'il a brevetés et vendus. Jusque-là, tout est clair. Puis tout s'arrête. Christian Holloway disparaît. Il reste invisible pendant trois ans. Il a dû très bien organiser sa disparition, car personne n'a l'air de s'en être rendu compte. Même les journaux, d'ordinaire à l'affût de ce genre d'informations, ne s'en sont pas inquiétés.

– Et alors que s'est-il passé?

– Il est revenu. C'est seulement à ce moment-là qu'on a remarqué qu'il s'était absenté. Il a prétendu avoir voyagé et compris qu'il devait radicalement changer de vie, mettre sur pied des *missions*.

– Comment savez-vous tout ça?

– Mon travail consiste à être informé sur les gens qui débarquent dans des pays pauvres avec de grands projets. Tôt ou tard, ils finissent par venir frapper à la porte de l'aide humanitaire pour quémander des moyens qu'ils prétendaient avoir, en exagérant un brin. Ou alors nous nous retrouvons au milieu des ruines de grands projets qui ont tourné court, à devoir recoller les morceaux après le départ d'escrocs venus tromper les pauvres et s'enrichir sur leur dos.

– Mais Christian Holloway était déjà riche à la base ?

– Il est difficile de se représenter la vie des hommes riches. Ils ont les moyens de se dissimuler derrière des rideaux de fumée. On ne peut jamais être sûr que ce n'est pas une coquille vide, que les apparentes liquidités ne cachent pas un état de faillite. On voit ça tous les jours. D'énormes groupes pétroliers comme Enron s'effondrent soudain, comme si une série d'explosions en chaîne s'était déclenchée. Personne ne sait ce qui va se passer, à part quelques rares initiés. Soit ils prennent la fuite, soit ils se pendent, soit ils attendent sans rien faire qu'on vienne leur passer les menottes. Il y a bien sûr des millions de poules pondeuses qui caquettent sur le CV de Christian Holloway. Mais, sans surprise, on y trouve aussi toutes sortes de rumeurs. On a beaucoup spéculé quand il s'est soudain transformé en homme de bien et qu'il s'est décidé à aider les malades du sida. On murmure beaucoup de choses.

– Quoi ?

– Je pars de l'hypothèse que vous êtes bien ce que vous prétendez être, la mère en deuil d'Henrik, et personne d'autre ?

– Qui serais-je sinon ?

– Peut-être une journaliste en train de fouiner. En ce qui me concerne, j'ai appris à préférer les journalistes qui recouvrent à ceux qui déterrent.

– Vous voulez dire qu'il faut cacher la vérité ?

– Plutôt qu'il ne faut pas toujours dévoiler les mensonges.

– Et qu'avez-vous donc entendu dire au sujet de Christian Holloway ?

– On ne devrait pas en parler ouvertement. Le moindre

chuchotement peut résonner comme un cri. Je ne vivrais pas plus de vingt-quatre heures si je révélais certaines choses que je sais. Dans un monde où la vie d'un homme n'a pas plus de valeur que deux paquets de cigarettes, il vaut mieux être prudent.

Lars Håkansson se resservit à boire. Louise refusa d'un signe de la tête la bouteille de vin rouge sud-africain qu'il lui présentait.

– Henrik m'a souvent surpris. La première fois, c'est quand il a essayé de déterminer la valeur exacte d'une vie humaine. Il en avait assez de nous entendre, mes collègues et moi, parler en termes à son avis trop généraux du peu de valeur de la vie humaine dans un pays pauvre. Il s'est mis en tête d'en établir le cours exact sur le marché. Il se faisait facilement des amis. Il a dû aller dans des endroits qu'il aurait mieux fait d'éviter, les bars clandestins, les recoins obscurs dont cette ville regorge. Mais c'est là que sont les tueurs à gages. Et il avait découvert que pour 30 dollars américains on pouvait trouver quelqu'un prêt à tuer n'importe qui sans poser de questions.

– 30 dollars ?

– Peut-être 40 aujourd'hui, tout au plus. Henrik ne s'en est jamais remis. Je lui ai demandé pourquoi il était allé chercher ça. «Il ne faut pas le cacher», c'est tout ce qu'il m'a répondu.

Il se tut tout à coup, comme s'il en avait trop dit. Louise attendit qu'il continue.

– Je sens que vous avez d'autres choses à raconter.

Lars Håkansson la regarda en plissant ses yeux rouges et luisants. Il était ivre.

– Il faut que vous sachiez que, dans un pays comme le Mozambique, partout il n'est question que du plus grand des rêves, la variante moderne des fabuleuses mines de Salomon. Chaque jour, des gens se laissent descendre au fond du puits avec une lanterne. Que trouvent-ils ? Rien, sans doute. Alors ils remontent à la surface, gelés, amers, furieux de voir leur rêve effondré. Et le lendemain ils redescendent.

– Je ne comprends pas. Qu'est-ce qu'ils n'ont pas trouvé ?

Il se pencha vers elle et chuchota :

– Les cures.

– Les cures ?

– Les remèdes, les médicaments. On murmure que Christian Holloway possède des laboratoires secrets où des chercheurs du monde entier traquent la nouvelle pénicilline, le remède contre le sida. Voilà ce qu'on espère trouver dans les nouvelles mines de Salomon. Qu'importent les pierres précieuses quand on peut à la place découvrir un remède contre le petit virus très fragile et insignifiant qui est en train d'exterminer la population de ce continent ?

– Où sont ces laboratoires ?

– Personne ne sait même s'ils existent vraiment. Pour le moment, Christian Holloway n'est qu'un homme généreux qui consacre son argent à aider ceux dont personne ne s'occupe.

– Henrik savait-il cela ?

– Bien sûr que non.

– Il s'en doutait ?

– Difficile de savoir ce que pensent vraiment les gens. Je ne tire pas de conclusions de simples suppositions.

– Mais lui avez-vous dit ce que vous venez de me dire ?

– Non, nous ne parlions jamais de cela. Henrik a peut-être cherché sur Internet des informations sur Christian Holloway. Il se servait de mon ordinateur. Il est à votre disposition si vous en avez besoin. Il vaut toujours mieux chercher soi-même.

Louise était persuadée que cet homme mentait. Il avait raconté tout cela à Henrik. Pourquoi le nier ?

Tout à coup elle éprouva de la haine contre lui, son assurance, ses yeux rouges et son visage bouffi. Humiliait-il tous les pauvres comme il avait piétiné Lucinda, lui qui allait à la chasse aux femmes, son passeport diplomatique dans la poche ?

Elle vida son verre et se leva.

– J'ai besoin de dormir.

– Demain, si vous voulez, je peux vous faire visiter la ville. Nous irons déjeuner dans un bon restaurant sur la plage et nous continuerons notre conversation.

– On verra demain. Au fait, je ne devrais pas prendre quelque chose contre la malaria ?

– Vous auriez dû commencer il y a une semaine.

– Il y a une semaine, je ne savais pas encore que je viendrais ici. Que prenez-vous ?

– Rien du tout. J'ai eu des crises, j'ai le parasite de la malaria dans le sang depuis plus de vingt ans. Pour moi, ça ne servirait plus à rien de me bourrer de médicaments préventifs. Mais je veille à dormir sous une moustiquaire.

Elle s'arrêta au moment de passer la porte.

– Henrik ne vous a-t-il jamais parlé de Kennedy ?

– Le président, ou sa femme ? John F. ou Jackie ?

– De son cerveau qui a disparu ?

– Je n'étais pas au courant.

– Il n'en a pas parlé ?

– Jamais. Je m'en serais souvenu. Mais je me rappelle bien ce jour de novembre 1963. J'étudiais à Uppsala, à l'époque. Un jour pluvieux avec des cours de droit ennuyeux. Puis la nouvelle est tombée, la radio crépitait, tout a semblé se figer. Et vous, de quoi vous souvenez-vous ?

– De pas grand-chose. Mon père a froncé les sourcils et il s'est muré dans un silence encore plus profond que d'habitude. C'est tout.

Elle se glissa dans son lit après avoir pris une douche et fermé la moustiquaire. Le conditionneur ronronnait dans l'obscurité. Il lui sembla entendre ses pas dans l'escalier, et tout de suite après, le filet de lumière qui passait sous la porte disparut. Elle tendit l'oreille dans le noir.

Le film de la journée repassait en boucle dans sa tête. Cette descente aux enfers dans ces pièces sombres pleines de mourants. Tout ce qu'elle avait entendu au sujet de Christian Holloway, ces saletés sous une surface bien propre. Qu'avait donc vu Henrik, qui l'avait à ce point transformé ? Un secret avait été révélé au grand jour. Elle s'efforça de nouer ensemble les fils de ce mystère, en vain.

Elle s'assoupit, mais se réveilla en sursaut. Tout était très calme. Trop calme. Elle ouvrit les yeux dans l'obscurité. Il lui fallut quelques secondes pour comprendre que l'air conditionné s'était arrêté. Elle chercha à tâtons la lampe de chevet. Elle ne s'alluma pas. Il doit y avoir une coupure de courant, pensa-t-elle. Elle entendit au loin le bruit d'un groupe électrogène qu'on venait de mettre en marche. En bas, dans la rue, un homme riait, peut-être un des gardiens. Elle sortit du lit et alla à la fenêtre. L'éclairage public s'était éteint aussi. La seule lumière venait du feu qu'avaient allumé les gardiens. Elle devinait leurs visages.

Elle avait peur du noir. Elle n'avait pas même une lampe de poche, aucune lumière pour se rassurer. Elle retourna au lit.

Henrik avait peur du noir quand il était petit. Aron avait toujours peur la nuit. Il ne pouvait pas dormir sans veilleuse.

Au même moment, le courant revint. L'air conditionné se remit en route. Elle alluma aussitôt la lampe de chevet et se prépara à se rendormir. Mais elle repensait à la conversation qu'elle avait eue dans la cuisine avec Lars Håkansson. Pourquoi aurait-il menti en disant qu'il n'avait rien raconté à Henrik ? Elle ne voyait pas d'explication plausible.

Elle se souvint de ses mots : « Mon ordinateur est à votre disposition si vous en avez besoin. » Henrik avait utilisé cet ordinateur. Peut-être pourrait-elle y trouver des traces de son passage ?

Alors brusquement, elle se réveilla tout à fait. Elle se leva, s'habilla en vitesse et ouvrit la porte qui donnait sur le couloir. Elle demeura immobile jusqu'à ce que ses yeux s'habituent à l'obscurité. La porte de la chambre à coucher de Lars Håkansson était fermée. Le bureau était situé côté jardin, à l'autre bout du couloir. Elle gagna à tâtons la porte restée entrouverte, la referma derrière elle et chercha l'interrupteur. Elle s'assit au bureau et alluma l'ordinateur. Un texte clignotant annonçait qu'il n'avait pas été correctement éteint. Il devait être en veille au moment de la coupure de courant. Elle se connecta à un moteur de recherche et écrivit « Holloway ». Il y avait beaucoup de références, les adresses d'une chaîne de restaurants, l'hôtel Holloway Inn au Canada et une petite compagnie aérienne mexicaine, Holloway-Air. Mais aussi les missions de Christian Holloway. Elle allait ouvrir le lien quand un signal sonore annonça l'arrivée d'un courrier électronique. Elle n'avait nullement l'intention d'inspecter la correspondance de Lars Håkansson, mais Henrik y avait peut-être laissé des traces.

Lars Håkansson n'avait pas de code pour protéger son courrier électronique. Elle découvrit deux lettres d'Henrik. Son cœur se mit à battre. La première avait été envoyée quatre mois auparavant, l'autre sans doute juste avant qu'Henrik ne quitte définitivement Maputo.

Elle ouvrit la première lettre. Elle était adressée à Nazrin.

Je passe d'abord un ongle sur la surface dure du mur, mais mon ongle ne laisse pas de trace. Je prends ensuite une pierre coupante et je raye le mur. Cela laisse une faible trace, mais il persiste quand même quelque chose de ce que j'ai fait. Je peux donc continuer à griffer et rayer, pour approfondir ma trace dans le mur, jusqu'à ce qu'il cède. C'est ainsi que je me représente ma vie ici. Je suis en Afrique, il fait très chaud, je n'arrive pas à dormir la nuit, je reste nu et en sueur, car je ne supporte pas l'air conditionné. Je pense que le but de ma vie est de ne pas renoncer tant que les murs auxquels je me suis attaqué ne sont pas réellement tombés. Henrik.

Elle lut la lettre une deuxième fois.

Il s'était envoyé la seconde lettre sur sa propre adresse hotmail.

J'écris ceci à l'aube, au moment où les cigales se taisent et où les coqs commencent à chanter, alors que j'habite au centre de la grande ville. Je vais bientôt écrire à Aron pour lui dire que je couperai les ponts avec lui s'il ne prend pas ses responsabilités et ne se décide pas à être vraiment mon père, quelqu'un d'accessible, pour qui je puisse avoir de l'affection, en qui je me reconnaisse. S'il se décide, je lui parlerai alors de l'homme remarquable que je n'ai pas encore rencontré en personne, Christian Holloway, qui a prouvé qu'il y avait encore malgré tout des exemples de bonté sur cette terre. J'écris ces lignes chez Lars Håkansson, sur son ordinateur, et je n'imagine pas pouvoir me sentir mieux qu'en ce moment. Je retourne bientôt au village, avec les malades, et je me sentirai à nouveau utile. Henrik, envoyé à moi-même.

Louise fronça les sourcils en secouant la tête. Elle relut lentement la lettre. Quelque chose ne collait pas. Ce n'était pas qu'Henrik s'écrive une lettre. Elle avait fait pareil à son âge. Quelque chose d'autre la dérangeait.

Elle relut la lettre encore une fois. Soudain, elle comprit ce qui n'allait pas. C'était son style. Henrik n'écrivait pas ainsi. Il avait un style direct. Il n'aurait pas utilisé un mot comme « affection ». Ce n'était pas un mot de sa génération.

Elle arrêta l'ordinateur, éteignit la lumière et ouvrit la porte. Avant de s'éteindre complètement, l'écran s'illumina quelques secondes. Dans cette lueur, elle crut voir la poignée de la chambre de Lars Håkansson remonter lentement. La maison était plongée dans l'obscurité. Lars Håkansson avait dû sortir dans le couloir et regagner sa chambre en hâte quand elle avait éteint l'ordinateur.

L'espace d'un instant, elle paniqua. Devait-elle partir, quitter la maison dans la nuit ? Mais elle n'avait nulle part où aller. Elle retourna dans sa chambre et cala une chaise contre la porte pour empêcher qu'on entre. Elle se coucha, coupa l'air conditionné et laissa la lampe de chevet allumée.

Un moustique dansait autour de la moustiquaire. Le cœur battant, elle tendit l'oreille. Entendait-elle ses pas ? Écoutait-il à sa porte ?

Elle tenta de réfléchir calmement. Pourquoi Lars Håkansson avait-il écrit au nom d'Henrik une lettre qu'il gardait dans son ordinateur ? Il n'y avait pas de réponse, seulement une impression rampante d'irréalité. Comme si elle entrait à nouveau dans l'appartement d'Henrik à Stockholm et le découvrait mort.

J'ai peur, pensa-t-elle, comme Henrik. Lui aussi a été pris dans cette membrane invisible mais dangereuse qui m'environne.

La chaleur humide de la nuit était étouffante. Elle entendait au loin gronder le tonnerre. Il s'éloigna vers ce qu'elle pensait être les hautes montagnes du Swaziland.

16

Louise resta éveillée jusqu'à l'aube. Elle ne comptait plus les nuits d'insomnie depuis la mort d'Henrik. Le manque de sommeil l'opprimait. Lorsqu'elle vit les premiers rayons du soleil percer faiblement par les rideaux et entendit Celina parler avec un des gardiens qui se lavait au robinet, elle se calma enfin et s'endormit.

Elle fut réveillée par un chien qui aboyait. Neuf heures. Elle avait dormi trois heures. Elle était là, allongée, à écouter Celina et Graça récurer le couloir. La peur avait disparu à présent, elle laissait place à la colère impuissante d'avoir été humiliée. Lars Håkansson croyait-il vraiment qu'elle ne découvrirait pas la supercherie de cette lettre écrite soi-disant par Henrik ? Pourquoi avoir fait une chose pareille ?

Soudain, elle se sentit libérée de toute considération à son égard. Il avait brutalement piétiné sa vie, il lui avait menti et il avait mis cette fausse lettre dans son ordinateur. Par-dessus le marché, il lui avait fait peur et l'avait empêchée de dormir. Elle allait maintenant fouiller de fond en comble son ordinateur, ses armoires et ses tiroirs en quête d'une véritable trace laissée par Henrik. Mais surtout, elle voulait comprendre pourquoi son fils avait voué une telle confiance à cet individu.

En descendant à la cuisine, elle trouva le petit-déjeuner que Graça lui avait préparé. Elle se sentit gênée de se faire servir par cette femme âgée percluse de douleurs dans le dos et les mains. Et qui souriait de sa bouche presque entièrement édentée, en parlant un portugais quasi incompréhensible, émaillé de rares mots d'anglais. Quand Celina entra dans la cuisine, Graça se tut. Celina demanda à Louise si elle pouvait faire le ménage dans sa chambre.

– Je peux faire mon lit toute seule.

Celina hocha la tête avec un rire sans joie. Quand elle sortit de la cuisine, Louise la suivit.

– J'ai l'habitude de faire mon lit moi-même.

– Pas ici. C'est mon travail.

– Vous vous plaisez ici ?

– Oui.

– Combien vous paye-t-on chaque mois ?

Celina hésita à répondre. Mais Louise était blanche, elle était sa supérieure, même si elle n'était qu'une invitée.

– J'ai 50 dollars par mois et autant en meticais.

Louise fit le calcul. 700 couronnes par mois. Était-ce beaucoup ou peu ? Que peut-on acheter avec ça ? Elle demanda le prix de l'huile, du riz et du pain, et resta stupéfaite de la réponse de Celina.

– Combien d'enfants avez-vous ?

– Six.

– Et votre mari ?

– Il doit être en Afrique du Sud, à travailler dans les mines.

– Vous n'en êtes pas certaine ?

– Je n'ai pas eu de ses nouvelles depuis deux ans.

– Vous l'aimez ?

Celina la regarda d'un air interloqué.

– C'est le père de mes enfants.

Louise regretta sa question en voyant combien Celina était gênée.

Elle retourna à l'étage supérieur et entra dans le bureau de

Lars Håkansson. La chaleur était déjà étouffante. Elle brancha l'air conditionné et ne bougea plus jusqu'à ce que l'air se rafraîchisse.

Quelqu'un était passé dans la pièce après elle. Mais cela ne devait être ni Celina, ni Graça, car le sol n'avait pas été lessivé. Devant l'ordinateur la chaise était tirée, alors qu'elle l'avait remise à sa place.

C'était un des principaux commandements du roi Artur pendant son enfance. La chaise que l'on tirait pour un repas devait toujours être repoussée quand on quittait la table.

Elle regarda autour d'elle. Des étagères couvertes de classeurs, d'instructions officielles, de rapports, de comptes rendus d'activités. Une étagère entière de documents de la Banque mondiale. Elle tira au hasard un classeur : *Strategy for Sub-Saharan Development of Water Ressources 1997*. Elle le remit à sa place. Sur plusieurs étagères s'alignaient des publications en suédois, anglais, portugais. Tout en haut s'empilaient des livres. La bibliothèque de Lars Håkansson était en désordre, négligée. Des Agatha Christie aux couvertures froissées se mêlaient à des dossiers techniques et à toutes sortes de livres sur l'Afrique. Elle trouva pêle-mêle un ouvrage sur les plus dangereux serpents venimeux d'Afrique australe, les bonnes vieilles recettes de la cuisine suédoise, une collection de photographies pornographiques sépia du milieu du dix-neuvième siècle. Sur l'une d'elles, portant la date de 1856, deux filles étaient assises sur un banc, une carotte enfilée entre les jambes.

Elle reposa le livre, et pensa à ces histoires qu'on raconte sur ces chefs cuisiniers qui crachent ou urinent dans les plats des clients distingués. *Si je pouvais, je vomirais dans son disque dur. Chaque fois qu'il l'allumerait, il sentirait l'odeur sans pouvoir comprendre ce que c'est.*

Entre deux livres, sur une étagère, dépassait une enveloppe provenant d'une banque suédoise. Elle était déchirée. Elle contenait une fiche de paie. Louise n'en revenait pas. Furieuse, elle fit un rapide calcul : avec son salaire actuel, Celina devrait travailler presque quatre ans pour atteindre la somme que Lars Håkansson recevait chaque mois. Comment jeter des passerelles au-dessus de tels abîmes ? Qu'est-ce que quelqu'un comme Lars Håkansson pouvait de toute façon comprendre à la vie que menait Celina ?

Louise remarqua qu'elle avait commencé une conversation imaginaire avec Artur. Elle haussa alors le ton, puisqu'il était dur d'oreille. Au bout d'un moment, elle changea d'interlocuteur, et s'adressa à Aron. Ils étaient assis à la table où les perroquets rouges s'attroupaient autour des miettes de pain. Mais Aron était inquiet, il ne voulait pas écouter. Elle finit par converser avec Henrik. Il était tout près d'elle. Au bord des larmes, elle ferma les yeux, certaine qu'il se trouverait réellement là quand elle les rouvrirait. Évidemment, elle était seule dans la pièce. Elle descendit un store pour se protéger du soleil. Dans la rue, on entendait les aboiements des chiens, les rires des gardiens. *Tous ces rires. Je l'ai remarqué le jour même de mon arrivée. Pourquoi les pauvres rient-ils beaucoup plus souvent que quelqu'un comme moi ?* Elle posa la question tour à tour à Artur, Aron et Henrik. Mais aucun de ses trois chevaliers servants ne répondit. Ils étaient tous muets.

Elle alluma l'ordinateur, bien décidée à supprimer les deux lettres d'Henrik. Elle écrivit aussi une lettre à Lars Håkansson, où, en suédois, elle faisait dire à Julieta ce qu'elle pensait d'un homme comme lui. Ne l'avait-on pas envoyé ici pour aider les pauvres ?

Elle entreprit ensuite d'ouvrir systématiquement les fichiers.

Elle se heurta partout à des verrous. L'ordinateur de Lars Håkansson était bardé de portes blindées. En plus, elle était certaine de laisser des traces de son passage. Il pourrait suivre pas à pas chacun de ses combats avec les serrures. Partout, elle était arrêtée par une main levée qui lui demandait un mot de passe.

Elle essaya au hasard les plus évidents, le nom de Håkansson à l'endroit, à l'envers, abrégé de diverses façons. Évidemment, aucune porte ne s'ouvrait, elle ne faisait que semer des traces derrière elle.

Celina fit irruption pour lui proposer du thé. Louise poussa un cri de surprise.

– Je ne vous avais pas entendue, dit Louise. Comment pouvez-vous marcher si doucement ?

– Le Senhor n'aime pas le bruit, répondit-elle. Le silence qu'il aime n'existe pas en Afrique, alors il l'invente. Il exige que Graça et moi nous nous déplacions sans bruit, pieds nus.

Elle refusa le thé. Celina se retira sur la pointe des pieds. Louise fixait l'écran de l'ordinateur qui s'obstinait à garder porte close. *Des galeries souterraines, sans lumière, sans carte. Je n'arriverai jamais jusqu'à lui.*

Elle se décida à éteindre l'ordinateur quand elle repensa à l'obsession d'Henrik pour Kennedy et son cerveau disparu. Que cachait ce cerveau, d'après lui ? Henrik avait-il sérieusement imaginé qu'on puisse y trouver l'empreinte de pensées, de souvenirs, de ce que d'autres personnes avaient dit à l'homme le plus puissant du monde avant qu'une balle ne lui fasse éclater la tête ? Existait-il déjà dans des laboratoires militaires de pointe des instruments pour déchiffrer des cerveaux éteints, de la même façon qu'il était possible de racler des données au fond des disques durs effacés ?

Ses pensées s'arrêtèrent sur cette question. Henrik avait-il mis la main sur une information qu'il recherchait activement ? Ou était-il tombé dessus par hasard ?

Ses recherches lui avaient donné chaud, elle était en sueur malgré l'air conditionné. Celina avait fait le ménage dans sa chambre et ramassé son linge sale. Elle se changea et passa une robe légère en coton. Au même moment, elle entendit Celina parler avec quelqu'un au rez-de-chaussée. Lars Håkansson était-il de retour ? Celina monta l'escalier.

– De la visite. La même personne qu'hier.

Lucinda était fatiguée. Celina lui avait donné un verre d'eau.

– Je ne suis pas rentrée me coucher cette nuit. Un groupe de cantonniers italiens a envahi le Malocura. Quelle animation ! Pour une fois, le bar méritait bien son nom. Ils ont beaucoup bu, et n'ont pas décampé avant l'aube.

– Que veut dire « Malocura » ?

– « La Folie ». Le bar a été créé par une femme, Dolores Abreu. Cela devait être au début des années soixante, je n'étais même pas née. Elle était énorme, une des plus grosses prostituées de l'époque, qui veillait à ce que l'exercice de son métier n'empiète pas sur sa vie de famille. Dolores était mariée à un petit homme discret qui s'appelait Nathaniel. Il était trompettiste, et on dit que c'est lui qui a composé la « Marrabenta », une danse très populaire ici dans les années cinquante. Dolores avait des clients réguliers qui venaient de Johannesburg et de Pretoria. C'était l'âge d'or de l'hypocrisie. Les Sud-Africains blancs ne pouvaient pas se payer de prostituées noires à cause de l'Apartheid. Il fallait qu'ils prennent leur voiture, ou le train, pour venir ici goûter à la chatte noire.

Lucinda s'interrompit et sourit à Louise.

– J'espère que vous excusez l'expression.

– Ce que les femmes ont entre les jambes s'appelle chatte dans plusieurs langues. Plus jeune, j'aurais été choquée, mais plus maintenant.

– Dolores était économe, elle a réussi à mettre de l'argent de côté, pas une fortune, mais assez pour investir dans ce bar. On raconte que c'est son mari qui a trouvé le nom. Parce qu'il pensait qu'elle allait perdre tout son argent dans cette folle entreprise. Et pourtant ça a bien marché.

– Où est-elle à présent ?

– Elle repose avec Nathaniel au cimetière Lhanguene. Ses enfants en ont hérité, mais ils ont tout de suite été en désaccord et ont vendu le bar à un médecin chinois qui, après l'avoir hypothéqué, a dû le céder à un marchand de tissus portugais. Il y a quelques années, il a été racheté par une des filles du ministre des Finances. Elle n'y a jamais mis les pieds, pas assez distingué pour elle. Elle passe tout son temps à faire du shopping chez les grands couturiers parisiens. Comment s'appelle le plus chic ?

– Dior ?

– Dior. Il paraît qu'elle habille ses deux filles avec des robes de chez Dior. Pendant ce temps-là, le pays meurt de faim. Tous les deux jours, elle envoie un de ses domestiques récupérer la recette du bar.

Lucinda appela Celina. Elle avait encore soif.

– Je suis venue parce que j'ai eu une idée hier soir. Les Italiens étaient complètement ivres et n'arrêtaient pas de me peloter avec leurs mains baladeuses, alors je suis sortie fumer une cigarette. J'ai regardé les étoiles. Et je me suis souvenue qu'un jour Henrik avait dit que le ciel étoilé au-dessus d'Inhaca était aussi clair que dans le nord de la Suède.

– Où ça ?

– Inhaca. Une île au large, dans l'océan Indien. Il en parlait souvent. Peut-être qu'il y est allé plusieurs fois. Cette île avait quelque chose de spécial pour lui. Une de ses phrases m'est revenue d'un coup, je pense que c'est important : *Je peux toujours aller me cacher sur Inhaca.* Je m'en souviens mot pour mot.

– Qu'allait-il faire sur Inhaca ?

– Je ne sais pas. On y va pour se baigner, se promener sur la plage, plonger, pêcher et se bourrer la gueule à l'hôtel.

– Ce n'est pas le genre d'Henrik.

– C'est justement pour cela que je soupçonne qu'il y avait autre chose qui l'attirait là-bas.

– Croyez-vous qu'il cherchait une cachette ?

– Je pense qu'il avait rencontré quelqu'un là-bas.

– Qui donc habite sur l'île ?

– Surtout des paysans et des pêcheurs. Il y a un institut de biologie marine rattaché à l'université de Mondlane. Quelques boutiques et un hôtel. C'est tout. Sans compter une quantité invraisemblable de serpents. Inhaca est le paradis des serpents.

– Henrik détestait les serpents. En revanche, il adorait les araignées. Un jour, quand il était enfant, il en a mangé une.

Lucinda n'avait pas l'air d'avoir entendu.

– Il a dit quelque chose que je n'ai jamais réussi à comprendre. Il parlait d'un tableau. D'un peintre qui habitait sur l'île. J'ai du mal à me souvenir.

– Où étiez-vous quand il en a parlé ?

– Au lit, dans un hôtel. Cette fois-là, il n'avait pas trouvé de maison vide, alors nous sommes allés à l'hôtel. C'est là qu'il a parlé du tableau et du peintre. C'était le matin : il était à la fenêtre, il me tournait le dos. Je ne voyais pas son visage pendant qu'il parlait.

– De quoi aviez-vous parlé avant ?

– De rien, nous avions dormi. Quand j'ai ouvert les yeux, il était là, devant la fenêtre.

247

– Pourquoi s'est-il mis à parler de ça ?

– Je n'en sais rien. Il avait peut-être fait un rêve.

– Et après ?

– Rien. Il est revenu au lit.

– C'est la seule fois qu'il a évoqué le peintre et son tableau ?

– Il ne l'a plus jamais mentionné.

– Vous en êtes certaine ?

– Oui. Mais j'ai compris par la suite que cette rencontre sur Inhaca avait été très importante pour lui.

– Comment pouvez-vous en être si sûre ?

– À cause du ton de sa voix, quand il était près de la fenêtre. Je crois qu'il avait envie de me raconter quelque chose. Mais il n'y est pas arrivé.

– Il faut que je retrouve ce peintre. Comment se rend-on sur Inhaca ? En bateau ?

– C'est très long. Il vaut mieux prendre l'avion. Il y en a pour dix minutes.

– Pouvez-vous m'accompagner ?

Lucinda fit non de la tête.

– Il faut que je m'occupe de ma famille. Mais je peux vous aider à réserver une chambre à l'hôtel et vous conduire jusqu'à l'aéroport. Je crois qu'il y a deux vols par jour pour Inhaca.

Louise hésitait. La piste était vague, mais il ne fallait rien laisser passer, elle n'avait pas le choix. Elle essaya d'imaginer ce qu'Aron aurait fait à sa place. Mais Aron ne disait rien. Il n'était plus là.

Elle fourra des vêtements dans un sac plastique, prit son passeport et de l'argent. Elle dit à Celina qu'elle serait absente jusqu'au lendemain, sans préciser où elle allait.

Lucinda la conduisit à l'aéroport. La chaleur était comme une couverture étouffante sur la ville.

– Demandez de l'aide à l'hôtel. Un des réceptionnistes boite. Il s'appelle Zé. Allez le saluer de ma part.

– Il parle anglais ?

– Mal. Assurez-vous qu'il a bien compris en répétant deux fois vos questions.

Arrivées à l'aéroport, elles furent immédiatement assaillies par des gamins qui voulaient garder ou laver la voiture. Lucinda, patiente, leur dit non, sans hausser la voix.

Un avion décollait pour Inhaca juste une heure après. Elle téléphona pour réserver une chambre d'hôtel.

– Je n'ai pris qu'une nuit, mais vous pourrez prolonger, ce n'est pas la haute saison.

– Il peut faire plus chaud que maintenant ?

– Non, plus frais : c'est ce que recherchent ceux qui ont les moyens de prendre des vacances.

Il y avait un bar sur le toit de l'aéroport. Elles burent de la limonade en mangeant quelques sandwichs. Lucinda désigna le petit avion à hélice tout bosselé qui devait conduire Louise sur Inhaca.

– C'est avec ça que je vais voler ?

– Aux commandes, ce sont d'anciens pilotes de chasse. Des as.

– Qu'est-ce que vous en savez ? Vous les connaissez ?

Lucinda éclata de rire.

– Je crois que vous n'avez aucune raison de vous inquiéter.

Lucinda l'accompagna jusqu'à l'enregistrement. Il n'y avait que trois autres passagers : une femme africaine avec son enfant dans le dos, et un Européen qui tenait un livre à la main.

– Peut-être que ce voyage est complètement inutile ?

– Sur Inhaca, en tout cas, vous serez en sécurité. Personne ne viendra vous agresser. Vous pouvez vous promener sur la plage sans crainte.

– Je serai de retour demain.

– Sauf si vous décidez de rester.
– Et pourquoi ?
– Qui sait ?

Les passagers gagnèrent l'avion dans la chaleur violente. Louise avait le vertige, elle avait peur de tomber. Elle inspira à fond et agrippa la rampe de la passerelle. Elle s'assit tout au fond. Devant elle, de l'autre côté, il y avait l'homme au livre ouvert.

Ne l'avait-elle pas déjà vu quelque part ? Son visage ne lui disait rien, mais il lui semblait reconnaître son dos. La peur la saisit sans crier gare. Mais elle se faisait des idées. Il n'y avait rien à craindre. Ce n'était qu'une illusion montée des profondeurs de son cerveau.

L'avion décolla, vira de bord au-dessus de la ville blanche avant de survoler la mer. Tout en bas, elle apercevait des bateaux de pêche, avec leur voile triangulaire, qui paraissaient immobiles parmi les vagues. L'avion commença presque aussitôt sa descente, et, quelques minutes après le décollage, atterrit sur la piste d'Inhaca. Une piste très courte, l'asphalte couvert de crevasses où de l'herbe avait pris racine.

Louise sortit dans la chaleur. On la conduisit à l'hôtel dans une remorque de tracteur, en compagnie de l'homme au livre. La femme avec son enfant disparut à pied parmi les hautes herbes. L'homme leva les yeux de son livre et lui adressa un sourire, qu'elle lui rendit.

Une fois à l'hôtel, elle demanda au jeune homme qu'elle trouva à la réception s'il s'appelait Zé.
– C'est son jour de congé. Il sera là demain.

La déception lui causa une bouffée d'impatience, qu'elle réprima aussitôt : inutile de gaspiller ses forces.

On la conduisit dans sa chambre, où elle vida son sac plastique avant de s'étendre sur le lit. Mais elle n'avait pas envie de rester couchée là. Elle descendit sur la plage. Marée basse. Quelques bateaux de pêche rouillés gisaient sur le flanc dans le sable. Elle pataugea le long du rivage. Au loin, dans la brume de chaleur, un groupe d'hommes relevait des filets.

Elle marcha dans l'eau chaude pendant plusieurs heures. Sa tête était complètement vide.

À la tombée de la nuit, elle dîna au restaurant de l'hôtel. Elle prit du poisson, but du vin, et était ivre quand elle regagna sa chambre. Une fois au lit, elle fit le numéro de portable d'Aron. Personne. Elle composa un SMS : « J'aurais besoin de toi, maintenant. » Elle l'envoya, comme on lancerait un message dans le cosmos, sans savoir s'il parviendra jamais à son destinataire.

Un bruit la réveilla en sursaut. Elle tendit l'oreille dans l'obscurité. Avait-elle été tirée de son sommeil par ses propres ronflements ? Elle alluma la lampe de chevet. Il était vingt-trois heures. Elle laissa la lampe allumée, arrangea ses oreillers et constata qu'elle était tout à fait réveillée. Les effets de l'alcool avaient disparu.

Une image lui revint en mémoire. Un dessin qu'Henrik avait fait pendant les années les plus difficiles de son adolescence. Il était devenu inaccessible, il se cachait dans une sorte de grotte invisible dont l'entrée lui était interdite. Elle-même avait détesté sa propre adolescence, l'âge des boutons et des complexes, des pensées suicidaires et de la colère larmoyante face aux injustices. Henrik était son exact opposé, il intériorisait tout. Mais un jour, il avait quitté sa tanière et déposé sans rien dire un dessin sur la table du petit-déjeuner. Toute la feuille était coloriée en rouge sang, avec une ombre noire qui s'étendait dans la partie inférieure du dessin. C'était tout. Il n'avait jamais expliqué son dessin, ni pourquoi il le lui avait donné. Mais elle pensait l'avoir compris.

La passion et le désespoir dans leur lutte permanente, un duel dont en fin de compte personne ne sort vainqueur.

Elle avait conservé le dessin dans un vieux coffre à vêtements, chez Artur.

Henrik avait-il jamais envoyé des dessins à Aron ? C'était une des nombreuses questions qu'elle aurait encore voulu lui poser.

L'air conditionné ronronnait doucement. Un insecte avec beaucoup de pattes traversa lentement et méthodiquement le plafond, la tête en bas.

Elle essaya une nouvelle fois de récapituler tout ce qui s'était passé. Elle revint en arrière, les sens en éveil, dans l'espoir de trouver une cohérence et une explication à la mort d'Henrik. Elle progressait prudemment, et elle avait l'impression qu'Aron se tenait à son côté. Il était près d'elle à présent, proche comme il l'avait été au début de leur mariage, quand ils s'aimaient et craignaient toujours de laisser trop de distance s'installer dans leur couple.

C'est à lui qu'elle essayait d'adresser ses pensées, comme dans une conversation ou une lettre. S'il vivait encore, il saisirait ce qu'elle tentait de comprendre, il l'aiderait à expliquer ce qu'elle ne faisait encore que deviner.

Henrik est mort dans son lit à Stockholm avec des somnifères dans le sang. Il portait un pyjama, il avait remonté le drap sur son menton. Pour Henrik c'était fini. Mais était-ce le fin mot de l'histoire ? La mort d'Henrik n'était-elle qu'un maillon d'une longue chaîne ? Il avait découvert quelque chose en Afrique, parmi les mourants de Xai-Xai. Au point que sa joie soudaine, ou plutôt, comme disait Nazrin, sa mélancolie disparue s'était transformée en terreur. Mais il y avait aussi chez Henrik des accents de rage, la volonté de se révolter. Se révolter contre quoi ? Contre quelque chose qu'il portait en lui ? Redoutait-il qu'on lui vole ses pensées, son cerveau, et qu'on le cache comme le cerveau de Kennedy après le meurtre de Dallas ? Ou bien cherchait-il lui-même à pénétrer dans le cerveau de quelqu'un d'autre ?

Louise continua d'avancer à tâtons. C'était comme s'aventurer dans les forêts autour de Sveg, que les branches et les broussailles rendent parfois impénétrables.

Il avait un appartement secret à Barcelone, et disposait de beaucoup d'argent. Il collectait des articles sur des chantages exercés contre des malades du sida. Il avait de plus en plus peur. Peur de quoi ? Avait-il compris trop tard qu'il s'avançait sur un terrain miné ? Avait-il vu quelque chose qu'il n'aurait pas dû voir ? Quelqu'un l'avait-il repéré, ou était-il parvenu à lire dans ses pensées ?

Il manque quelque chose. Henrik était toujours seul, même s'il y avait des gens autour de lui, Nazrin, Lucinda, Nuno da Silva, et cette amitié incompréhensible pour Lars Håkansson. Mais cependant il était seul, il ne les mentionne presque jamais dans ses notes.

Il doit y avoir d'autres personnes. Henrik n'était pas un loup solitaire. Qui étaient les autres ? Se trouvaient-ils à Barcelone, ou en Afrique ? Il me parlait souvent du monde merveilleux de l'Internet, grâce auquel on pouvait créer des réseaux avec des gens dans le monde entier.

Elle se méfia. Ses pensées cédaient sous ses pas, la glace était trop fine, elle passait sans cesse à travers. *Je suis trop impatiente, je parle trop, avant d'avoir bien écouté. Il faut que je continue*

253

de chercher de nouveaux fragments, le moment n'est pas encore venu d'essayer de reconstituer le puzzle.

Elle but de l'eau au goulot d'une bouteille qu'elle avait prise au restaurant. Au plafond, l'insecte avait disparu. Elle ferma les yeux.

La sonnerie du téléphone la réveilla. Il vibrait en clignotant sur la table de nuit. Elle répondit, à moitié endormie. La ligne grésillait, quelqu'un écoutait à l'autre bout du fil. Puis la communication fut coupée.

Il était minuit passé. Elle s'assit au bord du lit. *Qui avait appelé? Le silence est sans visage.* Du bar de l'hôtel lui parvenait une faible musique. Elle décida d'y descendre. Boire du vin l'aiderait à se rendormir.

Le bar était presque désert. Un Européen d'un certain âge était attablé dans un coin en compagnie d'une très jeune Noire. Louise se sentit mal à l'aise. Elle s'imaginait cet homme obèse se couchant tout nu sur cette fille qui ne pouvait pas avoir plus de dix-sept ou dix-huit ans. Lucinda avait-elle dû subir la même chose? Henrik avait-il vu ce qu'elle voyait?

Elle but deux verres de vin l'un après l'autre, paya l'addition et quitta le bar. Le vent nocturne était doux. Elle longea la piscine et s'écarta de la lumière des fenêtres. Elle n'avait jamais vu pareil ciel étoilé. Elle le scruta jusqu'à repérer ce qu'elle pensait être la Croix du Sud. Aron l'avait une fois appelée « le salut des navigateurs de l'hémisphère Sud ». Il la surprenait toujours par des connaissances inattendues. Henrik lui aussi pouvait être déroutant quand il s'intéressait à des sujets inhabituels. À neuf ans, il avait parlé de quitter l'école pour aller vivre avec les chevaux sauvages des steppes kirghizes. Mais cette fois-là, il était resté à la maison, car il ne voulait pas la laisser toute seule. Une autre fois, il avait affirmé qu'il serait marin et apprendrait à être un navigateur solitaire. Pas pour faire le tour du monde, ou montrer qu'il était capable de survivre : son rêve était de passer dix ans, vingt peut-être, sur un bateau sans jamais mettre pied à terre.

Elle sentit combien elle avait du chagrin. Henrik n'était pas devenu navigateur, n'était pas parti à la recherche des chevaux sauvages dans les steppes kirghizes. Mais il était en train de devenir quelqu'un de bien, avant qu'on ne lui passe un pyjama en guise de parure mortuaire.

Elle était à présent descendue jusqu'à la plage. Marée haute, les vagues déferlaient vers le rivage. L'obscurité effaçait les contours des bateaux de pêche tirés à terre. Elle enleva ses sandales et gagna la lisière de l'eau. Elle se crut transportée au Péloponnèse. Elle fut submergée par la nostalgie de son travail dans les fouilles poussiéreuses, de ses collègues, des étudiants curieux et maladroits, de ses amis grecs. Les cigarettes nocturnes qu'elle fumait devant la maison de Mitsos en entendant aboyer les chiens sur fond de musique grecque mélancolique lui manquaient.

Un crabe passa sur un de ses pieds. Au loin, elle voyait les lumières de Maputo. Une fois encore, Aron lui apparut : *La lumière peut traverser de longues distances au-dessus de l'eau sombre. Imagine que la lumière s'éloigne ou s'approche de toi. Dans la lumière, tu trouveras aussi bien tes amis que tes ennemis.*

Aron avait dit encore quelque chose d'autre, mais elle perdit le fil de ses pensées.

Elle retint son souffle. Il y avait quelqu'un dans le noir, quelqu'un qui l'observait. Elle se retourna : les ténèbres, et la lumière du bar, au loin, à une distance qui semblait infinie. Elle était morte de peur, son cœur s'emballa. Quelqu'un était en train de l'épier.

Elle se mit à crier, hurla jusqu'à ce qu'elle aperçoive des lampes de poche venir de l'hôtel en direction de la plage. Quand elle fut capturée dans les faisceaux lumineux, elle se sentit comme un animal traqué.

Deux hommes, le réceptionniste et un des barmen, lui demandèrent pourquoi elle avait crié, si elle s'était blessée ou avait été mordue par un serpent.

Elle se contenta de faire non de la tête, prit la lampe du réceptionniste et éclaira la plage. Il n'y avait personne. Mais quelqu'un avait été là, elle le sentait.

Ils revinrent vers l'hôtel. Le réceptionniste la raccompagna jusqu'à sa chambre. Elle s'apprêtait à passer une nuit blanche, mais réussit pourtant à s'endormir. Elle rêva des perroquets rouges d'Apollo Bay. Ils étaient très nombreux, tout un vol qui battait des ailes sans bruit.

17

Un brouillard humide voilait le ciel quand elle descendit. Un homme qu'elle n'avait pas encore vu était à la réception

– Zé ?

– José, répondit-il. Zé est une abréviation.

Louise expliqua qu'elle connaissait Lucinda et demanda s'il y avait un peintre sur l'île.

– Ça ne peut être qu'Adelinho. Personne d'autre ne peint sur cette île, c'est le seul à commander des couleurs à Maputo. Il y a des années, il les préparait lui-même en mélangeant des racines, des feuilles, de la terre. Il peint des tableaux étonnants, des dauphins, des danseuses, parfois des visages grimaçants qui peuvent mettre mal à l'aise.

– Où habite-t-il ?

– C'est trop loin pour y aller à pied. Mais Ricardo, qui est venu vous chercher à l'aéroport, peut vous y conduire pour une somme modique.

– J'aimerais rendre visite à Adelo.

– Adelinho. Rappelez-vous son nom : depuis que ses tableaux ont commencé à être recherchés, le succès lui est un peu monté à la tête. Je vais demander à Ricardo d'être ici dans une heure.

– Une demi-heure me suffit pour le petit-déjeuner.

– Mais pas à Ricardo. Il met un point d'honneur à ce que sa

vieille jeep soit impeccable quand il doit partir en excursion avec une belle femme. Il sera là dans une heure.

Louise prit son petit-déjeuner à l'ombre d'un arbre. Dans la piscine, un nageur faisait des longueurs avec des mouvements lents. Un chien vint s'asseoir à ses pieds.

Un bâtard africain. Aussi ébouriffé que les chiens avec lesquels je jouais enfant. Et maintenant j'ai un père qui te ressemble.

Le nageur sortit du bassin. Une de ses jambes était amputée au niveau du genou. Il sautilla jusqu'à une chaise longue où l'attendait sa prothèse. Le garçon, qui marchait pieds nus, vint proposer à Louise plus de café. Il désigna l'homme d'un mouvement de la tête.

— Il vient nager tous les jours, toute l'année. Même quand il fait froid.

— Il peut faire froid dans ce pays ?

Le garçon prit un air soucieux.

— En juillet, il peut faire cinq degrés la nuit. Alors, on gèle.

— Moins cinq degrés ?

Elle regretta aussitôt d'avoir posé cette question en voyant la grimace du garçon.

Il remplit sa tasse et balaya quelques miettes de pain aussitôt englouties par le chien. Sur sa chaise longue, l'homme avait fini d'ajuster sa prothèse.

— Le commandant Ricardo est un homme curieux. C'est notre chauffeur. Il dit qu'il a fait de nombreuses guerres, mais personne n'en est sûr. On raconte aussi qu'un jour de cuite il s'est allongé sur une voie ferrée, et qu'il y a laissé une jambe. Impossible d'en avoir le cœur net. Le commandant Ricardo est un homme hors du commun.

– On m'a dit qu'il prenait grand soin de sa jeep.

Le garçon se pencha vers elle, sur le ton de la confidence.

– Le commandant Ricardo met un point d'honneur à être toujours très propre sur lui, mais on se plaint souvent de la saleté de sa jeep.

Louise régla l'addition et regarda l'homme sortir de l'hôtel. Habillé, il était impossible de voir qu'une de ses jambes était en partie artificielle.

Il passa la chercher devant l'hôtel. Le commandant Ricardo avait environ soixante-dix ans. Il était en forme, bronzé, ses cheveux gris soigneusement peignés. Un Européen avec une bonne dose de sang noir, pensa Louise. L'histoire de ses origines familiales est certainement passionnante. Le commandant parlait anglais avec un accent british.

– On m'a dit que Mme Cantor désire rendre visite à notre Raphaël. Il sera ravi. Il apprécie les visites féminines.

Elle s'assit à l'avant de la jeep. Le commandant plaça le pied de sa jambe artificielle sur l'accélérateur. Ils s'engagèrent sur une piste qui serpentait parmi les hautes herbes vers le sud de l'île. Ricardo conduisait par à-coups, et ne se donnait pas la peine de freiner quand la piste se transformait en fondrière. Louise se tenait des deux mains pour ne pas risquer d'être éjectée. Les compteurs indiquaient zéro, ou se mettaient à vibrer pour monter à des vitesses et des températures incompréhensibles. Elle avait l'impression d'être embarquée dans un véhicule militaire en pleine guerre.

Après une demi-heure, le commandant freina. Ils étaient arrivés dans une partie boisée de l'île. On apercevait des cabanes basses parmi les arbres. Ricardo les désigna de la main.

– C'est là-dedans que vit notre cher Raphaël. Combien de temps voulez-vous rester ? Quand dois-je passer vous reprendre ?

– Vous ne restez pas ?

259

— Je suis trop vieux pour perdre du temps à attendre. Je serai de retour dans quelques heures.

Louise regarda autour d'elle, sans voir personne.

— Vous êtes sûr qu'il est là ?

— Notre cher Raphaël est arrivé sur Inhaca à la fin des années cinquante. Il fuyait ce qu'on appelait à l'époque le Congo belge. Depuis, il n'a jamais quitté l'île, et il ne sort presque jamais de chez lui.

Louise descendit de la jeep. Le commandant Ricardo la salua d'un coup de casquette et disparut dans un nuage de poussière. Le bruit du moteur s'estompa. Louise remarqua le calme étrange qui l'entourait. Pas d'oiseaux, pas de grenouilles qui coassaient, pas non plus de vent. Elle eut une troublante impression de déjà-vu. Puis elle comprit que c'était la même sensation que dans les épaisses forêts du nord de la Suède, où le son et les distances cessent parfois d'exister.

Se retrouver dans un silence saisissant, c'est faire l'expérience d'une immense solitude. C'est ce qu'avait dit Aron pendant une randonnée dans les montagnes norvégiennes. C'était le début de l'automne, des couleurs ocre, elle commençait à se demander si elle n'était pas enceinte. Ils randonnaient dans les montagnes autour de Rjukan. Un soir, ils avaient monté la tente près d'un lac d'altitude. Aron avait parlé du silence, chargé d'une solitude inimaginable, presque insoutenable. À l'époque, elle n'avait pas trop écouté ce qu'il racontait, tout emplie de l'idée qu'elle était peut-être enceinte. Mais à présent elle se souvenait de ses paroles.

Quelques chèvres broutaient sans se soucier d'elle. Elle suivit le sentier qui menait aux cabanes cachées parmi les arbres. Les cabanes étaient disposées en cercle dans une clairière sablonneuse.

Un feu presque éteint fumait. Toujours personne. Puis elle vit une paire d'yeux qui l'observaient. Une tête dépassait d'une véranda. L'homme se leva et lui fit signe d'approcher. Elle n'avait jamais vu un homme aussi noir. Sa peau avait une nuance bleu sombre. Il s'avança, torse nu, gigantesque.

Il avait une voix traînante, cherchait ses mots en anglais. Il commença par lui demander si elle parlait français.

– Ça me vient plus facilement. Je suppose que vous ne parlez pas portugais ?

– Mon français n'est pas non plus très bon.

– Alors parlons anglais. Vous êtes la bienvenue, madame Cantor. J'aime votre prénom. Louise. Cela sonne comme un mouvement rapide sur l'eau, un reflet de soleil, une touche de turquoise.

– Comment connaissez-vous mon nom, et comment saviez-vous que j'allais venir ?

Il sourit en lui présentant un siège sur la véranda.

– Sur une île, il faudrait être fou pour vouloir garder un secret.

Elle s'assit. Il resta debout à la regarder.

– Je fais bouillir mon eau pour que mes invités n'aient pas de problèmes intestinaux. Vous pouvez boire sans crainte. À moins que vous ne préfériez un verre de grappa ? J'ai un ami italien, Giuseppe Lenate, qui me rend visite de temps en temps. Il vient ici se réfugier dans la solitude quand il en a assez des cantonniers dont il a la responsabilité. Il apporte sa grappa. Nous en buvons tant que nous nous endormons sur place. Le commandant le reconduit à l'aéroport, il rentre à Maputo, et un mois après il revient.

– Je ne bois pas d'eau-de-vie.

Le géant disparut dans sa petite maison sombre. Louise pensa au cantonnier italien. Était-ce un de ceux qui avaient passé la nuit dans le bar de Lucinda ? Décidément, à Maputo, le monde était petit.

Adelinho revint avec deux verres d'eau.

– Je suppose que vous êtes venue voir mes tableaux ?

Louise décida sur un coup de tête d'attendre avant de parler d'Henrik.

– C'est une femme que j'ai rencontrée à Maputo qui m'a parlé de vos tableaux.

– Elle a un nom ?

Elle prit un nouveau détour.

– Julieta.

– Je ne connais personne qui s'appelle comme cela. C'est une femme du Mozambique, une femme noire ?

Louise hocha la tête.

– Qui êtes-vous ? J'essaie de deviner votre nationalité. Vous êtes allemande ?

– Suédoise.

– J'ai déjà eu la visite de quelques Suédois. Pas beaucoup, pas souvent. Seulement de temps en temps.

Il commença à pleuvoir. Louise n'avait pas remarqué que le brouillard matinal s'était transformé en ciel nuageux au-dessus d'Inhaca. La pluie fut violente dès les premières gouttes. Adelinho regarda le toit de la véranda d'un air préoccupé, et secoua la tête.

– Ce toit finira par s'effondrer. Les tôles rouillent, les poutres pourrissent. L'Afrique n'a jamais aimé les maisons construites pour durer.

Il se leva et lui fit signe de le suivre à l'intérieur. Il y avait une unique grande pièce, avec un lit, des rayonnages de livres, des rangées de tableaux appuyés contre les murs, quelques chaises sculptées, des sculptures sur bois, des tapis.

Il commença à exposer ses toiles, les appuyant contre le lit, la table, les chaises. Il avait peint à l'huile sur des plaques de masonite. Les formes et les motifs rayonnaient d'un charme naïf, comme s'ils étaient l'œuvre d'un enfant s'efforçant d'être fidèle à la réalité. Des dauphins, des oiseaux, des visages de femmes, exactement ce qu'avait décrit Zé.

Elle se figura d'emblée Adelinho comme le peintre des dauphins, qui pouvait faire la paire avec son père et ses œuvres toujours en train de pousser, là-bas, dans les forêts du nord de la Suède. Ils léguaient leurs dauphins et leurs visages à la postérité, mais son père avait, lui, un don artistique qui manquait au peintre de l'île.

– Quelque chose vous plaît ?

– Les dauphins.

– Je suis un mauvais peintre, sans aucun talent. Je le sais bien, croyez-moi. Je ne suis même pas capable de construire une perspective correcte. Mais personne ne peut m'obliger à arrêter de peindre. Je peux continuer à cultiver ma mauvaise herbe.

La pluie tombait avec fracas sur le toit en tôle ondulée. Ils restèrent assis sans rien dire. Au bout d'un moment, la pluie se calma, et il fut à nouveau possible de parler.

– Mon chauffeur m'a dit que vous êtes originaire du Congo ?

– Ricardo ? Il est toujours trop bavard. Mais pour une fois il a dit vrai. J'ai fui ce pays avant que ne s'y installe le chaos complet. Quand Dag Hammarskjöld s'est écrasé au nord de la Zambie, du côté de Ndola – on disait la Rhodésie du Nord, à l'époque –, j'étais déjà ici. Il régnait un chaos effroyable. Les Belges étaient des colonisateurs brutaux, ils nous ont opprimés pendant des générations, mais au moment de l'indépendance le conflit qui a éclaté était au moins aussi atroce.

– Pourquoi avez-vous fui ?

– Il le fallait. J'avais vingt ans, c'était trop tôt pour mourir.

Vous vous occupiez de politique ? Si jeune ?

Il la jaugea du regard. La pluie plongeait la pièce dans la pénombre. Elle devinait à peine ses yeux.

– Qui a dit que je m'occupais de politique ? J'étais un jeune homme ordinaire, sans formation. J'attrapais des chimpanzés que je vendais à un laboratoire belge. Il se trouvait à la périphérie de Léopoldville, rebaptisée Kinshasa depuis. Ce grand bâtiment avait quelque chose de mystérieux. Il était isolé, entouré par une haute clôture. Des hommes et des femmes en blouse blanche y travaillaient. Parfois ils portaient des masques aussi. Ils voulaient des chimpanzés. Ils payaient bien. Mon père m'avait appris comment attraper les singes vivants. Les hommes en blanc m'appréciaient. Un jour, on m'a proposé de travailler avec eux. On m'a demandé si j'avais peur de dépecer des animaux, de les charcuter, de voir du sang. J'étais un chasseur, je pouvais tuer un animal sans sourciller, alors j'ai eu le travail. Je n'oublierai jamais ce que j'ai ressenti la première fois que j'ai enfilé une blouse blanche. C'était comme revêtir un manteau royal, ou une peau de léopard, comme les chefs africains ont coutume de faire. Cette blouse blanche signifiait que je faisais un premier pas dans un univers magique de pouvoir et de connaissance.

Il s'interrompit et se pencha en avant.

– Je suis un vieil homme trop bavard. Je n'ai vu personne depuis plusieurs jours. Mes femmes habitent de leur côté, elles viennent me faire à manger, mais nous ne parlons pas, puisque nous n'avons plus rien à nous dire. Ce silence m'affame. Si je vous fatigue, vous n'avez qu'à le dire.

– Non, non, continuez.

– Vous voulez que je raconte comment ma blouse s'est couverte de sang ? Il y avait un docteur, Levansky. Il m'a conduit dans une grande pièce où tous les chimpanzés étaient enfermés dans des cages. Il m'a montré comment je devais éventrer les bêtes pour prélever le foie et les reins. On jetait le reste du cadavre, qui était sans aucune valeur. Il m'a expliqué comment rédiger le procès-verbal de chaque opération. Puis il m'a donné un chimpanzé, je m'en souviens encore, un jeune qui criait après sa mère, c'était horrible, je peux encore l'entendre. Le Dr Levansky était content. Mais je n'aimais pas ça, je ne comprenais pas pourquoi il fallait s'y prendre de cette façon. Je peux dire que je n'aimais pas voir ma blouse blanche couverte de sang.

– Je crois que je ne comprends pas bien ce que vous voulez dire.

– C'est si difficile ? Mon père m'avait appris qu'on pouvait tuer des animaux pour les manger, pour leur peau, ou pour se défendre, protéger son bétail ou ses récoltes. Mais on ne tue jamais pour faire souffrir, sinon les dieux vous abattent, envoient pour vous punir des créatures invisibles qui vous poursuivent et vous rongent les jambes jusqu'à l'os. Je ne comprenais pas pourquoi il fallait que j'arrache le foie et les reins de singes encore vivants. Ils se débattaient dans les sangles, plaqués contre la table, ils criaient comme des êtres humains. J'ai appris combien les animaux et les hommes se ressemblent quand on les torture.

– Pourquoi cette cruauté ?

– Pour les préparations spéciales que produisait le laboratoire, il fallait que les organes soient prélevés sur des animaux vivants. Je risquais de perdre mon travail si j'en parlais hors du laboratoire. Le Dr Levansky disait que les hommes en blouse blanche gardaient toujours leurs secrets. J'avais l'impression d'avoir été pris au piège, comme si j'étais un des chimpanzés et que le laboratoire était ma cage. Mais quand j'ai compris cela, c'était trop tard.

Pendant un moment, la pluie tambourina plus fort contre le toit. Le vent s'était levé. Ils attendirent à nouveau que la pluie diminue.

– Un piège ?

– Oui, un piège. Il ne s'était pas refermé sur mon pied ou ma main. Sans bruit, il m'avait pris à la gorge. Je n'ai d'abord rien remarqué. Je me suis habitué à tuer mes chimpanzés hurlants, à prélever les organes que je portais dans des seaux de glace jusqu'au laboratoire proprement dit, où on ne me laissait jamais entrer. Certains jours, il ne fallait tuer aucun singe. Je devais alors veiller à ce qu'ils se portent bien, à ce qu'aucun ne tombe malade. C'était comme passer parmi des condamnés à mort, en faisant comme si de rien n'était. Mais je trouvais le temps long, et j'ai commencé à regarder autour de moi, même si je n'avais en principe pas le droit de m'éloigner de mes singes en cage. Après quelques mois, je suis descendu au sous-sol.

Adelinho se tut. La pluie avait presque cessé de tambouriner sur le toit en tôle ondulée.

— Et là, qu'avez-vous trouvé ?

— D'autres chimpanzés. Mais avec une différence de moins de 3 % dans leur patrimoine génétique. À l'époque, je ne savais pas ce que c'était, maintenant oui.

— Je ne comprends pas ? Il y avait d'autres chimpanzés ?

— Sans cage. Sur des civières.

— Des singes morts ?

— Non, des hommes. Mais pas morts. Pas encore. Je suis entré dans une pièce où ils étaient entreposés, serrés les uns contre les autres. Des enfants, des vieux, des femmes, des hommes. Tous étaient malades. Il régnait là-dedans une puanteur atroce. Je me suis enfui. Mais je n'ai pas pu m'empêcher d'y retourner un peu plus tard. Que faisaient-ils couchés là ? À ce moment-là j'ai compris que j'étais tombé dans le pire piège qui soit. Un piège où il ne faut pas voir ce que l'on voit et où l'on doit agir sans réagir. En m'approchant de la cave où ils étaient cachés, j'ai entendu d'horribles cris. Ils provenaient d'une pièce voisine. Je ne savais pas quoi faire. Que se passait-il ? Je n'avais jamais entendu des cris pareils. Soudain, ils ont cessé. J'ai entendu une porte s'ouvrir. Je me suis caché sous une table. J'ai entrevu des jambes et des blouses blanches. Je suis ensuite allé jusqu'à la pièce où j'avais entendu crier. Il y avait un cadavre sur une table. Une femme, elle pouvait avoir vingt ans. On l'avait ouverte comme je faisais avec mes singes. J'ai tout de suite compris qu'à elle aussi on avait prélevé le foie et les reins alors qu'elle vivait encore. J'ai pris mes jambes à mon cou, et pendant une semaine je ne suis pas retourné au laboratoire. Et puis quelqu'un est venu avec une lettre du Dr Levansky, qui me menaçait si je ne revenais pas. Je n'ai rien osé faire d'autre que de retourner au laboratoire. Le Dr Levansky n'était pas fâché, il était gentil avec moi, je n'y comprenais plus rien. Il m'a demandé la raison de mon absence, et je lui ai dit la vérité, que j'avais vu les malades, et cette femme qu'on avait ouverte vivante. Le Dr Levansky m'a expliqué qu'on l'avait endormie, et qu'elle n'avait rien senti. Je l'avais pourtant bien entendue, et lui il me mentait effrontément, il faisait semblant d'être gentil. Il m'a expliqué qu'il se servait des malades pour expérimenter de nouveaux médicaments et que tout ce qui se passait dans le laboratoire devait rester secret parce que beaucoup de gens se battaient pour mettre la main sur ces formules secrètes. Quand j'ai demandé quelle maladie il cherchait à soigner, et de quoi souffraient les malades, il a dit qu'ils avaient tous le même genre de fièvre liée à une infection gastrique. J'ai alors compris qu'il mentait à nouveau. J'avais eu le temps de voir dans cette pièce qu'ils avaient tous des maladies différentes. À mon avis, on les avait infectés pour ensuite tester des médicaments. On les utilisait comme des chimpanzés.

– Que vous est-il arrivé ensuite ?

– Rien. Le Dr Levansky a continué à être gentil. Mais je savais qu'on me tenait à l'œil. J'avais vu ce que je n'aurais pas dû voir. Puis la rumeur a couru que des gens avaient été enlevés aux environs de Léopoldville et avaient disparu dans le laboratoire. C'était en 1957, personne ne savait ce que le pays allait devenir. Sans y avoir réfléchi, je me suis réveillé un matin, décidé à m'en aller. J'étais convaincu que j'allais un jour finir moi aussi à la cave, attaché à une table avec des lanières de cuir et écorché vif. Je ne pouvais pas rester, alors je suis parti. Je suis d'abord allé en Afrique du Sud, puis je suis venu ici. Je sais maintenant que j'ai eu raison. Le laboratoire utilisait des chimpanzés et des hommes pour ses expériences. Il n'y a que 3 % de différence entre le patrimoine génétique d'un homme et celui d'un chimpanzé. Mais déjà dans les années cinquante, on voulait avancer d'un pas ou plutôt de trois, franchir la dernière étape. En essayant de gommer cette différence.

Adelinho se tut. Des rafales de vent secouaient les tôles du toit. Une odeur de pourriture montait de la terre humide.

– Je suis arrivé ici. J'ai longtemps travaillé dans le petit dispensaire. Aujourd'hui, j'ai mes terres, mes femmes, mes enfants. Et je peins. Mais je me suis tenu au courant : mon ami, le Dr Raul, un Cubain, me garde toutes ses revues médicales. Je les lis et je me rends bien compte qu'on utilise aujourd'hui encore des êtres humains comme cobayes. Il paraît qu'on fait ça même dans ce pays. Beaucoup le nieraient, bien sûr. Mais je sais ce que je sais. J'ai beau être un homme simple, je me suis instruit.

Les nuages s'étaient dissipés, le soleil brillait à présent. Louise le regarda. Elle frissonna.

– Vous avez froid ?

– Je pense à ce que vous venez de raconter.

– Les médicaments sont des matières premières qui peuvent valoir autant que des métaux rares ou des pierres précieuses, et les gens sont prêts à tout pour satisfaire leur cupidité.

– Je veux savoir ce que vous avez entendu.

– Je n'en sais pas plus. Il y a des bruits qui courent.

Il ne me fait pas confiance. Il a toujours peur de ce piège qui a failli se refermer sur lui il y a si longtemps, quand il était encore jeune.

Adelinho se leva. Il fit une grimace en étirant sa jambe.

– La vieillesse et son lot de souffrances. Le sang hésite à couler dans les artères, on se met soudain à rêver en noir et blanc. Voulez-vous voir d'autres tableaux ? Je peins aussi les gens qui viennent me voir, comme les photos de classe qu'on prenait autrefois. Je me trompe, ou vous êtes enseignante ?

– Je suis archéologue.

– Et vous trouvez ce que vous cherchez ?

– Parfois. Parfois aussi je trouve ce que je ne cherche pas.

Elle sortit quelques toiles sur la véranda pour les examiner à la lumière du jour.

Elle le vit aussitôt. Son visage, dans la rangée de derrière. Il n'était pas très ressemblant, mais il n'y avait aucun doute. C'était Henrik. Il était venu ici, et avait écouté l'histoire d'Adelinho. Elle continua à examiner les peintures. Reconnaîtrait-elle d'autres visages ? Des Européens, quelques Asiatiques. Beaucoup de jeunes filles.

Elle reposa le tableau et essaya de rassembler ses idées. La découverte d'Henrik lui avait fait un choc.

– Mon fils Henrik est venu ici. Vous vous souvenez de lui ?

Elle lui montra du doigt le portrait. Il plissa les yeux et hocha la tête.

– Oui, je me souviens. Un jeune homme sympathique. Comment va-t-il ?

– Il est mort.

Elle avait fait son choix : ici, à Inhaca, dans la maison de cet inconnu, elle pouvait se permettre de dire ouvertement le fond de sa pensée.

– Il a été assassiné chez lui.

269

– À Barcelone ?

Elle eut une bouffée de jalousie. Pourquoi fallait-il que tous en aient su plus long qu'elle ? Elle était sa mère pourtant, elle l'avait élevé jusqu'à ce qu'il parte vivre sa vie.

Elle comprit soudain : *il avait toujours dit qu'il la protégerait quoi qu'il arrive. N'était-ce pas précisément ce qu'il avait fait en lui cachant l'existence de son appartement de l'impasse du Christ ?*

– Personne ne sait ce qui s'est passé. J'essaie de le comprendre en suivant ses traces.

– Et elles vous ont menée jusqu'ici ?

– Bien sûr puisqu'il est venu ici. Vous avez peint son portrait, et je crois que vous lui avez raconté la même chose qu'à moi.

– Il m'a posé des questions.

– Comment pouvait-il savoir que vous saviez quelque chose ?

– La rumeur.

– Quelqu'un a dû lui parler de vous. Et vous, de votre côté, vous avez dû en parler à quelqu'un.

Comme il ne répondait rien, elle continua. Elle n'avait pas besoin de chercher, les questions se posaient d'elles-mêmes.

– Quand est-il venu ici ?

– Il n'y a pas si longtemps. J'ai peint le tableau juste après. C'était avant la saison des pluies, si je me souviens bien.

– Comment est-il arrivé ici ?

– Comme vous, en jeep, avec le commandant.

– Il était seul ?

– Oui.

Était-ce la vérité ? Louise hésita. N'y avait-il pas quelqu'un d'autre, une silhouette invisible à ses côtés ?

Adelinho sembla lire dans ses pensées.

270

– Il est venu seul. Pourquoi ne dirais-je pas la vérité ? On bafoue la mémoire d'un mort en mentant sur sa tombe.

– Comment vous avait-il trouvé ?

– Grâce à mon ami, le Dr Raul, qui est fier d'être le fils d'un des premiers compagnons de lutte de Fidel Castro, qui a débarqué avec lui à Cuba. Comment s'appelait leur bateau déjà ?

– *Granma*.

– Oui, c'est ça. Un vieux rafiot qui menaçait de couler. Mais en quelques années ils ont chassé Batista et les Américains. *Yankees Go Home*, comme on disait à l'époque dans le monde entier. Aujourd'hui tout le monde rampe devant ce pays, mais la vérité finira bien par éclater un jour, et tout le monde saura comment ils ont aidé les Belges et les Portugais à nous opprimer.

– Comment Henrik avait-il rencontré le Dr Raul ?

– Le Dr Raul n'est pas seulement un bon gynécologue que ses patientes apprécient parce qu'il les traite avec un profond respect. C'est aussi une âme généreuse. Il déteste les multinationales pharmaceutiques et leurs laboratoires de recherche. Sans généraliser, bien sûr, car même dans ce monde-là, la bonne volonté côtoie la cupidité. C'est un éternel combat. Mais le Dr Raul dit que la cupidité gagne du terrain, elle avance ses pions sans répit. À une époque où les milliards de dollars volent en tous sens, guidés par la seule loi du profit, la cupidité est en train d'asseoir son hégémonie mondiale. C'est un bien grand mot, que je n'ai appris que sur mes vieux jours. À présent, la cupidité a jeté son dévolu sur ce petit virus qui se répand telle la peste dans le monde. Personne n'en connaît encore l'origine, même si on suppose qu'il s'agit d'un virus du singe qui a franchi la barrière génétique pour contaminer les hommes, et cela non pas pour les anéantir, mais pour faire comme vous et moi.

– C'est-à-dire ?

– Survivre. Ce minuscule virus, tout faible, ne désire rien d'autre. Un virus n'a pas de conscience, on ne peut pas lui reprocher d'ignorer la différence entre la vie et la mort, il fait ce pourquoi il est programmé, voilà tout : survivre, créer d'autres générations de virus poursuivant le même but, la survie. Le Dr Raul dit qu'au fond, le petit virus et l'homme devraient vivre en bonne intelligence, et se faire signe d'une rive à l'autre du fleuve de l'existence. Des fétus de paille dans le vent devraient parler le même langage. Celui de la survie. Mais il n'en va pas ainsi, le virus provoque le chaos, comme une voiture sans pilote lancée dans la circulation. Le Dr Raul dit que c'est à cause d'un autre virus. Il l'appelle « virus de l'avarice, type 1 ». Il se propage aussi vite et il est aussi dangereux que la maladie endémique. Le Dr Raul essaie de lui résister, de contenir l'expansion de ce virus. Il m'envoie les gens en qui il a confiance. Il veut qu'ils sachent que l'horreur a une histoire. Ces gens viennent me voir, et je leur raconte comment dans les années cinquante on prélevait des organes sur des personnes vivantes, des gens qu'on avait enlevés chez eux, à qui on inoculait différentes maladies pour servir de cobayes. Cela n'arrive pas que sous un régime malade comme celui de l'Allemagne nazie, cela s'est produit après la guerre, et continue encore aujourd'hui.

– À Xai-Xai ?

– Personne ne le sait.

– Henrik était peut-être sur une piste ?

– Je crois que oui. Je lui avais dit d'être prudent. Il y a des gens prêts à tout pour dissimuler la vérité.

– Vous a-t-il jamais parlé du cerveau de Kennedy ?

– Le président assassiné et son cerveau qui a disparu ? Il avait beaucoup lu à ce sujet.

– Vous a-t-il expliqué pourquoi il était à ce point obsédé par cette histoire ?

– Ce n'était pas l'histoire en elle-même qui avait retenu son attention. D'autres présidents ont déjà été assassinés et d'autres le seront encore. N'importe quel président des États-Unis sait bien qu'il est dans la ligne de mire de centaines d'armes invisibles braquées sur lui. Ce qui intéressait Henrik, c'était le cerveau. Il voulait savoir ce qui s'était passé : s'il comprenait comment on pouvait dissimuler quelque chose au plus haut niveau de l'État, il saurait aussi comment le révéler.

– Je sais qu'il a vu à Xai-Xai quelque chose qui l'a transformé.

– Il n'est jamais revenu ici, alors qu'il me l'avait promis. Le Dr Raul ne savait pas non plus ce qu'il était devenu.

– Il s'est enfui, parce qu'il avait peur.

– Il aurait pu écrire, envoyer un de ces merveilleux messages électroniques pour chuchoter à l'oreille du Dr Raul.

– Mais on l'a assassiné.

Louise et l'homme qui lui faisait face surent tous deux au même moment ce que cela signifiait. Il ne fallait plus se poser de questions, Louise sentait qu'elle approchait du point où la mort d'Henrik prenait sens.

– Il devait savoir quelque chose. Il devait aussi avoir compris qu'ils savaient qu'il savait, alors il a pris peur et s'est enfui.

Qui ça, « ils » ? demanda Louise.

Il secoua la tête.

– Je ne sais pas.

– Cette personne à Xai-Xai qu'on appelle Christian Holloway ?

– Je ne sais pas.

Un bruit de moteur s'approcha. Le commandant Ricardo manœuvra sa jeep dans la cour. Au moment de sortir sur la véranda, Adelinho lui posa la main sur l'épaule.

– Combien de personnes savent que vous êtes la mère d'Henrik ?

– Ici ? Pas beaucoup.
– Cela vaut peut-être mieux.
– C'est une mise en garde ?
– Je crois que ce n'est pas nécessaire.

Le commandant Ricardo s'énervait sur son klaxon. Quand la voiture eut démarré, elle se retourna et vit Adelinho, immobile, sous la véranda. `
Déjà il lui manquait. Elle se doutait qu'elle ne le reverrait jamais.

Elle retourna à Maputo avec le même avion et le même pilote vers deux heures de l'après-midi. Le passager au livre n'y était pas. On amena en revanche un jeune homme jusqu'à l'avion. Il était si faible qu'il tenait à peine sur ses jambes. Deux femmes le soutenaient, peut-être sa mère et sa sœur. Sans pouvoir en être sûre, Louise supposa qu'il avait le sida. Il n'était pas seulement séropositif, la maladie s'était déclarée et était en train de l'emporter.
Cela la bouleversa. Si Henrik avait continué à vivre, il aurait pu lui aussi finir dans cet état. Elle l'aurait soutenu. Mais elle, qui l'aurait soutenue ? Elle sentit déferler son chagrin. Quand l'avion décolla, elle aurait voulu qu'il s'écrase pour disparaître dans les ténèbres. Mais la mer turquoise s'étendait déjà sous ses yeux. Elle ne pouvait pas revenir en arrière.

À l'atterrissage, elle avait pris sa décision. *C'était à Xai-Xai qu'Henrik lui était le plus clairement apparu. Elle avait senti sa présence.* Elle ne se soucia même pas de passer chez Lars Håkansson pour se changer. Elle ne téléphona pas non plus à Lucinda. Elle avait besoin de rester seule pour le moment. Elle alla au comptoir d'une agence pour louer une voiture. On lui annonça que le véhicule serait disponible dans une demi-heure.

Si elle quittait Maputo à quinze heures, elle serait à Xai-Xai avant la nuit. En attendant, elle feuilleta un annuaire téléphonique. Elle trouva plusieurs médecins au nom de Raul. Impossible de savoir lequel était le bon car aucun n'était inscrit comme gynécologue.

Sur la route de Xai-Xai, elle manqua d'écraser une chèvre qui avait surgi devant sa voiture. Elle pila et faillit perdre le contrôle de son véhicule. Une des roues arrière mordit au dernier moment sur une plaque de goudron, lui évitant la sortie de route. Elle dut s'arrêter pour reprendre ses esprits.

La mort l'avait frôlée.

Elle reconnut la piste latérale qui menait jusqu'à la plage de Xai-Xai ct s'arrêta à l'hôtel. On lui donna une chambre au deuxième étage. Elle batailla avec la douche avant d'obtenir de l'eau. Tous ses vêtements sentaient la sueur. Elle descendit sur la plage et acheta un de ces *capulana*, un paréo dont se drapent les Africaines. Elle se promena au bord de l'eau en repensant à cc que lui avait dit le peintre aux dauphins.

Au soleil couchant, les ombres s'étiraient. Elle retourna dîner à l'hôtel. Dans un coin, un albinos jouait d'un instrument qui ressemblait à un xylophone. Elle goûta un vin rouge coupé qui sentait le bouchon. Laissa la bouteille et but de la bière. La lune brillait au-dessus de la mer. Elle aurait voulu passer à gué parmi ses reflets. Une fois dans sa chambre, elle barricada sa porte avec une table et s'endormit, la moustiquaire déchirée entourée autour des pieds.

Elle rêva de chevaux au galop dans un paysage enneigé. Artur était là, sa goutte au nez avait gelé et il pointait du doigt l'horizon. Elle n'arrivait pas à comprendre ce qu'il attendait d'elle.

Elle se leva tôt et descendit à la plage. Le soleil émergeait au large. Un bref instant, elle imagina qu'Aron et Henrik étaient à ses côtés, qu'ils regardaient tous trois droit vers le soleil levant.

Elle retourna au village de Christian Holloway. Il y régnait le même silence que la fois précédente. Un cimetière. Elle resta longtemps assise dans la voiture à attendre que quelqu'un se montre. Seul un chien noir ébouriffé allait et venait. Le long d'un des bâtiments, elle entrevit quelque chose qui ressemblait à un rat.

Personne. Un silence oppressant. Elle sortit de la voiture, gagna l'une des cases et ouvrit la porte. D'un seul coup, elle entra dans un autre monde, celui des malades et des morts.

Plus rapidement encore qu'à sa première visite, elle sentit l'odeur âcre. *La mort prend à la gorge comme un acide. C'est l'odeur des cadavres, avant la putréfaction.*

La pièce était crasseuse, pleine d'ordures et d'angoisse. Les malades étaient pour la plupart recroquevillés en position fœtale sur des civières ou à même le sol, seuls les plus jeunes enfants étaient étendus sur le dos. Elle se déplaçait lentement, essayant d'habituer ses yeux à la pénombre. Qui étaient-ils ? Pourquoi étaient-ils là ? Ils avaient été contaminés par le virus du sida et allaient mourir. Voilà à quoi devaient ressembler jadis les fumeries d'opium. Mais pourquoi Christian Holloway les laissait-il dans ce dénuement ? Se contentait-il de leur donner un toit ? Tout à coup, elle ne comprenait plus à quoi rimaient ces villages spécialement installés pour les malades.

Elle s'arrêta devant un homme qui la regardait avec des yeux brillants. Elle lui posa la main sur le front. Il n'avait pas de fièvre. Son impression de se trouver dans une fumerie d'opium et non dans l'antichambre de la mort augmenta. L'homme se mit tout à coup à bouger les lèvres. Elle se pencha pour entendre ce qu'il disait. Son haleine était repoussante, mais elle se fit violence.

276

Il répétait la même phrase. Comme une litanie, dont elle ne comprenait que des bribes : quelque chose qui commençait par «in…», et peut-être aussi le mot «on».

Elle entendit la porte s'ouvrir. L'homme sur sa civière réagit comme s'il avait reçu un coup. Il tourna la tête et se recroquevilla. Quand elle lui toucha l'épaule, il sursauta et eut un mouvement de recul.

Louise sentit soudain qu'il y avait quelqu'un derrière elle. Elle fit volte-face, comme si elle craignait qu'on ne l'attaque. C'était une femme de son âge, avec des cheveux gris et des yeux de myope.

– Je ne savais pas que nous avions de la visite.

Un accent qui rappelait à Louise son voyage en Écosse, quand elle avait rencontré Aron.

– Je suis déjà venue, et on m'avait dit que tout le monde était bienvenu.

– Tout le monde est bienvenu, mais nous préférons accueillir nous-mêmes nos invités. Les pièces sont sombres, on peut trébucher. Nous faisons volontiers visiter.

– J'avais un fils qui travaillait ici, Henrik. Vous le connaissiez ?

– Je n'étais pas encore ici à l'époque. Mais je n'en ai entendu que du bien.

– J'essaie de comprendre ce qu'il faisait ici.

– Nous soignons les malades. Nous nous occupons de ceux dont personne ne veut, des gens sans défense.

La femme, qui ne s'était pas encore présentée, la poussa doucement vers la sortie. Elle prend des gants, mais les griffes ne sont pas loin, pensa Louise.

Elles émergèrent en plein soleil. Le chien noir haletait, couché à l'ombre d'un arbre.

– Je voudrais rencontrer Christian Holloway. Mon fils en parlait toujours avec un grand respect. Il le révérait.

Mentir au nom de son fils mettait Louise mal à l'aise, mais elle sentait qu'il le fallait si elle voulait avancer.

– Je suis certaine qu'il vous contactera.

– Quand ? Je ne peux pas rester ici éternellement. Il n'a pas de téléphone ?

– Que je sache, personne ne lui a jamais parlé au téléphone. Maintenant il faut que j'y aille.

– Je ne pourrais pas rester et vous accompagner dans votre travail ?

La femme fit non de la tête.

– Ce n'est pas le bon jour. C'est le jour des soins.

– Justement.

– Nous avons la responsabilité de grands malades, je ne peux pas toujours autoriser la présence de n'importe qui.

Louise comprenait que ce n'était pas la peine d'insister.

– Je me trompe ou vous venez d'Écosse ?

– Des Highlands.

– Comment êtes-vous arrivée ici ?

La femme sourit.

– Les chemins ne mènent pas toujours là où l'on croit.

Elle lui tendit la main et prit congé. Louise retourna à sa voiture. Le chien noir lui jeta un regard suppliant, comme si lui aussi avait voulu s'en aller. Dans le rétroviseur, Louise vit la femme aux cheveux gris. Elle attendait que Louise s'en aille.

Elle retourna à l'hôtel. Dans le restaurant vide, l'albinos jouait de son xylophone. Des enfants s'amusaient dans le sable avec les restes d'une benne à ordures, qu'ils rouaient de coups. Le réceptionniste souriait. Assis derrière son comptoir, il lisait une bible toute froissée. Elle eut un vertige, tout semblait si irréel. Elle monta dans sa chambre et se coucha.

L'estomac dérangé, elle eut juste le temps d'atteindre les toilettes avant de s'y vider. À peine revenue sur le lit, elle dut y retourner. Une demi-heure plus tard, elle avait de la fièvre. Quand la femme de ménage arriva, elle parvint à lui expliquer qu'elle était malade, qu'elle voulait qu'on la laisse tranquille et qu'on lui apporte une bouteille d'eau. Une heure après, un employé de l'hôtel apparut avec une petite bouteille d'eau minérale. Elle lui donna de l'argent pour qu'il lui en apporte une grande. Elle passa le reste de la journée entre le lit et les toilettes. À la tombée de la nuit, elle était à bout de forces, mais la crise semblait être en train de passer. Elle se leva et, mal assurée sur ses jambes, s'apprêta à descendre au restaurant boire du thé.

Au moment de sortir de sa chambre, elle repensa à l'homme qui chuchotait dans cette pièce obscure.

Il voulait me parler. Il voulait que j'écoute. Il était malade, mais par-dessus tout il avait peur. Il a tourné le dos pour qu'on ne sache pas qu'il avait pris contact avec moi. Il voulait me parler. Son regard brillant cachait quelque chose.

Soudain, elle comprit ce qu'il avait voulu dire.

Des injections. C'était le mot qu'il avait essayé de chuchoter. *Des injections.* Mais les injections ne faisaient-elles pas partie des soins qu'on administrait aux malades ?

Il avait peur. Il voulait me parler d'injections dont il avait peur.

Cet homme appelait à l'aide. Son chuchotement était un cri de détresse.

Elle alla à la fenêtre et regarda vers la mer. Le reflet de la lune avait disparu. La mer était plongée dans le noir. Un réverbère isolé éclairait le sable devant l'hôtel.

Elle essaya de voir clair parmi ces ombres. Comme Henrik. Qu'avait-il découvert?

Peut-être un homme qui chuchotait dans l'antichambre de la mort?

18

Le lendemain, à l'aube, Louise se drapa dans sa pièce d'étoffe et descendit sur la plage. Quelques petits bateaux de pêche revenaient avec leurs prises. Des femmes entourées de leurs enfants jetaient les poissons dans des seaux de glace qu'elles hissaient sur leur tête. Un gamin tout sourire lui montra un gros crabe. Elle lui rendit son sourire.

Elle entra dans l'eau. Le tissu lui collait au corps. Après quelques brasses, elle plongea. Quand elle revint à la surface, elle avait pris sa décision : elle allait retourner auprès de cet homme sur sa civière qui lui avait chuchoté quelque chose. Elle n'avait pas l'intention de renoncer avant d'avoir compris ce qu'il voulait lui dire.

Elle se rinça sous le mince filet de la douche. L'albinos était toujours là avec son xylophone, le son lui parvenait par la fenêtre de la salle de bains. Il semblait être là à demeure, à jouer de son instrument. Elle avait remarqué la brûlure du soleil sur son crâne et ses joues.

Elle descendit au restaurant. Le garçon sourit en lui servant du café. Elle désigna de la tête l'homme au xylophone.

– Il est tout le temps ici ?

– Il aime jouer. Il rentre tard chez lui et arrive tôt le matin. Sa femme le réveille.

– Il a donc une famille ?

Le garçon la regarda d'un air étonné.

– Et pourquoi non ? Il a neuf enfants et plus de petits-enfants qu'il ne peut en compter.

Pas moi. Je suis sans famille. Après Henrik, il n'y aura plus rien.

Une rage impuissante s'empara d'elle à l'idée qu'Henrik avait disparu.

Elle quitta la salle du petit-déjeuner. La musique monotone et entêtante ne lui procurait aucune consolation.

Elle démarra et conduisit jusqu'au village de Christian Holloway. La chaleur était encore plus écrasante que la veille. Pareille à la musique monotone de l'albinos, elle tambourinait à présent dans son crâne.

Une fois la voiture arrêtée, il lui sembla que tout se répétait dans la brume de chaleur. L'air tremblait devant elle. Le chien noir haletait sous son arbre, l'endroit était désert. Un sac plastique volait dans le vent, emporté de-ci, de-là. Louise resta assise au volant en s'éventant d'une main. La rage avait fait place à un sentiment d'abandon.

Cette nuit-là, elle avait rêvé d'Aron. Un cauchemar pénible : elle fouillait une tombe près d'Argos. Elle dégageait un squelette, et, soudain, elle comprenait que c'étaient les ossements d'Aron. Elle avait désespérément tenté de se libérer de ce rêve, en vain. Il l'avait fait sombrer dans les profondeurs. Ce n'est qu'au bord de l'étouffement qu'elle s'était réveillée.

Un Blanc aux vêtements clairs ouvrit une porte et gagna un autre bâtiment. Louise le suivit du regard tout en continuant de

282

s'éventer. Puis elle sortit de la voiture et alla jusqu'à la case où elle était entrée la veille. Le chien noir la regarda faire.

Elle franchit le seuil et attendit sans bouger que ses yeux se soient habitués à la pénombre. L'odeur était encore plus forte. Elle se mit à respirer par la bouche pour ne pas avoir de haut-le-cœur.

La civière était vide. L'homme avait disparu. S'était-elle trompée ? Hier, à côté de lui, une femme était couchée sous un tissu en batik représentant des flamants roses. Elle était toujours là, Louise ne s'était pas trompée. Elle fit le tour de la pièce, marchant prudemment de peur de piétiner un des corps décharnés. Il n'était nulle part. Elle revint à la civière vide. L'avait-on déplacé ? Se pouvait-il qu'il soit mort ? Son intuition lui disait que non. Les malades du sida pouvaient mourir très vite, mais il y avait quelque chose qui ne collait pas.

Elle allait quitter la pièce, quand elle eut le sentiment d'être observée. Les corps formaient comme une couche de terre irrégulière où des bras et des jambes bougeaient lentement. Beaucoup s'étaient couvert la tête avec leur drap, comme s'ils voulaient cacher leur misère aux autres. Louise regarda autour d'elle. Quelqu'un l'avait vue. Dans un coin de la pièce, elle remarqua un homme appuyé au mur. Il la dévisageait. Elle s'approcha prudemment. Un jeune homme, de l'âge d'Henrik. Son visage était émacié, couvert de plaies, et il avait perdu une partie de ses cheveux. Il la fixait sans cligner des yeux. D'un geste faible, il lui fit signe d'approcher.

— Moïse est parti.

Il parlait l'anglais avec un accent sud-africain.

— Où est-il ?

— Sous terre.

— Il est mort ?

Le jeune homme lui saisit le poignet. On aurait dit la main d'une fillette : des doigts fins, sans force.

– Ils sont venus le chercher.

– Que voulez-vous dire ?

Il approcha son visage.

– C'est vous qui l'avez tué. Il a essayé de vous appeler.

– Je n'ai pas réussi à comprendre ce qu'il disait.

– Ils lui ont fait une injection et l'ont emmené. Il dormait quand ils sont venus.

– Que s'est-il passé ?

– Je ne peux pas parler ici. Ils peuvent nous voir. Ils m'emmèneraient comme lui. Où peut-on vous trouver ?

– Je suis à l'hôtel, sur la plage.

– Si j'ai la force, je viendrai. Partez, maintenant.

L'homme se recoucha en se recroquevillant sous son drap. *La même peur. Il se cache.* Elle traversa la pièce. Quand elle sortit dans le soleil, elle crut recevoir une violente gifle en pleine figure. Elle se réfugia dans l'ombre le long du mur.

Henrik lui avait une fois parlé de ce qu'il avait vu dans les pays chauds : les gens y partagent fraternellement l'eau, mais aussi l'ombre.

Avait-elle bien compris ce que disait cet homme dans le noir ? Était-il vraiment en état de venir la trouver ? Comment arriverait-il jusqu'à la plage ?

Elle allait repartir quand elle s'aperçut qu'il y avait quelqu'un sous l'arbre auprès duquel elle s'était garée. Un homme d'environ soixante ans, peut-être plus. Il sourit quand elle s'approcha. Il vint à sa rencontre en lui tendant la main.

Elle sut tout de suite qui c'était. Il parlait un anglais agréable, presque sans accent américain.

– Je m'appelle Christian Holloway. J'ai appris que vous étiez la mère d'Henrik Cantor, et qu'il avait disparu dans des circonstances tragiques.

284

Louise était troublée. Qui avait bien pu lui raconter tout cela ?

Il remarqua son étonnement.

– Les nouvelles, surtout quand elles sont terribles, vont très vite. Que s'est-il passé ?

– Il a été assassiné.

– Comment est-ce possible ? Qui voudrait faire du mal à un jeune homme qui rêve d'un monde meilleur ?

– C'est justement ce que j'essaie de savoir.

Christian lui prit le bras.

– Allons dans mon bureau, il y fait nettement plus frais qu'ici.

Ils traversèrent l'esplanade déserte jusqu'à un bâtiment blanc à l'écart des autres. Le chien noir les suivit, à bonne distance.

– Quand j'étais gamin, je passais mes vacances d'hiver chez un oncle, en Alaska. Mon père, prévoyant comme toujours, m'y envoyait pour que je m'endurcisse. C'était sa grande idée. L'école, les connaissances étaient moins importantes que de se « blinder », comme il disait. Là où mon oncle exploitait du pétrole, il régnait un froid épouvantable. Mais le fait de m'y être habitué m'a mieux préparé que d'autres à supporter les fortes chaleurs.

Ils pénétrèrent dans un bâtiment constitué d'une vaste pièce. Il était conçu sur le modèle de la case africaine ronde destinée au chef. Christian Holloway ôta ses chaussures à la porte, comme s'il entrait dans un sanctuaire. Mais il secoua la tête quand Louise fit mine de se pencher pour se déchausser.

Elle regarda autour d'elle, enregistrant la pièce dans ses moindres détails, comme s'il s'agissait d'une chambre mortuaire tout juste dégagée après des milliers d'années sous terre.

La pièce était meublée dans ce qui lui sembla être le plus pur style colonial. Dans un coin, un bureau avec deux écrans d'ordinateur. Les dalles du sol étaient couvertes de tapis anciens, persans ou afghans, très précieux.

Son regard s'arrêta sur un des murs. Une icône représentant la Madone y était accrochée. Elle vit tout de suite qu'elle était très ancienne, sans doute byzantine. Cela avait beaucoup trop de valeur pour décorer le mur d'un particulier dans un petit village africain.

Christian Holloway avait suivi son regard.

— La Vierge à l'enfant. Elle m'accompagne partout. Les religions ont toujours imité la vie, le divin s'enracine dans l'humain. On peut trouver un bel enfant dans le plus effroyable bidonville de la banlieue de Dacca ou Medellín, un génie des mathématiques peut naître à Harlem avec un père drogué au crack. L'idée de Mozart enterré dans une fosse commune aux environs de Vienne n'a rien de révoltant, c'est plutôt encourageant. Tout est possible. Nous devrions écouter les Tibétains qui nous enseignent que nos dieux sont parmi nous, qu'il nous appartient de les y découvrir. C'est parmi les hommes que nous devons chercher l'inspiration divine.

Tout en parlant, il gardait, rivés sur elle, ses yeux bleus, clairs et glacés. Il la pria de s'asseoir. Une porte s'ouvrit sans bruit. Un Africain habillé de blanc entra et servit du thé.

La porte se referma, comme si une ombre blanche était passée dans la pièce.

— Henrik a su se faire apprécier en très peu de temps, dit Christian Holloway. Il était doué et avait réussi à se libérer du malaise qui frappe les jeunes gens bien portants quand ils entrent en contact avec la mort. Personne n'aime se voir rappeler ce qui l'attend au tournant, souvent plus tôt qu'on ne l'imagine. La vie est un voyage effroyablement bref, il n'y a que pendant la jeunesse qu'il semble interminable. Mais Henrik s'était habitué.

Et puis il a disparu du jour au lendemain, nous n'avons jamais compris pourquoi il était parti.

– Je l'ai trouvé mort chez lui. Il portait un pyjama. J'ai alors compris qu'il avait été assassiné.

– À cause d'un pyjama?

– Il dormait toujours nu.

Christian Holloway hocha la tête, pensif. Il ne la quittait pas des yeux. Louise avait l'impression qu'il était plongé dans une conversation intérieure sans fin.

– Je n'aurais jamais pu imaginer qu'un jeune homme si plein de force vitale mourrait ainsi avant l'heure.

– La force n'est-elle pas toujours vitale?

– Non. Beaucoup de gens traînent après eux un poids mort, une énergie inutilisée qui plombe leur existence.

Louise se décida à parler sans détour.

– Il s'est produit ici quelque chose qui a changé sa vie.

– Personne ne vient ici sans en être affecté. La plupart sont choqués, certains s'enfuient, d'autres décident d'être forts et restent.

– Il a été transformé. Je ne pense pas que ce soit à cause des mourants et des morts.

– Quoi d'autre? Nous nous occupons de gens qui, sans cela, mourraient dans des cases délabrées, au bord du caniveau, perdus dans la forêt. Les bêtes commenceraient à les dévorer avant même qu'ils aient eu le temps de trépasser.

– Il ne s'agit pas de cela.

– Il est impossible de comprendre entièrement quelqu'un, soi-même ou l'autre. Cela valait sûrement pour Henrik. Le cerveau d'une personne ressemble à ce continent il y a cent cinquante ans. Seuls les côtes et le cours des fleuves avaient été explorés, le reste formait d'immenses taches blanches sur la carte, où l'on pensait trouver des villes en or massif ou des hommes à deux têtes.

– Je sais que quelque chose s'est passé, mais j'ignore quoi.

– Il se passe toujours quelque chose ici. On amène de nouvelles personnes, on en enterre d'autres. Il y a un cimetière. Nous avons les prêtres qu'il faut. Aucun chien ne vient mordre les jambes des morts avant qu'ils ne soient enterrés.

– Un homme avec qui j'ai parlé hier n'est plus là. Il a dû mourir cette nuit ?

– Je ne sais pas pourquoi, ils meurent le plus souvent à l'aube. Comme s'ils voulaient être guidés par la lumière au moment de partir.

– Combien de fois avez-vous rencontré Henrik pendant son séjour ici ?

– Je ne rencontre pas très souvent les gens. Deux fois, peut-être trois, jamais plus.

– De quoi avez-vous parlé ?

– Comme j'ai la mémoire sélective, je ne me souviens que très rarement des conversations, après coup. Les gens sont ennuyeux, ils me lassent. Je ne crois pas que nous ayons évoqué des sujets importants. Quelques mots sur la chaleur, la fatigue dont nous souffrons tous.

– Il n'a jamais posé de questions ?

– À moi, non. Il n'avait pas l'air d'être ce genre de personne.

Louise secoua la tête.

– Henrik était pourtant une des personnes les plus curieuses et avides d'apprendre que je connaisse.

– Les questions auxquelles on se trouve confronté ici sont d'un autre ordre. Quand on est de toutes parts entouré par la mort, les questions portent sur le sens de la vie, et ce sont des questions silencieuses qu'on se pose à soi-même. Vivre, c'est résister. Et pourtant, les fourmis chasseresses finissent toujours par vous dévorer de l'intérieur.

– Les fourmis chasseresses ?

– Il y a de nombreuses années, j'ai passé quelques mois dans un village reculé au nord-ouest de la Zambie. Des moines franciscains y avaient séjourné, avant de quitter les lieux au milieu des années cinquante pour s'établir plus au sud, entre Solwezi et Kitwe. Ce qui restait de leurs bâtiments avait été repris par un couple de l'Arkansas, qui voulait y développer une oasis spirituelle, sans lien avec aucune religion en particulier. C'est là que j'ai rencontré les fourmis chasseresses. Que savez-vous d'elles ?

– Rien.

– Comme beaucoup de gens. Nous nous imaginons que les fauves sont les animaux les plus redoutables. Ils ne sont pas forcément très grands, mais jamais aussi petits que des fourmis. Une nuit, j'ai été réveillé par des cris dans l'obscurité, et des coups à ma porte. Les gardiens tenaient les flambeaux avec lesquels ils allumaient les feux de prairie. Je suis sorti pieds nus. J'ai tout de suite senti une morsure cuisante. Je n'ai pas compris d'où cela venait. Les gardiens m'ont crié que c'étaient des fourmis, une armée de fourmis chasseresses en marche. Elles dévorent tout sur leur passage, et il est impossible de les combattre. Mais en allumant des feux d'herbe, on peut leur faire dévier leur route. J'ai enfilé mes bottes, pris une lampe de poche, et j'ai vu passer des cohortes de fourmis. Soudain on a entendu du remue-ménage du côté du poulailler. Les gardiens ont tenté de mettre les poules à l'abri, mais en vain, c'était trop tard. C'est allé si vite, c'est incroyable. Les poules se sont défendues en mangeant les fourmis. Mais elles sont arrivées vivantes dans leur estomac, et ont commencé à leur déchiqueter les entrailles. Aucune poule n'a survécu. Elles couraient en tous sens, folles de douleur, dévorées de l'intérieur. J'y ai souvent repensé. C'est en cherchant à se défendre que les poules se sont infligé une mort affreuse.

– Je peux imaginer ce que c'est que de se faire mordre par des centaines de fourmis.

– Je me demande si vous le pouvez vraiment. Moi, je n'y arrive pas. Une fourmi est entrée dans l'oreille d'un des gardiens. Elle s'est mise à lui ronger le tympan. Il a hurlé comme un damné jusqu'à ce que je parvienne à tuer la fourmi en lui versant du whisky dans l'oreille. Une seule fourmi, de moins d'un demi-centimètre.

– Il y en a aussi par ici ?

– Sur tout le continent africain. Elles sortent seulement après les fortes pluies.

– J'ai du mal à comprendre où vous voulez en venir avec votre comparaison.

– Comme les poules, c'est l'homme lui-même qui fait de sa vie une tragédie. Il la porte en lui.

– Je ne suis pas d'accord.

– Je sais bien qu'il y a des dieux en vente, ou à louer quand la souffrance est trop grande. Mais en ce qui me concerne, cette voie-là ne m'a jamais apporté aucune consolation.

– Vous préférez chasser les fourmis ailleurs, tant que c'est encore possible ?

Christian Holloway hocha la tête.

– Vous avez suivi mon raisonnement. Bien sûr, cela ne signifie pas que je prétende réussir à résister à l'ultime tragédie. La mort nous accompagne toute la vie. La véritable antichambre de la mort est la salle d'accouchement.

– Avez-vous parlé des fourmis à Henrik ?

– Non. Il était trop faible. Cette histoire aurait pu lui faire faire des cauchemars.

– Henrik n'était pas faible.

– Les enfants ne se comportent pas toujours de la même façon avec leurs parents et avec des étrangers. Je le sais bien, j'ai des enfants, moi aussi. De façon très superficielle, cela donne quand même un peu de sens à la vie.

– Ils sont ici ?

– Non. Trois d'entre eux sont en Amérique du Nord, et le dernier est mort. Comme votre fils. Mon enfant aussi est parti avant l'heure.

– Alors vous savez combien c'est douloureux.

Christian Holloway la regarda longtemps, presque sans cligner des yeux. Comme un serpent, pensa-t-elle. Un reptile.

Elle frissonna.

– Vous avez froid ? Voulez-vous que je baisse la climatisation ?

– Je suis fatiguée.

– Le monde entier est fatigué. Nous vivons dans un monde vieux, accablé de rhumatismes, bien qu'il grouille d'enfants partout où l'on tourne la tête. Des enfants, par milliers, et nous sommes là tous les deux à pleurer les nôtres, qui ont décidé d'en finir.

Il lui fallut un instant pour comprendre le sens de sa phrase.

– Votre fils a mis fin à ses jours ?

– Il vivait avec sa mère, à Los Angeles. Un jour qu'il était seul, il a vidé la piscine, il est monté sur le plongeoir et a sauté dans le vide. Un des gardiens l'a entendu crier. Il n'est pas mort tout de suite, mais tout était fini quand les secours sont arrivés.

Le domestique vêtu de blanc se pointa à la porte. Il fit signe à Christian Holloway, qui se leva.

– On me demande. Écouter et le cas échéant donner un conseil, c'est la seule chose décente qu'on puisse faire pour aider ses semblables. Je reviens tout de suite.

Louise s'approcha du mur et contempla la Madone. C'était un original, un vrai chef-d'œuvre. D'après ses estimations, elle avait dû être peinte par un maître byzantin en Grèce au onzième ou douzième siècle. Quelle que soit la façon dont Christian Holloway se l'était procurée, cela avait dû lui coûter beaucoup d'argent.

Elle fit le tour de la pièce. Les écrans des ordinateurs luisaient, affichant tous deux des dauphins qui sautaient dans une eau turquoise. Un des tiroirs du bureau était entrouvert.

Elle ne put résister. Elle ouvrit le tiroir. Elle n'arriva d'abord pas à identifier l'objet qui s'y trouvait. C'était petit, fripé, sans doute un fragment organique.

Elle repoussa le tiroir, le cœur battant. Un cerveau desséché. *Le cerveau disparu de Kennedy !*

Elle regagna son fauteuil. Elle souleva sa tasse de thé d'une main tremblante.

Y avait-il un lien entre la fixation d'Henrik sur ce qui s'était passé à Dallas en 1963 et sa découverte dans le tiroir de Christian Holloway ? Elle se força à faire un pas en arrière. Sa conclusion était trop simple. Le motif que formaient les fragments de céramique qu'elle avait assemblés était peut-être illusoire. Elle ne voulait pas jouer les archéologues qui s'emballent et finissent par rentrer bredouilles. Le cerveau racorni dans le tiroir n'avait rien à voir avec Henrik. Elle ne pouvait en tout cas pas le présupposer avant d'en savoir plus.

La porte s'ouvrit, Christian Holloway revenait.

– Pardon de vous avoir fait attendre.

Il la regarda droit dans les yeux. Soudain, elle eut la certitude qu'il l'avait épiée, d'une façon ou d'une autre. Peut-être y avait-il un trou percé dans le mur ou une caméra qu'elle n'avait pas remarquée ? Il l'avait vue observer l'icône et ouvrir le tiroir, qu'il avait laissé entrouvert à dessein, pour la tenter. Il avait probablement quitté la pièce pour observer son comportement.

– Peut-être pouvez-vous me donner un conseil à moi aussi, dit-elle en se forçant à avoir l'air calme.

– Je peux toujours essayer.

– Il s'agit d'Henrik, et de votre fils. Ce que tous les parents redoutent, nous en avons fait l'expérience.

– Steve a agi par colère et désespoir. Henrik s'est endormi dans son lit, si j'ai bien compris. Steve s'est tourné vers l'extérieur, Henrik vers l'intérieur. Ils ont emprunté deux chemins opposés.

– Mais qui allaient dans la même direction.

Steve. Ce nom réveillait un souvenir indistinct. Elle était déjà tombée dessus, sans pouvoir dire où ni quand. Steve Holloway ? Elle chercha, en vain.

– Quand Steve s'est jeté dans le vide, en pleine nuit, la catastrophe a été inattendue pour sa mère comme pour moi. Même son beau-père, qui au fond le haïssait, s'est montré très affecté à son enterrement. Un suicide déclenche un sentiment de culpabilité bien particulier. Chacun pense qu'il aurait dû voir la catastrophe arriver et faire le nécessaire pour l'empêcher.

– N'avez-vous eu aucun pressentiment ?

– Tous ceux qui le connaissaient ont été choqués, ont refusé d'y croire.

– Je cherche une piste. Peut-être quelque chose d'à peine visible. Un indice. Je dirais un signe de Dieu, si j'étais croyante. Une petite lueur qui puisse me faire espérer une explication.

– Les dieux ont l'habitude de vite rappeler à eux ceux qu'ils aiment. Henrik était peut-être l'un d'entre eux ?

– Je ne suis pas croyante. Henrik ne l'était pas non plus.

– Il s'agit de la sagesse des nations, pas de foi religieuse.

– Vous n'avez vu chez votre fils aucun signe annonciateur de sa mort ?

– Comme je vous l'ai dit, la mort de Steve était totalement inattendue. Le pire, c'est que je crois qu'elle l'était aussi pour lui. Après sa mort, je me suis informé autant que j'ai pu sur les causes qui poussent les jeunes gens au suicide. Un préjugé extrêmement répandu prétend que les suicidés laissent un mot

293

d'explication, mais le plus souvent, il n'y a rien. Juste la catastrophe accomplie.

– Qu'est-ce qui a poussé Steve ?

– Il était blessé aussi profondément qu'on peut l'être. Si j'avais
su, j'aurais peut-être pu l'aider. Mais personne ne savait rien,
ni moi, ni sa mère, ni ses amis.

Louise sentit que Christian Holloway était sur le point de
clore le chapitre du suicide de son fils.

– J'avais espéré que vous m'aideriez.

– Je ne vois pas comment. La seule chose dont on puisse se
vanter dans la vie, c'est du travail accompli. S'agissant du sida,
on en fait toujours trop peu. On ne consacrera jamais assez
d'argent à soulager les souffrances et à lutter contre l'épidémie.
En arrivant ici, Henrik était plein de bonne volonté. J'ignore ce
qui l'a poussé au désespoir.

*Il n'était pas désespéré. Il n'a pas enfilé un pyjama par
désespoir, il n'a pas vidé de tube de somnifères. Je crois que tu
ne dis pas tout ce que tu sais.*

Peut-être était-ce l'inverse ? Christian Holloway n'en savait
pas plus, et c'était lui qui cherchait des informations dans les
questions qu'elle lui posait ?

On pose des questions sur ce qu'on ignore, pas sur ce qu'on
sait.

Elle ne voulait pas rester plus longtemps. Christian Holloway
l'effrayait avec son horrible façon de regarder par le trou de la
serrure. Elle se leva.

– Je ne vais pas vous déranger plus longtemps.

– Désolé de ne vous avoir été d'aucune aide.

– Vous avez fait ce que vous pouviez.

Il la raccompagna jusqu'à sa voiture, sous le soleil brûlant.

– Conduisez prudemment. Buvez beaucoup. Vous rentrez à Maputo ?

– Je vais peut-être rester jusqu'à demain.

– L'hôtel de la plage à Xai-Xai est simple, mais propre le plus souvent. Ne laissez rien de valeur dans votre chambre, ne cachez rien dans le matelas.

– On m'a déjà agressée, à Maputo. Je fais attention. La première chose dont j'ai dû m'équiper ici, c'est d'un œil derrière la tête.

– Vous avez été blessée ?

– Je leur ai donné ce qu'ils voulaient.

– Le pays est pauvre. On vole pour survivre. Nous ferions la même chose à leur place.

Elle lui serra la main et s'installa au volant. Le chien noir était toujours couché à l'ombre.

Dans le rétroviseur, elle vit Christian Holloway revenir sur ses pas.

Arrivée à l'hôtel, elle s'endormit. Il faisait déjà nuit quand elle se réveilla.

D'où connaissait-elle le prénom Steve ? Elle savait qu'elle était tombée dessus quelque part. Mais Steve était un prénom très commun, comme Erik en Suède ou Kostas en Grèce.

Elle descendit manger au restaurant. L'albinos était adossé au mur et jouait de son xylophone. Le garçon, le même qu'au petit-déjeuner, lui dit que cet instrument était un *timbila*.

Après le dîner, elle s'attarda à table. Il y avait peu de clients, quelques buveurs de bière. Une femme avec trois enfants mangeait en silence. Louise repoussa sa tasse de café et commanda du vin rouge à la place. Vers vingt-deux heures, l'albinos cessa de jouer et disparut dans la nuit, son instrument sur le dos. La femme avec ses trois enfants régla l'addition et s'en alla en tanguant comme un navire qui traîne ses trois canots de sauvetage. Les buveurs de bière continuaient leur conversation. Ils finirent par s'en aller eux aussi. Le garçon commença à tout ranger pour la nuit. Elle paya et sortit de l'hôtel. La mer scintillait dans la lumière de l'unique réverbère.

Le sifflement était très faible mais elle l'entendit tout de suite. Elle scruta les ténèbres hors du cône de lumière. Le sifflement reprit, toujours aussi faible. Alors elle le vit, assis sur un bateau retourné. Cet homme qui l'attendait se découpait dans la nuit noire, pareil à l'une des silhouettes qu'elle avait trouvées dans le sac d'Henrik.

Il se laissa glisser du bateau et lui fit signe de le suivre. Il se dirigea vers ce qui restait d'un kiosque de plage. Louise l'avait déjà remarqué. On pouvait encore lire un nom dans le ciment défoncé : *Lisboa.*

En approchant, elle vit qu'un feu avait été allumé à l'intérieur de la ruine. L'homme se pencha vers la braise et y jeta quelques branches. Elle s'assit en face de lui. Dans la lueur du foyer, elle vit combien il était maigre. La peau de son visage se tendait sur ses pommettes. Des plaies à vif recouvraient son front.

– Ne vous inquiétez pas. Personne ne vous a suivie.

– Comment pouvez-vous en être sûr ?

– Je vous surveille depuis un bon moment.

Il fit un geste en direction des ténèbres.

– Il y a aussi les autres qui font le guet.

– Quels autres ?

– Des amis.

– Que voulez-vous me raconter ? Je ne connais même pas votre nom.

– Moi, je sais que vous vous appelez Louise Cantor.

Elle aurait voulu lui demander comment il le savait, mais elle comprit qu'elle n'aurait pas d'autre réponse qu'un geste vague en direction des ténèbres.

– J'ai du mal à écouter quelqu'un dont je ne connais pas le nom.

– Je m'appelle Umbi. Mon père m'a donné le nom de son frère, mort dans les mines en Afrique du Sud. Une galerie s'est effondrée, on ne l'a jamais retrouvé. Je vais bientôt mourir à mon tour. Je veux vous parler, car la seule chose qui ait encore un sens dans ma vie est d'empêcher que d'autres ne meurent comme moi.

– Vous avez le sida, n'est-ce pas ?

– Oui, j'ai ce poison en moi. Même si on me vidait de mon sang, il serait toujours là.

– Mais recevez-vous de l'aide ? Des médicaments qui retardent la maladie ?

– Ceux qui m'aident ne savent rien.

– Que voulez-vous dire ?

Umbi ne répondit pas. Il ajouta du bois. Puis il siffla doucement dans la nuit. Louise commença à ressentir un insidieux malaise. Cet homme, de l'autre côté du feu, était mourant. Pour la première fois, elle comprenait vraiment ce que signifiait être sur le point de partir. Umbi était sur le point de partir. Bientôt sa peau tendue se déchirerait.

– Moïse, celui qui a parlé avec vous, il n'aurait pas dû. Même si vous étiez seule avec les malades dans cette pièce, il y a toujours quelqu'un qui a l'œil sur ce qui se passe. On n'autorise pas les mourants à avoir des secrets.

– Pourquoi surveiller les malades ? Et les visiteurs comme moi ? Que pourrais-je voler à des mourants d'une pauvreté extrême, qui sont chez Christian Holloway justement parce qu'ils ne possèdent rien ?

– Ils ont pris Moïse à l'aube. Ils sont entrés, lui ont fait une injection, et ils ont attendu qu'il soit mort avant de l'emmener emballé dans un drap.

– Ils lui ont fait une injection pour le tuer ?

– Je ne fais que raconter les faits. Rien d'autre. Je veux que vous en parliez.

– Qui lui a fait l'injection ? Une de ces Européennes pâlichonnes ?

– Non, elles, elles ne sont pas au courant de ce qui se passe.

– Moi non plus.

– C'est justement pour vous le raconter que je suis venu ici.

– Je suis ici parce que mon fils a travaillé à une époque auprès des malades. À présent il est mort. Il s'appelait Henrik. Vous souvenez-vous de lui ?

Elle lui en fit une description. Elle fut submergée par le chagrin en décrivant son visage.

– Je ne me souviens pas de lui. Je n'avais sans doute pas encore reçu la visite de l'Archange.

– L'Archange ?

– C'est comme ça qu'on l'appelait. On ne savait pas d'où il venait. Mais il devait être proche de Christian Holloway. Un homme aimable, à la tête froide, qui parlait notre langue et nous proposait ce dont nous avions le plus besoin.

– C'est-à-dire ?

– Un moyen de sortir de la pauvreté. Les gens comme vous s'imaginent que les pauvres n'ont pas conscience de leur pauvreté. Je peux vous assurer que c'est faux. L'Archange disait qu'il venait à nous uniquement parce que notre souffrance était la plus grande et la plus amère. Il a laissé aux anciens du village le soin de choisir vingt personnes. Trois jours après, un camion est venu les chercher. Je n'en étais pas cette première fois. Mais quand il est repassé, je me suis mis au début de la file, et j'ai été un des élus.

– Et ceux du premier convoi, que leur est-il arrivé ?

– Il a expliqué qu'ils étaient toujours là-bas, et qu'ils y resteraient encore un certain temps. Bien sûr, beaucoup de leurs proches s'inquiétaient de ne plus avoir de nouvelles. Après les palabres, il a donné une grosse somme à l'ancien. Il n'y avait jamais eu autant d'argent au village. C'était comme si un millier de mineurs étaient revenus d'Afrique du Sud avec plusieurs années d'économies et les déposaient là sous nos yeux. Le second camion est arrivé quelques jours plus tard. J'étais alors de ceux qui sont montés. Je pensais être un élu, sauvé de cette pauvreté qui me salissait jusque dans mes rêves.

Il se tut et tendit l'oreille. Louise n'entendait rien d'autre que le ressac et le cri solitaire d'un oiseau de nuit. Elle détectait chez Umbi de l'inquiétude, sans comprendre de quoi il s'agissait.

Il siffla et écouta. Pas de réponse. La situation sembla soudain complètement irréelle à Louise. Que faisait-elle assise auprès d'un feu en compagnie d'un homme qui sifflait dans le noir ? Ces ténèbres lui étaient impénétrables. Non seulement la nuit africaine, mais ses propres ténèbres, les nuées obscures de la mort d'Henrik et de la disparition d'Aron. Elle avait envie de hurler contre tout ce qui lui arrivait qu'elle ne comprenait pas, et que personne ne semblait non plus comprendre.

Un soir, je fumais devant chez moi à Argos. Des chiens aboyaient, mon voisin écoutait de la musique. Le ciel clair était rempli d'étoiles. Je devais partir pour la Suède, faire une conférence sur le rôle des oxydes de fer dans la couleur rouge et noir des poteries antiques. J'étais là, dans la nuit, et j'avais décidé de rompre avec Vassilis, mon cher comptable. Je me réjouissais de bientôt revoir Henrik, la nuit était douce et la fumée de ma cigarette montait droit vers le ciel. Et me voilà quelques mois plus tard, ma vie en ruine. Le vide devant moi, effrayant. Pour tenir le coup, j'essaie d'accepter ma colère. Peut-être qu'au fond de moi, sans me l'être encore avoué, je cherche le ou les responsables de la mort d'Henrik pour les tuer. Celui qui a tué Henrik s'est lui-même condamné à mort. Il n'est pas seulement responsable de la mort d'Henrik, mais aussi de la mienne.

Umbi se leva avec peine. Il faillit tomber à la renverse. Louise voulut le soutenir, mais il la repoussa d'un geste.

Il siffla encore une fois sans obtenir de réponse.

– Je reviens tout de suite.

En quelques pas, il avait disparu dans la nuit. Elle se pencha pour alimenter le feu.

Artur lui avait appris à faire du feu. C'est un art que seuls maîtrisent ceux qui ont vraiment eu froid dans leur vie. Henrik avait appris lui aussi. Il semblait à Louise que des feux balisaient toute sa vie. Même Aron l'avait parfois entraînée dans des virées en forêt quand il lui prenait l'envie d'abandonner les ordinateurs et de recommencer une vie sauvage au cœur de la nature.

Des feux brûlaient le long de sa ligne de vie. Sans bois et sans amour, elle ne pourrait pas continuer à vivre.

Umbi n'était toujours pas revenu. Une inquiétude sourde s'installa. *Son sifflement était resté sans réponse.*

Soudain, elle fut certaine qu'un danger la menaçait. Elle se leva et recula vite hors de la lumière du foyer. Quelque chose s'était produit. Elle retint son souffle, l'oreille aux aguets, mais elle n'entendait que les battements de son cœur. Elle recula encore. Les ténèbres qui l'entouraient étaient comme une mer. À tâtons, elle commença à se diriger vers l'hôtel.

Elle trébucha contre quelque chose de mou. Un animal, pensa-t-elle en sursautant. Elle fouilla ses poches pour trouver sa boîte d'allumettes. Elle en gratta une. C'était Umbi. Mort. La gorge tranchée, la tête presque détachée du reste du corps.

Louise s'enfuit en courant. Elle trébucha et tomba à deux reprises.

Une fois la porte de sa chambre refermée, elle remarqua tout de suite qu'on était entré. Une paire de chaussettes avait changé de place. La porte de la salle de bains était entrouverte, alors qu'elle était presque certaine de l'avoir fermée. Y avait-il encore quelqu'un à l'intérieur? Elle ouvrit la porte du couloir, prête à s'enfuir, avant d'oser pousser du pied celle de la salle de bains. Personne.

Quelqu'un la surveillait. Umbi et ses amis n'avaient pas vu tout ce qui se cachait dans l'obscurité. Voilà pourquoi il était mort.

Transie de peur, elle semblait paralysée. Elle jeta ses affaires dans son sac et sortit de la chambre. Le gardien dormait sur un matelas derrière la réception. Il se leva en sursaut et poussa un cri de peur quand elle lui hurla de se réveiller. Elle paya la note, sauta dans sa voiture et quitta les lieux. Ce n'est que passé Xai-Xai, après s'être assurée qu'il n'y avait aucune lumière de phares dans son rétroviseur, qu'elle reprit le contrôle d'elle-même.

Elle se souvenait à présent où elle avait vu le prénom Steve.

Aron était assis devant l'ordinateur d'Henrik, et elle s'était penchée sur son épaule. Il y avait un article du New York Times *sur un certain Steve Nichols qui s'était suicidé après avoir été victime de chantage. Steve Nichols, pas Steve Holloway. Mais ce dernier vivait avec sa mère. Il pouvait tout à fait s'appeler Nichols.*

Les éléments dont elle disposait commençaient à s'assembler d'une façon inattendue.

Henrik serait mort pour avoir poussé Steve Nichols au suicide ? Le meurtre avait-il été maquillé en suicide par celui qui s'était vengé, en forme de signature macabre ?

Elle frappa le volant et appela Aron dans le noir. À présent, elle avait plus que jamais besoin de lui. Mais il resta muet.

Elle remarqua qu'elle conduisait beaucoup trop vite et ralentit son allure.

Elle fuyait pour sauver sa peau, pas pour finir écrasée dans le fossé le long d'une piste perdue dans l'immensité du continent africain.

19

Le moteur tomba en panne au milieu de nulle part. Elle écrasa l'accélérateur pour forcer la voiture à continuer. Le réservoir était encore à moitié plein, le radiateur n'était pas en surchauffe.

Cause de la mort inconnue, se dit-elle, entre la colère et la peur. Aucune lumière en vue.

Elle n'osait pas ouvrir la fenêtre de sa voiture, encore moins la portière. Prisonnière de cette voiture morte, elle allait devoir attendre que quelqu'un vienne l'aider.

Elle surveillait le rétroviseur, à l'affût du moindre signe. Le danger était derrière elle, pas devant. Elle essaya plusieurs fois de faire repartir le moteur. Le démarreur fonctionnait toujours. Elle finit par allumer les phares, et sortit à contrecœur de la voiture.

Le silence lui tomba dessus, comme si quelqu'un lui avait mis la tête sous une couverture. Cernée par le néant infini et silencieux, la seule chose qu'elle entendait était le bruit de sa propre respiration, violente, à bout de souffle.

Je cours. J'ai peur. Ceux qui ont égorgé Umbi sont à mes trousses.

Elle sursauta et se retourna. Il n'y avait personne. Elle parvint à ouvrir le capot et se plongea dans un monde inconnu.

Elle se souvint de ce qu'Aron lui avait dit d'un ton péremp-
toire tout au début de leur mariage : « Si tu n'apprends pas le
minimum vital sur le fonctionnement d'un moteur et comment
le réparer, tu ne mérites pas le permis de conduire. »

Elle n'avait jamais appris, elle détestait mettre les mains dans
le cambouis. Mais elle avait surtout refusé de suivre l'injonction
arrogante d'Aron. Elle claqua violemment le capot. Le bruit
résonna longtemps dans la nuit.

Qu'aurait dit Aron en la voyant dans une voiture qui a rendu
l'âme au fond des ténèbres africaines ? Lui aurait-il fait la leçon
avec son air supérieur, pour bien lui faire sentir quelle incapable
elle était ? Comme il en avait l'habitude quand il était de mauvaise humeur. Cela conduisait à des scènes qui se terminaient
souvent par de la vaisselle cassée.

Et pourtant je l'aime, pensa-t-elle en s'accroupissant
pour uriner près de la voiture. J'ai essayé de le remplacer, mais
avec les autres, ça n'a jamais marché. Ils ont tous fait leur tour
de piste, mais ont tous été congédiés au tomber de rideau.
Et pour moi, le rideau va-t-il tomber à présent ? Je pensais
vivre encore vingt ans au moins. À la mort d'Henrik, la
pièce a défilé à toute allure, et maintenant il ne reste plus que
l'épilogue.

Elle surveillait toujours le rétroviseur. Pas de phares en vue.
Elle prit son téléphone et composa le numéro d'Aron. « L'abonné
est actuellement indisponible. »

Elle composa ensuite le numéro de l'appartement d'Henrik.
« Vous savez ce qu'il vous reste à faire. You know what to do. »
Elle se mit à pleurer et laissa le répondeur l'enregistrer. Puis
elle appela Artur. La liaison était parfaite, sans écho. Sa voix
semblait toute proche.

– Où es-tu ? Pourquoi appelles-tu au milieu de la nuit ? Tu pleures ?

– Je suis en panne, en pleine piste.

– Tu es seule ?

– Oui.

– Tu es folle ? Conduire seule de nuit en Afrique ! Il peut t'arriver n'importe quoi !

– C'est déjà fait. La voiture a calé. Il y a de l'essence, la température est normale, aucun voyant ne s'allume. Ce n'est pas pire que de tomber en panne en pleine montagne dans le Härjedalen.

– Personne ne peut venir t'aider ? C'est une voiture de location ? La compagnie devrait avoir un numéro d'urgence.

– Je veux que toi, tu m'aides. Tu m'as appris à faire la cuisine, tu es capable de réparer un tourne-disque cassé et tu sais même empailler les oiseaux.

– Tu m'inquiètes. De quoi as-tu peur ?

– Je n'ai pas peur. Je ne pleure pas.

Il hurla. Le son de sa voix l'assomma comme une gifle.

– Ne me mens pas effrontément, même si tu peux te cacher derrière un téléphone !

– Arrête de crier ! Aide-moi plutôt.

– Est-ce que l'allumage fonctionne ?

Elle posa le téléphone sur ses genoux et mit le contact.

– À l'oreille ça a l'air normal, dit Artur.

– Et pourquoi la voiture ne démarre pas, alors ?

– Je ne sais pas. La piste est accidentée ?

– Ça ressemble à un chemin forestier chez nous.

– Peut-être qu'un câble s'est débranché à cause des secousses.

Elle ralluma les phares, rouvrit le capot et suivit ses instructions. Elle réessaya sans succès de démarrer.

La ligne fut coupée. Dans le noir, elle rappela Artur, mais sa voix n'était plus là. Elle réessaya. Une voix féminine dit quelque chose en portugais d'un ton désolé. Elle raccrocha en espérant qu'Artur parviendrait de son côté à rétablir la liaison.

Rien. Les ténèbres emplirent la voiture. Elle composa le numéro indiqué sur son contrat de location. Pas de réponse, ni de répondeur pour donner des instructions.

Une lueur lointaine de phares apparut dans le rétroviseur. Elle était morte de peur. Devait-elle quitter la voiture et se cacher ? Elle n'arrivait pas à bouger. La lumière des phares s'approchait. Elle était sûre que la voiture qui arrivait allait l'écraser, mais, au dernier moment, celle-ci fit une embardée. Un camion déglingué la dépassa.

C'était comme si elle avait été frôlée par un cheval sans cavalier.

Ce fut une des nuits les plus longues de sa vie. Elle guettait le moindre bruit par la fenêtre entrouverte, scrutait les ténèbres. Elle essaya plusieurs fois de rétablir la liaison avec Artur. En vain.

Juste avant l'aube, elle fit une dernière tentative. La voiture démarra. Elle retint son souffle. Le moteur continuait à tourner.

La matinée était bien avancée quand elle arriva aux abords de Maputo. Partout, des femmes qui marchaient, droites en plein soleil, avec d'énormes fardeaux posés sur la tête et leurs enfants pendus dans le dos.

Elle se fraya un chemin dans la circulation chaotique, noyée dans les gaz d'échappement que crachaient les bus et les camions.

Il fallait qu'elle se lave, qu'elle se change et dorme quelques heures. Mais elle ne voulait pas croiser Lars Håkansson. Elle finit par trouver la maison de Lucinda. Elle devait certainement dormir après sa longue nuit au bar. Tant pis, elle était la seule qui pouvait encore l'aider.

Elle se gara et appela une dernière fois Artur. Elle pensa à ce qu'elle lui avait un jour entendu dire : « Ni Dieu ni Satan ne veulent de concurrence. C'est pour cette raison que nous échouons seuls dans notre no man's land. »

Elle devina à sa voix qu'il était fatigué. Il n'avait certainement pas dormi de la nuit, mais il ne l'admettrait jamais. Si elle n'avait pas le droit de mentir, il s'en était quant à lui attribué le privilège.

– Que s'est-il passé ? Où es-tu ?

– Rien, la voiture a juste redémarré. Je suis de retour à Maputo.

– Fichus téléphones !

– Ils sont formidables.

– Tu rentres bientôt ?

– Bientôt, mais pas encore. On se rappelle, ma batterie est presque déchargée.

Elle raccrocha. Au même moment, elle aperçut Lucinda adossée au mur de la maison, une serviette nouée autour de la tête. Elle sortit de la voiture en se disant que cette longue nuit s'achevait enfin.

Lucinda la regarda d'un air interrogateur.

– Si tôt ?

– C'est la question que j'allais vous poser. À quelle heure vous êtes-vous couchée ?

– Je ne dors jamais beaucoup. Peut-être que je suis toujours fatiguée, sans m'en rendre compte ?

Lucinda se débarrassa avec patience de quelques enfants qui pouvaient être ses frères et sœurs, des cousins ou des neveux. Elle appela une fillette qui alla essuyer deux chaises en plastique à l'ombre de la maison et qui revint avec deux verres d'eau.

Elle remarqua d'emblée l'inquiétude de Louise.

– Il s'est passé quelque chose, et c'est pour cela que vous êtes de retour si tôt.

Louise décida de tout lui dire : Christian Holloway, Umbi, les ténèbres sur la plage et la longue nuit dans la voiture.

– Ils ont dû me voir, dit Louise. Ils ont dû entendre notre conversation. Ils l'ont suivi, et dès qu'ils se sont aperçus qu'il allait révéler quelque chose, ils l'ont tué.

Lucinda la croyait, mot pour mot, dans le moindre détail. Quand Louise se tut, elle resta un long moment sans rien dire. Quelqu'un se mit à plier une plaque de tôle à coups de marteau pour en garnir le faîte d'un toit. Lucinda lui cria quelque chose. Il cessa sur-le-champ et alla attendre assis à l'ombre d'un arbre.

– Êtes-vous convaincue qu'Henrik était impliqué dans un chantage contre le fils de Christian Holloway ?

– Je n'ai aucune certitude. J'essaie de réfléchir avec calme et logique. Mais il y a toujours quelque chose qui m'échappe. Même dans mes pires cauchemars, je ne peux pas imaginer Henrik en maître chanteur. Et vous ?

– Non plus, bien sûr.

– J'ai besoin d'un ordinateur et d'une connexion Internet. J'arriverai peut-être à remettre la main sur ces articles, et à savoir s'il s'agit bien du fils de Christian Holloway. Alors, j'aurai trouvé quelque chose qui se tient.

– Qu'est-ce qui se tient ?

– Je ne sais pas. Ça se tient, sans que je sache bien comment. Il faut trouver par quel bout commencer, et puis tout reprendre depuis le début, encore, et encore.

Lucinda se leva.

– Il y a un café Internet près d'ici. J'y suis allée une fois avec Henrik. Le temps de m'habiller, et je vous accompagne.

Lucinda disparut à l'intérieur. Les enfants restaient là, à regarder Louise. Elle leur sourit, ils lui sourirent à leur tour et ses larmes commencèrent à couler. Les enfants souriaient toujours.

Au retour de Lucinda, Louise s'était essuyé les yeux. Elles traversèrent l'avenue Lénine. Lucinda s'arrêta devant une boulangerie qui partageait ses locaux avec un théâtre.

— J'aurais dû vous proposer un petit-déjeuner.

— Je n'ai pas faim.

— Si, mais vous ne voulez pas l'admettre. Je n'arrive pas à comprendre pourquoi les Blancs ont tant de mal à parler franchement des petites choses de la vie, si on a bien dormi, si on a mangé, si on a besoin de se changer.

Lucinda entra dans la boulangerie et en ressortit avec deux petits pains ronds emballés dans un sac en papier. Elle en prit un et donna l'autre à Louise.

— Espérons qu'on trouvera une explication et que tout cela finira.

— Umbi est le deuxième mort que je vois de ma vie. Henrik était le premier. Les gens n'ont-ils aucune conscience morale ?

— Les gens n'en ont presque jamais. Les pauvres parce qu'ils n'en ont pas les moyens, les riches parce qu'ils pensent que ça leur coûtera trop cher.

— Henrik n'était pas comme ça. Il le tenait de moi.

— Henrik était bien comme tout le monde.

Louise haussa le ton.

— Non, il n'était pas comme tout le monde !

— Henrik était quelqu'un de bien.

— Il était beaucoup plus que ça !

— Qu'est-ce qu'on peut être de plus ?

— Il voulait le bien de son prochain.

Lucinda claqua bruyamment des dents et entraîna Louise à l'ombre sous l'auvent d'un magasin de chaussures.

309

– Il était comme les autres. Il ne se comportait pas toujours bien. Pourquoi m'a-t-il fait ce qu'il m'a fait ? Qu'est-ce que vous avez à répondre à ça ?

– Je ne comprends pas.

– Il m'a transmis le sida. C'est lui qui m'a contaminée. J'ai dit le contraire quand vous m'avez posé la question la première fois, parce que je pensais alors qu'il ne fallait pas en rajouter. Mais j'en ai assez, alors voilà la vérité, puisque vous ne l'avez pas encore compris.

Elle jeta ces mots comme des gifles à la figure de Louise, qui ne tenta pas de résister, car elle savait bien que Lucinda ne mentait pas. Elle s'en était doutée depuis son arrivée à Maputo. Henrik lui avait caché sa maladie, il ne lui avait jamais parlé de son appartement à Barcelone. Après sa mort, à présent qu'elle se sentait elle-même comme morte, il lui fallait bien admettre qu'elle ne savait presque rien de lui. Quand avait-il changé ? Elle l'ignorait, cela avait dû s'insinuer sans qu'elle s'en rende compte. Henrik n'avait pas voulu qu'elle découvre qu'il était en train de devenir quelqu'un d'autre.

Lucinda se mit à marcher. Elle n'attendait aucune réponse de Louise. Le vigile du magasin de chaussures regardait les deux femmes avec curiosité. Louise était si bouleversée qu'elle l'apostropha en suédois :

– Je ne sais pas ce que tu regardes, mais nous sommes amies toutes les deux, bouleversées mais amies.

Elle rattrapa Lucinda et lui prit la main.

– Je ne savais pas.

– Vous pensiez que c'était moi qui l'avais contaminé. Vous supposiez que c'était la putain noire qui lui avait donné la maladie.

– Je ne vous ai jamais considérée comme une prostituée.

– Les Blancs considèrent toujours les Noires comme des femmes disponibles, n'importe où, n'importe quand. Si une jolie jeune fille noire de vingt ans dit à un homme blanc obèse qu'elle l'aime, il la croira, tellement il est sûr de son pouvoir en débarquant dans un pays pauvre d'Afrique. Henrik m'a dit que c'était la même chose en Asie.

– Mais Henrik ne vous a jamais considérée comme une prostituée ?

– Honnêtement, je ne sais pas.

– Il vous offrait de l'argent ?

– Ce n'est pas nécessaire. Beaucoup de Blancs pensent que nous devrions les remercier de nous permettre d'écarter les jambes pour eux.

– C'est dégoûtant.

– Et ce n'est pas le pire. Je pourrais vous parler de fillettes de huit ou neuf ans…

– Je ne veux pas entendre.

– Henrik, lui, le voulait, aussi désagréable que ce soit. « Je veux savoir, pour comprendre pourquoi je ne veux pas savoir. » C'est ce qu'il disait. J'ai d'abord cru qu'il fanfaronnait. Puis j'ai compris qu'il était sincère.

Lucinda s'arrêta. Elles étaient arrivées devant un café Internet installé dans un bâtiment en dur récemment rénové. Des femmes assises sur des nattes en raphia proposaient leurs marchandises. Lucinda acheta quelques oranges avant d'entrer. Louise essaya de la retenir.

– Pas maintenant. Nous en reparlerons plus tard. Il fallait que je vous dise la vérité.

– Comment Henrik avait-il su qu'il était malade ?

– Je le lui ai demandé, mais il ne m'a jamais répondu. Désolée, je ne peux pas vous en dire plus. Sauf que, quand il a compris qu'il m'avait contaminée, il était anéanti. Il parlait de se suicider. J'ai réussi à le convaincre que s'il l'ignorait, il n'avait rien à se reprocher. Aurait-il dû être au courant ? C'est tout ce que je voulais savoir. Il a dit que non. Puis il m'a promis qu'il veillerait à ce que je dispose de tous les médicaments indispensables pour retarder la maladie. Je reçois toujours 500 dollars par mois.

– D'où vient cet argent ?

– Je ne sais pas. Il est déposé sur un compte en banque. Il m'a promis que si quelque chose lui arrivait, cet argent continuerait à m'être versé pendant vingt-cinq ans. Régulièrement, tous les 28 du mois, je reçois cette somme. C'est comme s'il était toujours en vie.

Louise fit un rapide calcul mental. 500 dollars par mois pendant vingt-cinq ans : une somme vertigineuse, 150 000 dollars, environ un million de couronnes. Henrik devait être riche à sa mort.

Elle regarda par la fenêtre à l'intérieur du café. *Et s'il s'était malgré tout suicidé ?*

– Vous avez dû le haïr.

– Je n'en ai pas la force. Ce qui arrive était peut-être écrit.

– La mort d'Henrik n'était pas écrite.

Elles entrèrent, et on leur attribua un ordinateur libre. Aux autres tables, des jeunes gens en uniforme d'écolier se concentraient en silence devant leurs écrans. Malgré l'air conditionné, il régnait une chaleur étouffante dans la pièce. Lucinda s'irrita de voir que l'écran était sale. Quand le propriétaire parut, elle lui arracha le chiffon des mains et l'essuya elle-même.

– Pendant toutes les années du colonialisme, nous avons appris à ne faire que ce qu'on nous demandait. Maintenant, nous apprenons lentement à penser par nous-mêmes. Mais il y a tant de choses que nous ne nous décidons pas à faire. Nettoyer un écran d'ordinateur, par exemple.

– Vous disiez que vous étiez venue ici avec Henrik ?

– Il cherchait quelque chose. C'était au sujet de la Chine.

– Vous pensez pouvoir retrouver ce que c'était ?

– Peut-être. Il faut que je réfléchisse. Faites d'abord ce que vous avez à faire. Je reviens bientôt. Il faut que quelqu'un s'occupe du Malocura. J'ai une facture d'électricité à payer.

Lucinda disparut dans le soleil écrasant. Louise était en sueur sous ses vêtements légers. Elle sentait l'odeur de ses aisselles. Quand s'était-elle lavée pour la dernière fois ? Elle commença son exploration sur le Net en essayant de se souvenir de ce qu'Aron et elle avaient recherché à Barcelone. Elle se souvenait des titres des journaux, mais pas précisément des articles qu'elle y avait lus. Ils dataient de la période 1999-2000, elle en était sûre. Elle fouilla d'abord dans les archives du *Washington Post*. Elle n'y trouva rien concernant Steve Nichols ou Steve Holloway. Elle essuya la sueur de son visage et ouvrit le site du *New York Times*. Au bout d'une demi-heure, elle avait vérifié tout 1999. Elle passa à l'année 2000. Elle dénicha, presque du premier coup, l'article qu'elle avait lu en Espagne sur l'ordinateur d'Henrik. « Steve Nichols s'est donné la mort après avoir été victime d'un chantage. Ses maîtres chanteurs menaçaient de révéler sa séropositivité et les circonstances de sa contamination. » Louise lut l'article dans les moindres détails, essaya tous les liens, mais rien ne reliait Steve Nichols à Christian Holloway.

Elle alla s'acheter une bouteille d'eau. Des mouches s'obstinaient à bourdonner autour de son visage en sueur. Elle vida la bouteille et revint à son ordinateur. Elle entama des recherches sur Christian Holloway, visita plusieurs sites d'organisations s'occupant des malades du sida. Elle allait abandonner quand le nom de Steve Nichols refit surface. Elle tomba sur la photographie d'un jeune homme portant des lunettes, plus âgé qu'Henrik de quelques années peut-être. Pas la moindre ressemblance avec Christian Holloway.

Steve Nichols parlait de l'organisation caritative pour laquelle il travaillait, « A for Assistance », active aux États-Unis et au

Canada, et qui aidait les malades du sida à vivre dignement, mais il ne révélait pas sa séropositivité. Rien non plus sur le chantage dont il faisait l'objet. Il se contentait d'insister sur son dévouement au service des malades.

> Steve Nichols. Né à Los Angeles le 10 mai 1970, fils de Mary-Ann Nichols et de Christian Holloway.

Elle frappa un grand coup sur sa table, s'attirant un regard interloqué du gérant, un jeune Noir en costume-cravate. Elle lui fit signe de ne pas s'inquiéter, en disant qu'elle venait de trouver ce qu'elle cherchait. Il hocha la tête et se replongea dans son journal.

Cette découverte la secouait. Difficile encore d'en tirer des conclusions. Christian Holloway portait le deuil de son fils. Mais qu'y avait-il derrière ce deuil ? Un désir de vengeance contre celui ou ceux qui avaient poussé son fils au suicide ?

Lucinda revint et s'assit à côté d'elle. Louise lui fit part de sa découverte.

– L'affaire me semble cependant douteuse. Cela se serait passé il y a vingt ans, ce serait autre chose, mais aujourd'hui ? Se sui- cide-t-on vraiment de peur de voir sa séropositivité révélée ?

– Peut-être craignait-il qu'on sache qu'il l'avait contractée auprès d'un prostitué ou d'une putain ?

Lucinda pouvait avoir raison.

– Je voudrais que vous essayiez de retrouver ce qu'Henrik cherchait quand vous étiez ici. Vous savez vous servir d'un ordinateur ?

– J'ai beau n'être qu'une serveuse dans un bar après avoir passé une bonne partie de ma vie à me vendre, cela ne signifie pas que je sois incapable de me servir d'un ordinateur ! Si vous voulez tout savoir, c'est Henrik qui m'a appris.

– Ce n'est pas ce que je voulais dire.

– C'est vous qui savez le mieux ce que vous vouliez dire.

Louise comprit qu'une fois encore elle avait blessé Lucinda. Elle s'excusa. Lucinda hocha la tête sans rien dire. Elles échangèrent leurs places. Les mains de Lucinda volèrent sur le clavier.

– Il disait qu'il voulait s'informer sur un événement en Chine. Comment s'appelait ce site ?

Elle se concentra.

– Aids Report, dit-elle, c'est le nom du site.

Louise se souvint tout à coup, lorsque Henrik était enfant, de l'époque où elle avait voulu lui apprendre à jouer du piano. *Ses mains s'étaient transformées en marteaux avec lesquels il tambourinait joyeusement. Après trois leçons, son professeur suggéra qu'on lui fasse plutôt faire de la batterie.*

– C'était en mai, dit Lucinda. Il y avait du vent, le sable volait. Henrik avait quelque chose dans l'œil gauche. Je l'ai aidé à l'enlever, puis nous sommes entrés ici. Nous étions assis là.

Elle montra un coin de la pièce.

– Ce local venait juste d'ouvrir. Nous étions assis à cette table, près de la fenêtre. Les ordinateurs étaient tout neufs. Le propriétaire était là en personne, un Pakistanais, ou un Indien, à moins qu'il ne soit de Dubaï ? Il s'inquiétait, faisait les cent pas en criant aux gens de faire attention avec les ordinateurs. Un mois après, il avait fui le pays. Les fonds qu'il avait investis ici venaient d'un important trafic de drogue qui passait par Ilha do Moçambique. Je ne sais pas qui possède ce café aujourd'hui. Peut-être que personne ne sait, ce qui signifie d'habitude que c'est un ministre du gouvernement.

Lucinda continua à chercher et trouva presque tout de suite ce qu'elle espérait. Elle recula sa chaise pour laisser la place à Louise.

L'article était clair, et sans ambiguïté. À la fin de l'automne 1995 avait été organisée une collecte de sang dans la région du Henan. Pour les paysans des villages pauvres, c'était la seule façon de gagner de l'argent. Pour la première fois, leur corps leur assurait un revenu autrement que par un travail exténuant. Il suffisait de se coucher sur une civière et de se laisser soutirer un demi-litre de sang. On ne leur prélevait que le plasma, le reste était réinjecté. Mais on ne changeait pas les aiguilles. L'un des paysans avait été contaminé par le sida près de la frontière thaïlandaise. En donnant son sang, il avait transmis le virus à tous les autres. Lors d'une visite sanitaire, en 1997, des médecins avaient découvert que, dans certains villages, de nombreux habitants avaient le sida. Beaucoup étaient déjà morts, ou gravement malades.

Commença alors la deuxième phase de ce qu'Aids Report a appelé « la catastrophe du Henan » : une équipe médicale avait débarqué un jour dans un des villages pour proposer aux malades un nouveau type de médicament, baptisé BGB-2, un traitement produit par Cresco, société installée dans l'Arizona développant divers antirétroviraux. Les médecins avaient offert ces traitements gratuitement, promettant aux pauvres paysans qu'ils recouvreraient la santé. Mais le BGB-2 n'avait pas été homologué par les autorités médicales chinoises. Elles n'en avaient jamais entendu parler et n'étaient pas non plus au courant de la visite de l'équipe médicale dans le Henan. En réalité, personne ne savait si le BGB-2 était efficace ni s'il avait ou non des effets secondaires.

Quelques mois plus tard, les paysans qui avaient reçu le traitement tombèrent malades : fortes fièvres, épuisement, hémorragies ophtalmiques, éruptions cutanées. Ils mouraient de plus en plus nombreux. Les médecins et les infirmières avaient disparu comme par enchantement. Il n'était plus question du BGB-2. La société Cresco nia toute implication, changea de nom, quitta l'Arizona pour s'installer en Angleterre. Le seul à être condamné fut un de ceux qui avaient fait le tour des villages pour acheter du sang. Il fut jugé pour fraude fiscale aggravée et exécuté après avoir été condamné à mort par un tribunal populaire.

Louise s'étira.

– Vous avez fini de lire ? Henrik était indigné, et moi aussi. Nous pensions la même chose.

– Que cela pouvait aussi se produire ici ?

Lucinda opina du chef.

– Les pauvres réagissent tous de la même façon. Et pourquoi en irait-il autrement ?

Louise essaya de rassembler ses esprits. Elle était fatiguée, affamée, morte de soif, mais surtout bouleversée. Sans cesse, elle devait chasser l'image de la tête d'Umbi, de la mort qui lui était apparue béante, dans toute son horreur.

– Henrik était-il déjà en contact avec Christian Holloway quand vous êtes venus ici ?

– Cela faisait longtemps déjà.

– C'était avant qu'il se mette à changer ?

– C'était à peu près en même temps. Il logeait chez Lars Håkansson, à l'époque. Il est venu me voir un matin, en me demandant de lui indiquer un café Internet. C'était urgent. Pour la première fois, il semblait impatient.

– Pourquoi n'utilisait-il pas l'ordinateur de Lars Håkansson ?

– Il ne m'a rien dit, mais je me souviens de lui avoir posé la question.

– Et alors ?

– Il s'est contenté de secouer la tête et m'a dit de me dépêcher.

– Rien d'autre ? Réfléchissez ! C'est important !

– Nous sommes allés dans ce café, qui venait donc juste

317

d'ouvrir. Je me souviens qu'il tombait une pluie fine. On entendait le tonnerre au loin, et je lui ai dit qu'il risquait d'y avoir des coupures de courant si l'orage arrivait en ville.

Lucinda se tut. Louise vit qu'elle essayait de se souvenir. L'image d'Umbi lui revint à l'esprit. Un pauvre paysan parmi des malades du sida en train de mourir, et qui avait quelque chose d'important à lui dire. Louise frissonna malgré la chaleur étouffante du local. Elle se dit qu'elle puait la crasse.

— Il regardait autour de lui dans la rue, je m'en souviens à présent. Il s'est arrêté à deux reprises pour se retourner. J'étais tellement étonnée que je n'ai même pas pensé à lui demander pourquoi il faisait ça.

— Il a dit quelque chose ?

— Je ne sais pas, nous avons continué, c'est tout. Il s'est retourné encore une fois, et voilà.

— Il avait peur ?

— Difficile à dire. Peut-être était-il inquiet.

— Vous vous souvenez de quelque chose d'autre ?

— Il est resté moins d'une heure devant l'ordinateur. Il savait ce qu'il cherchait.

Louise essaya de se représenter la scène. Ils s'étaient installés dans un coin. De là, Henrik pouvait en levant la tête voir ce qui se passait dans la rue. Et lui-même était caché derrière l'ordinateur.

Il était allé dans un café Internet pour ne pas laisser de traces sur l'ordinateur de Lars Håkansson.

— Pouvez-vous vous rappeler si quelqu'un est entré pendant que vous étiez devant l'ordinateur ?

— J'étais fatiguée, j'avais faim. J'ai bu quelque chose et mangé un sandwich poisseux. Bien sûr, il y avait des allées et venues. Aucun visage n'a retenu mon attention.

– Et après ?

– Il a copié l'article, et nous sommes partis. Il s'est mis à pleuvoir au moment précis où nous sommes arrivés chez moi.

– Est-ce qu'il s'est retourné en chemin ?

– Je ne me souviens pas.

– Réfléchissez !

– Je ne fais que ça ! Je ne me souviens pas. Nous avons couru pour arriver avant la pluie. L'orage a duré plusieurs heures. Les rues ont été inondées, et il y a évidemment eu une coupure de courant qui a duré jusqu'à la mi-journée.

– Il est resté chez vous ?

– Je ne crois pas que vous saisissiez bien ce qu'est une pluie africaine. C'est comme des lances à incendie qui vous crachent sur la tête. Si on n'est pas obligé, on ne sort pas.

– A-t-il dit quelque chose au sujet de l'article ? Pourquoi s'y intéressait-il ? Qui lui en avait parlé ? Quel rapport avec Christian Holloway ?

– Une fois chez moi, il a voulu dormir. Il s'est couché dans mon lit. J'ai dit à mes frères et sœurs de ne pas faire de bruit. Ils en ont fait, bien sûr. Mais il a continué à dormir. J'ai cru qu'il était malade : il dormait comme si on l'en avait empêché pendant très longtemps. Il s'est réveillé dans l'après-midi, au moment où la pluie a cessé. Nous sommes sortis une fois les nuages disparus. L'air était frais. Nous sommes allés jusqu'à la plage.

– Et il ne disait toujours rien ?

– Il m'a raconté une histoire dont il avait entendu parler, et qu'il n'oublierait jamais. Je crois que ça se passait en Grèce, ou peut-être en Turquie, il y a bien longtemps. Un groupe d'hommes se cachait dans une grotte pour échapper à des ennemis. Ils avaient à manger pour plusieurs mois, et buvaient l'eau de ruissellement.

319

Mais ils furent découverts. Leurs ennemis murèrent l'entrée de la grotte. Voici quelques années, on a découvert l'entrée murée, et on les a tous trouvés morts. Mais le plus étonnant était un vase en terre posé à même le sol : ils l'avaient utilisé pour collecter l'eau qui ruisselait du plafond de la grotte. Avec les années, l'eau s'était cristallisée, formant une stalagmite qui avait emprisonné le vase. Henrik disait que c'était ainsi qu'il se représentait la patience : la fusion de la cruche et de l'eau. Je ne sais pas qui lui a raconté cette histoire.

– C'est moi. La découverte de cette grotte dans le Péloponnèse a fait sensation. J'y étais.

– Que faisiez-vous en Grèce ?

– J'y travaillais comme archéologue.

– Je ne sais pas ce que c'est.

– Je cherche des traces du passé. Des tombes, des grottes, des anciens palais, des inscriptions. Je creuse pour retrouver un passé lointain.

– Je n'ai jamais entendu parler d'archéologues dans ce pays.

– Ils ne sont peut-être pas nombreux, mais il y en a certainement. Henrik ne vous avait vraiment pas dit de qui il tenait cette histoire ?

– Non.

– Il n'a jamais parlé de moi ?

– Jamais.

– Il ne parlait jamais de sa famille ?

– Il disait que son grand-père maternel était un artiste très connu dans le monde entier. Et il évoquait aussi souvent sa petite sœur Felicia.

– Il n'a pas de sœur. C'était mon enfant unique.

– Je sais. Il disait qu'il avait une sœur du côté de son père.

Un bref instant, Louise se dit que c'était peut-être vrai. Aron avait pu avoir un enfant d'une autre femme, sans qu'elle soit au courant. Alors c'était l'ultime outrage, il l'avait partagé avec Henrik, pas avec elle.

Mais ce n'était pas possible. Henrik n'aurait pas réussi à garder un tel mensonge, même si Aron le lui avait demandé en confiance.

Il n'avait pas de sœur, c'était une invention d'Henrik. Pourquoi n'en avait-il jamais parlé ? Elle ne se souvenait pas de l'avoir jamais entendu se plaindre de ne pas avoir de frères et sœurs.

– Vous a-t-il montré une photo de sa sœur ?

– Je l'ai toujours.

Louise crut qu'elle allait devenir folle. Il n'y avait pas de sœur, pas de Felicia. Pourquoi Henrik avait-il inventé ça ?

Elle se leva.

– Je ne veux pas rester ici. Il faut que je mange quelque chose, il faut que je dorme.

Elles sortirent du café Internet et marchèrent dans la chaleur accablante.

– Henrik supportait la chaleur ?

– Je ne sais pas s'il la supportait, mais il aimait ça.

Lucinda la fit entrer dans sa maison étroite. Louise salua sa mère, une vieille femme voûtée avec des mains puissantes, un visage ridé et des yeux bienveillants. Partout des enfants, de tous âges. Lucinda dit quelques mots et ils filèrent tous par la porte ouverte, où une tenture flottait dans le vent.

Elle disparut derrière une autre tenture. On entendait une radio crachoter. Elle revint, une photo à la main.

– C'est Henrik qui me l'a donnée. Lui et sa sœur Felicia.

Louise leva la photo vers une fenêtre. Henrik en compagnie de Nazrin. Elle essaya de saisir le sens des événements. Sa confusion était telle qu'elle n'arrivait pas à aligner deux idées.

Pourquoi ? Pourquoi avoir ainsi menti à Lucinda en prétendant avoir une sœur ?

Elle reposa la photo.

– Ce n'est pas sa sœur. C'est une amie.

– Je ne vous crois pas.

– Il n'avait pas de sœur.

– Pourquoi m'aurait-il menti ?

– Je ne sais pas. Écoutez : c'est une bonne amie à lui, elle s'appelle Nazrin.

Lucinda ne protesta plus. Elle posa la photo sur une table.

– Je n'aime pas les menteurs.

– Je ne comprends pas pourquoi il a prétendu avoir une sœur.

– Ma mère n'a jamais menti de sa vie. Pour elle, seule la vérité compte. Mon père lui a toujours menti : sur d'autres femmes dont il niait l'existence, sur l'argent qu'il prétendait avoir perdu. Il lui a menti sur tout, sauf quand il reconnaissait qu'il ne s'en serait jamais sorti sans elle. Les hommes mentent.

– Les femmes aussi.

– Elles se défendent. Les hommes font la guerre aux femmes de bien des manières. Une de leurs armes est le mensonge. Lars Håkansson voulait même que je change de nom, que je sois Julieta, plutôt que Lucinda. Je me demande toujours ce que cela changeait. Une Julieta écarte-t-elle les jambes autrement que moi ?

– Je n'aime pas la façon dont vous parlez de vous-même.

Lucinda se plongea soudain dans un mutisme hostile. Louise se leva. Lucinda l'accompagna jusqu'à sa voiture. Elles se quittèrent sans convenir d'un prochain rendez-vous.

Louise se trompa plusieurs fois avant de retrouver la maison de Lars Håkansson. Le gardien somnolait dans la chaleur. Il se leva d'un bond, la salua et la laissa entrer. Celina étendait la lessive. Louise lui dit qu'elle avait faim. Une heure plus tard, vers onze heures, elle s'était lavée et avait mangé. Elle s'allongea sur son lit dans la fraîcheur de l'air conditionné et s'endormit.

Le soleil se couchait déjà quand elle se réveilla. Il était dix-huit heures. Elle avait dormi longtemps. Ses draps étaient humides. Elle avait rêvé.

Aron était au sommet d'une montagne, au loin. Elle piétinait dans une tourbière sans fin du Härjedalen. Dans son rêve, une grande distance les séparait. Henrik lisait un livre, assis sur une pierre près d'un grand pin. Elle lui demandait ce qu'il lisait et il lui montrait un album. Elle ne reconnaissait personne sur les photos.

Louise rassembla son linge sale et l'abandonna par terre avec mauvaise conscience, sachant qu'ainsi Celina le laverait. Puis elle entrebâilla la porte et tendit l'oreille. Personne dans la cuisine. La maison semblait déserte.

Elle prit une douche, s'habilla et descendit. L'air conditionné rafraîchissait toutes les pièces. Sur la table trônait une bouteille de vin à moitié pleine. Elle s'en servit un verre et alla s'installer dans le séjour. De la rue montait la bruyante conversation des gardiens. Les rideaux étaient tirés. Elle goûta le vin et se demanda ce qui avait pu se passer après son départ de Xai-Xai. Qui avait trouvé Umbi ? Quelqu'un avait-il fait le lien avec elle ? Qui donc se cachait dans l'obscurité ?

La panique semblait avoir attendu qu'elle soit reposée pour s'emparer d'elle. *Un homme qui veut me raconter quelque chose en secret est atrocement assassiné.* Ç'aurait pu être Aron, à terre, la gorge tranchée.

Tout à coup, elle se sentit mal et courut vomir aux toilettes. Puis elle s'effondra sur le sol de la salle de bains, comme si un

323

tourbillon l'aspirait. Sombrait-elle dans les eaux noires du lac sans fond où son père l'emmenait nager ?

Elle resta à terre, sans même réagir quand un cafard lui passa sous le nez pour se faufiler dans une brèche du carrelage derrière la tuyauterie.

Il faut que je recolle les morceaux. Plusieurs motifs apparaissent, que je devrais savoir interpréter. Il faut faire comme si c'était un vase antique : essayer d'avancer à tâtons, avec une patience de stalagmite.

L'image qu'elle reconstituait était intolérable. D'abord, Henrik était séropositif. Puis elle découvrait des expériences menées sans aucune précaution sur des êtres humains, afin de trouver un remède à la maladie. Par-dessus le marché, son fils trempait dans un chantage contre le fils de Christian Holloway, qui finissait par se suicider.

Elle tenta d'assembler les morceaux de diverses façons, laissant des vides pour les pièces encore manquantes. Mais elle ne parvenait pas à fixer les fragments épars.

Elle retourna l'image. Un maître chanteur ne prend pas le risque que sa victime se suicide. L'important, c'est que de l'argent soit versé.

Si Henrik avait été surpris par la mort de Steve Nichols, comment avait-il réagi en apprenant ce qui s'était passé ? Avec désespoir ? Honte ?

Les fragments demeuraient muets.

Elle essaya d'avancer d'un pas. Henrik avait peut-être fait chanter un maître chanteur. Steve Nichols était peut-être son ami ? Avait-il par son intermédiaire eu vent des activités de Christian Holloway en Afrique ? Steve savait-il ce qui se passait vraiment à Xai-Xai, derrière la belle façade d'œuvre charitable?

À la dernière étape de son raisonnement, tout l'échafaudage s'effondrait. La mort d'Umbi avait-elle le moindre lien avec ce qui s'était produit en Chine, dans la lointaine province du Henan?

Elle était à demi étendue sur le sol de la salle de bains, la tête tournée vers la cuvette des WC. L'air conditionné couvrait les autres bruits, mais elle sentit que quelqu'un venait d'arriver dans son dos. Elle se tourna d'un coup.

Lars Håkansson l'observait.

– Vous êtes malade?

Non.

– Que diable faites-vous alors couchée sur le sol de la salle de bains? Si je puis me permettre?

– J'ai vomi. Je n'avais pas la force de me relever.

Elle se leva et lui claqua la porte au nez. Son cœur battait, elle était terrorisée.

Quand elle sortit de la salle de bains, il était là, un verre de bière à la main.

– Ça va mieux?

– Ça va. J'ai peut-être mangé quelque chose qui n'est pas passé.

– Si vous aviez séjourné ici depuis plusieurs semaines, je vous aurais demandé si vous aviez des migraines et des accès de fièvre.

– Je n'ai pas la malaria.

– Pas encore. Mais vous ne prenez pas de médicaments préventifs, n'est-ce pas?

– C'est exact.

– Comment s'est déroulé ce voyage à Inhaca?

– Comment savez-vous que je suis allée là-bas ?

– Quelqu'un vous a vue.

– Quelqu'un qui savait qui je suis ?

– Oui, bien sûr.

– J'ai mangé, j'ai dormi, je suis allée nager. Et j'ai rencontré un homme qui peint.

– Des dauphins ? Des femmes à forte poitrine en train de danser ? Un drôle de personnage qui s'est installé à Inhaca, un destin fascinant.

– Je l'ai trouvé sympathique. Il a peint un portrait d'Henrik, son visage parmi beaucoup d'autres.

– Les tableaux que j'ai vus où il s'essaie au portrait ne sont pas très réussis. Ce n'est pas un artiste, il n'a aucun talent.

Louise fut indignée par le ton de mépris dans sa voix.

– J'ai vu pire. J'ai surtout souvent vu des artistes honorés pour leurs prétentions plutôt que pour un talent dont ils sont complètement dépourvus.

– Bien sûr, mes opinions esthétiques ne peuvent pas entrer en concurrence avec l'avis d'une éminente archéo-logue. L'art n'est pas un sujet que j'aborde d'ordinaire dans mes fonctions de conseiller auprès du ministère de la Santé de ce pays.

– Et de quoi discutez-vous ?

– De la nécessité d'avoir des draps propres, ou des draps tout court dans les hôpitaux du pays. C'est regrettable. Le pire, c'est que nous avons beau payer chaque année pour y remédier, l'argent pour l'achat des draps comme les draps eux-mêmes disparaissent dans les poches sans fond de fonctionnaires et d'hommes politiques corrompus.

– Pourquoi ne protestez-vous pas ?

– Le seul résultat que j'obtiendrais, ce serait de perdre mon travail et d'être renvoyé chez moi. Je m'y prends autrement. J'essaie de faire en sorte que les très bas salaires des fonctionnaires

326

soient révisés à la hausse, pour qu'ils soient moins accessibles à la corruption.

— Ne faut-il pas deux personnes pour que la corruption ait lieu ?

— Bien sûr. Il y a bien des mains qui souhaiteraient se servir dans les millions de l'assistance humanitaire. Donateurs comme bénéficiaires.

Son téléphone sonna. Il répondit brièvement en portugais, puis l'éteignit.

— Désolé, je dois vous laisser seule ce soir. Ma présence est requise à une réception de l'ambassade d'Allemagne. Ce pays finance une grande partie du budget sanitaire de ce pays.

Je me débrouillerai.

— Enfermez-vous à clé. Je rentrerai vraisemblablement très tard.

— Pourquoi êtes-vous aussi cynique ? Puisque vous ne le cachez pas, je n'hésite pas à le demander.

— Le cynisme est une défense de façade. Un filtre qui rend la réalité un peu plus douce. Sans cela, ce serait facile de perdre pied et de tout laisser tomber.

— Tomber où ?

— Dans un trou sans fond. Beaucoup pensent sérieusement que l'avenir du continent africain est déjà derrière lui, et qu'il ne reste, à l'infini, que de douloureuses périodes de misère pour ceux qui auront eu la malchance de naître dans cette région de la terre. Qui se soucie au fond de l'avenir de ce continent ? Je veux dire à part ceux qui y ont un intérêt particulier, que ce soit pour les diamants d'Afrique du Sud, le pétrole angolais ou les talentueux footballeurs du Nigeria.

— C'est votre façon de voir les choses ?

— Oui et non. Oui, en ce qui concerne l'image du continent. On préfère ne pas avoir affaire avec l'Afrique, quand on voit le désordre qui y règne. Non, parce qu'il est tout simplement impossible d'exclure un continent entier. Dans le meilleur des cas, l'aide humanitaire permet de maintenir la tête du continent hors de l'eau le temps qu'il trouve un moyen de s'en sortir lui-même. Ici plus qu'ailleurs, il faut réinventer la roue.

Il se leva.

– Il faut que je me change, mais je continuerai volontiers cette conversation plus tard. Vos recherches avancent ?

– Je vais de découverte en découverte.

Il la regarda d'un air pensif, hocha la tête et disparut à l'étage. Elle entendit qu'il prenait une douche. Un quart d'heure plus tard, il redescendit.

– Peut-être suis-je allé trop loin ? Je n'ai rien d'un cynique, mais je suis franc, et la franchise peut choquer. Nous vivons une époque de faux-semblants.

– Cela signifie-t-il que l'image qu'on a de ce continent est fausse ?

– Espérons que vous ayez raison.

– J'ai trouvé deux lettres envoyées par Henrik, et je pense que vous avez écrit l'une des deux. Pourquoi ?

Lars Håkansson la regarda, sur la défensive.

– Pourquoi donc aurais-je falsifié une lettre d'Henrik ?

– Je ne sais pas. Pour brouiller les pistes.

– Et pourquoi aurais-je fait une chose pareille ?

– Je ne sais pas.

– Vous vous trompez. Si Henrik n'était pas mort, je vous mettrais à la porte.

– J'essaie seulement de comprendre.

– Il n'y a rien à comprendre. Je ne suis pas un faussaire, voyez-vous ! Oublions ça.

Lars Håkansson disparut dans la cuisine. Elle entendit un cliquetis, puis le bruit d'une porte qu'on ferme à clé. Il réapparut et sortit de la maison. Sa voiture démarra et le portail se referma. Elle resta seule. Elle monta à l'étage et s'installa devant l'ordinateur sans avoir la force de l'allumer.

La porte de la chambre de Lars Håkansson était entrebâillée. Elle la poussa du pied. Des vêtements étaient en tas par terre. Il y avait une télévision en face du grand lit, une chaise où s'amoncelaient livres et journaux, un bureau secrétaire et un grand miroir au mur. Elle s'assit au bout du lit et essaya de s'imaginer dans la peau de Lucinda. Puis elle se leva et alla au bureau. Elle en avait vu un identique dans son enfance. Elle s'en souvenait, Artur le lui avait montré quand ils étaient allés rendre visite à un parent âgé, un bûcheron qui avait déjà quatre-vingt-dix ans quand elle était toute petite. Elle se rappelait bien le bureau. Elle regarda les livres qui s'y empilaient. La plupart concernaient les questions sanitaires dans les pays pauvres. Peut être avait-elle été injuste envers Lars Håkansson. Que savait-elle vraiment de lui ? Peut-être consacrait-il toute son énergie à l'action humanitaire et n'avait-il rien d'un cynique ?

Elle retourna se coucher dans sa chambre. Dès qu'elle en aurait la force, elle irait se préparer à manger. L'Afrique l'exténuait.

Dans le noir, le visage d'Umbi défilait sans cesse devant ses yeux.

Elle se réveilla en sursaut.

Dans son rêve, elle était de retour dans cette maison de retraite, auprès de ce vieillard de quatre-vingt-dix ans aux bras tremblants, qu'une longue et dure vie de bûcheron avait réduit en miettes.

Elle y voyait clair à présent. Elle devait avoir six ou sept ans.

Le bureau était contre un mur de la chambre, sous une photo en noir et blanc représentant des gens d'une autre époque.

329

Artur avait ouvert l'un des tiroirs puis l'avait retourné et lui avait montré le double fond, un tiroir qui s'ouvrait de l'autre côté.

Elle se leva et se précipita dans la chambre de Lars Håkansson. Le tiroir en haut à gauche. Elle l'ouvrit et le retourna. Rien. Elle était vexée d'avoir été trompée par son rêve. Elle vérifia néanmoins tous les autres tiroirs.

Le dernier, un des plus grands, avait un double fond, il contenait des carnets. Elle prit celui du dessus et le feuilleta. C'était un agenda avec des notes éparses. Non sans un certain malaise, elle remarqua la ressemblance avec les notes que prenait Henrik : des initiales, des rendez-vous, des passages soulignés, des points d'exclamation.

Elle le feuilleta jusqu'au jour de son arrivée à Maputo. Il n'y avait rien. Elle continua jusqu'à la veille. Elle fixa la page sans en croire ses yeux : un « L » majuscule suivi de « XX ». Cela ne pouvait signifier qu'une seule chose, qu'elle était allée à Xai-Xai. Il ne pouvait pourtant pas savoir qu'elle s'y était rendue.

Elle recula de quelques pages, et trouva une autre annotation : « CH Maputo » : Christian Holloway était venu à Maputo. Pourtant, Lars Håkansson avait bien dit qu'il ne le connaissait pas.

Elle reposa le carnet et referma le tiroir. Côté rue, les gardiens ne faisaient plus de bruit. Elle fit le tour de la maison pour s'assurer que toutes les issues étaient fermées.

Il y avait une petite pièce derrière la cuisine, qui servait de buanderie. Elle poussa la fenêtre. Le crochet n'était pas mis. La grille non plus n'était pas fermée. Elle la tira à sa place. Elle reconnut ce bruit. Elle la rouvrit. Même bruit. Elle ne comprit pas tout de suite pourquoi cela lui disait quelque chose. Puis elle se souvint. Lars Håkansson était allé dans la cuisine juste avant de partir, et elle avait entendu ce même bruit.

Il m'a dit de m'enfermer, mais la dernière chose qu'il a faite avant de partir, c'est de vérifier qu'une fenêtre était bien ouverte. Pour que quelqu'un puisse entrer.

Elle fut sur-le-champ prise de panique. Elle se sentait traquée, à un point qui l'empêchait sans doute de distinguer la réalité de son imagination. Même si elle se trompait, ou exagérait, elle ne voulait pas prendre le risque de rester ici une minute de plus. Elle alluma toutes les lumières de la maison et rassembla ses affaires à la hâte. D'une main tremblante, elle ouvrit tous les verrous de la porte d'entrée, puis la grille. Elle avait l'impression de s'évader d'une prison avec le trousseau de clés du geôlier. Le gardien dormait quand elle arriva sur la rue. Il se réveilla en sursaut et l'aida à charger ses valises sur la banquette arrière de sa voiture.

Elle se rendit directement à l'hôtel Polana, où elle avait passé ses premières nuits. Elle monta elle-même ses valises malgré les protestations du réceptionniste. Une fois enfermée dans sa chambre, elle s'assit sur le bord du lit, tremblante.

Peut-être s'était-elle trompée en prenant des ombres pour des hommes, des coïncidences pour un complot. Mais c'en était trop.

Elle resta là jusqu'à retrouver son calme. Elle s'informa à la réception : le prochain vol pour Johannesburg était le lendemain à sept heures. On lui réserva une place. Après avoir mangé, elle retourna dans sa chambre et de sa fenêtre regarda la piscine déserte. Je ne sais pas ce que je vois, pensa-t-elle. Je ne sais pas dans quoi je suis plongée. Il faut que je prenne du recul pour peut-être commencer à comprendre ce qui a entraîné la mort d'Henrik.

Dans son désespoir, elle se dit qu'Aron était encore vivant. Il le fallait. Un jour il réapparaîtrait.

Elle se rendit à l'aéroport juste avant cinq heures. Elle laissa la clé de la voiture dans la boîte de l'agence de location, retira son billet et s'apprêtait à passer le contrôle de sécurité quand elle aperçut une femme en train de fumer à l'entrée du terminal. C'était la jeune fille qui travaillait au bar avec Lucinda. Louise ne savait pas son nom, mais elle était certaine de ne pas se tromper.

Elle allait quitter le pays sans en avoir averti Lucinda. Elle eut honte.

Louise s'approcha de la jeune fille, qui la reconnut. Pouvait-elle transmettre un message à Lucinda ? Elle hocha la tête. Louise arracha une page de son agenda et écrivit : « Je m'en vais. Mais je ne suis pas de ceux qui disparaissent. Je donnerai de mes nouvelles. »

Elle plia le papier et le tendit à la jeune fille, qui regardait ses ongles.

– Où partez-vous ?

– À Johannesburg.

– J'aimerais être à votre place. Mais c'est comme ça. Lucinda aura la lettre ce soir.

Elle passa le contrôle de sécurité. Par la baie vitrée, elle vit le gros avion sur le tarmac.

Je crois commencer à deviner la réalité de ce continent. Face à la pauvreté, des forces brutales étendent leur empire sans rencontrer aucune résistance. De pauvres paysans chinois, ou leurs compagnons d'infortune sur le continent africain sont traités comme des rats de laboratoire. Est-ce cela qu'Henrik avait compris ? Je ne sais toujours pas ce qui se trame dans le monde secret qu'a créé Christian Holloway. Mais j'ai déjà rassemblé

*quelques tessons. J'en trouverai d'autres, si je ne renonce pas.
Si je ne perds pas courage.*

Elle embarqua parmi les derniers passagers. L'avion s'élança
sur la piste et décolla. La dernière chose qu'elle vit, avant que
l'appareil traverse les nuages, fut un groupe de petits bateaux
de pêche, voile tendue, qui rentraient au port.

Vingt-trois heures de vol plus tard, après avoir survolé la mer et l'enchevêtrement de rues et d'immeubles du Pirée et d'Athènes, Louise atterrit à l'aéroport Venizelos.

La dernière fois qu'elle l'avait quitté, elle était très heureuse. Elle rentrait à présent avec sa vie en miettes, traquée par des événements qui la dépassaient, l'esprit envahi de détails qui résistaient jusqu'à présent à l'interprétation.

Vers quoi revenait-elle ? Des tombes, des fouilles dont elle n'était plus responsable. Il fallait qu'elle paie à Mitsos ses loyers de retard, qu'elle récupère ses affaires et prenne congé de ceux qui étaient restés avant qu'on ferme le chantier de fouilles pour l'hiver.

Irait-elle voir Vassilis à son bureau d'expert-comptable ? Mais qu'avait-elle à lui dire, à lui, ou à qui que ce soit ?

Elle avait voyagé sur Olympic Airways, et s'était offert un billet en classe affaires. Pendant le long vol de nuit, elle avait eu deux sièges pour elle toute seule. Il lui avait semblé voir des feux dans la nuit. L'un d'entre eux était celui d'Umbi, le dernier qu'il aurait jamais allumé. Dans ces ténèbres se cachaient aussi ceux qui l'avaient fait taire.

Elle le savait à présent avec certitude : Umbi était mort parce qu'elle lui avait parlé. Elle ne portait pas seule toute la responsabilité de sa mort, mais si elle n'était pas venue, il serait peut-être encore en vie.

Comment en avoir le cœur net ? Tandis qu'elle dormait dans son fauteuil confortable à bord du vol Olympic Airways, la question la taraudait jusque dans ses rêves. Umbi était mort. Ses yeux grands ouverts sur l'inconnu, au-delà de son propre regard. Plus jamais elle ne pourrait les croiser, pas plus qu'elle ne saurait ce qu'il avait l'intention de lui révéler.

À l'aéroport, elle eut soudain envie de remettre à plus tard sa visite aux fouilles d'Argos, de s'installer à l'hôtel, pourquoi pas le Grande-Bretagne sur l'avenue Syntagma, et de disparaître dans la foule un jour ou deux, le temps de se retrouver elle-même.

Elle loua pourtant une voiture et se mit en route vers le Péloponnèse et Argos. Il faisait toujours chaud, l'automne n'avait pas eu le temps de s'installer depuis son départ. La route serpentait entre des collines arides où surgissaient, parmi des touffes d'herbe brunie au soleil et des arbres bas, des rochers blancs comme de l'os.

En roulant vers Argos, elle remarqua à sa grande surprise qu'elle n'avait plus peur. Elle avait semé ses poursuivants loin derrière elle dans les ténèbres africaines.

Elle se demandait si Lucinda avait eu son message, et ce qu'elle en avait pensé. Et Lars Håkansson ? Elle appuya sur l'accélérateur. Elle haïssait cet homme, même si elle ne pouvait pas à coup sûr lui reprocher de tremper dans les événements qui avaient conduit à la mort d'Henrik. C'était une personne qu'elle voulait tenir à distance.

Elle s'arrêta dans une station-service qui faisait aussi cafétéria. En entrant, elle se rendit compte qu'elle y était déjà venue en compagnie de Vassilis, son amant patient mais quelque peu absent. Il était allé la chercher à l'aéroport, elle arrivait de Rome où elle avait assisté à un colloque laborieux sur de vieux livres et manuscrits découverts dans le désert du Mali. La découverte était sensationnelle, mais les séminaires soporifiques, les intervenants trop nombreux, l'organisation défaillante. Vassilis l'avait retrouvée à l'atterrissage, et ils s'étaient arrêtés là pour prendre un café.

Elle avait dormi chez lui la nuit suivante. Cela lui semblait à présent aussi lointain qu'un événement de son enfance.

Les chauffeurs routiers somnolaient sur leurs tasses. Elle mangea une salade, but de l'eau et du café. Les odeurs et les saveurs lui confirmaient qu'elle était bien de retour en Grèce. Plus rien ne lui était étranger comme en Afrique.

Elle arriva à Argos vers onze heures. Elle se dirigea vers son domicile, mais changea d'avis et se rendit directement sur le chantier de fouilles. Elle s'attendait à trouver quelques collègues, restés pour les derniers préparatifs avant la fermeture hivernale du site. Il n'y avait plus personne. Tout était désert, clôturé. Même les gardiens étaient rentrés chez eux.

Ce fut une des heures les plus solitaires de sa vie. En rien comparable au choc ressenti lors de la découverte du corps d'Henrik. Mais une autre sorte de solitude, comme si elle était soudain abandonnée dans un paysage s'étendant jusqu'à l'infini.

Elle pensa à la question qu'elle et Aron se posaient parfois par jeu : « Que ferais-tu si tu étais le dernier être humain sur la terre, ou le premier ? » Mais elle ne se souvenait d'aucune des réponses qu'ils avaient pu proposer. À présent ce n'était plus un jeu.

Un vieil homme apparut avec son chien. Il était souvent venu rendre visite au chantier de fouilles. Elle n'avait plus son nom en tête, mais elle savait que le chien s'appelait Alice. Il la salua aimablement en soulevant sa casquette. Il parlait lentement un anglais très correct, qu'il aimait avoir l'occasion de pratiquer.

– Je croyais que tout le monde était parti ?

– Je suis juste de passage. Tout est arrêté ici jusqu'au printemps.

– Les derniers sont partis il y a une semaine. Mais vous n'étiez pas là, madame Cantor ?

– J'étais en Afrique.

– Si loin ? Ce n'est pas effrayant ?

– Que voulez-vous dire ?

– Toute cette… sauvagerie ? Cela ne se dit pas ? *The wilderness ?*

– Entre là-bas et ici, il n'y a pas de grandes différences. Nous oublions trop facilement que nous appartenons tous à une même famille, et que chaque paysage a quelque chose qui rappelle tous les autres. S'il est vrai que l'origine de l'humanité se trouve sur le continent africain, notre mère à tous est noire.

– C'est bien possible.

D'un air soucieux, il regarda sa chienne qui s'était couchée, la tête reposant sur une patte.

– Elle ne passera sans doute pas l'hiver.

– Elle est malade ?

– Elle est très âgée, j'imagine qu'elle a au moins mille ans, un chien classique, tout droit sorti de l'Antiquité. Tous les matins, je vois le mal qu'elle a pour se lever. À présent, c'est moi qui la pousse à sortir se promener, plus l'inverse.

– J'espère qu'elle survivra.

– Au revoir, alors, au printemps.

Il souleva à nouveau sa casquette et continua son chemin. La chienne lui emboîta le pas, les pattes raides. Elle décida d'aller voir Vassilis à son bureau. Il était grand temps de solder les comptes. Elle comprenait qu'elle ne reviendrait plus en Grèce. Quelqu'un d'autre prendrait la direction des fouilles.

Sa vie était à un tournant, et elle ne savait pas où elle allait.

Elle s'arrêta en ville devant le bureau. Elle pouvait apercevoir Vassilis à l'intérieur. Il était au téléphone, il prenait des notes, il riait.

Il m'a oubliée. Pour lui, j'ai disparu. Je n'étais rien d'autre qu'une camarade de fortune avec qui dormir et se consoler de la vie. Exactement ce qu'il était pour moi.

Elle s'en alla avant qu'il ne la remarque.

Une fois chez elle, elle chercha longtemps ses clés. Elle remarqua que Mitsos était venu : aucun robinet ne gouttait, pas de lampe restée allumée. Il y avait quelques lettres sur la table de la cuisine. Elle ne les ouvrit pas.

Une bouteille de vin près du réfrigérateur. Elle l'ouvrit et se servit un verre. Elle n'avait jamais autant bu que ces dernières semaines.

Elle ne parvenait plus à trouver le repos. Elle était dans un état permanent d'agitation intérieure, qui ne coïncidait pas toujours avec le tourbillon extérieur qui l'aspirait.

Elle but son vin et s'assit dans la chaise à bascule grinçante de Leandros. Longtemps elle fixa son tourne-disque sans parvenir à décider ce qu'elle avait envie d'écouter.

Arrivée à la moitié de la bouteille, elle s'installa à sa table de travail, sortit de quoi écrire et commença une lettre adressée à l'université d'Uppsala. Elle exposait sa situation et demandait une année de congé sans solde.

Ma douleur et ma confusion sont telles qu'il serait présomptueux de ma part de me croire capable d'assumer la charge de travail qu'implique la responsabilité de chef de fouilles. Pour l'instant, avec ce qu'il me reste de forces, je me contente d'essayer de me prendre en main...

338

La lettre fut plus longue que prévue. Une demande de congé aurait dû être concise. Ce qu'elle écrivit ressemblait plus à une prière, ou peut-être à une confession désorientée.

Elle voulait qu'ils comprennent ce que cela faisait de perdre son enfant unique.

Elle trouva une enveloppe dans un tiroir et cacheta sa lettre. Les chiens de Mitsos aboyèrent. Elle prit la voiture et se rendit dans un restaurant des environs où elle avait l'habitude de manger. Le propriétaire était aveugle. Il restait sans bouger assis sur une chaise, figé comme une statue. Sa bru faisait la cuisine et sa femme servait. Aucun d'entre eux ne parlait l'anglais, mais Louise avait pris l'habitude d'entrer dans la cuisine exiguë pour montrer du doigt ce qu'elle voulait.

Elle mangea des choux farcis et une salade, but un verre de vin et du café. Il y avait peu de clients. Elle les reconnaissait presque tous.

À son retour, elle tomba sur Mitsos qui l'attendait dans le noir. Elle laissa échapper un cri.

— Je vous ai fait peur ?

— Je ne savais pas qui c'était.

— Qui d'autre que moi ? Panayiotis, peut-être. Mais il est en train de suivre le match, c'est le Panathinaïkos qui joue.

— Ils gagnent ?

— Certainement. Panayiotis a parié 3-1. Et il ne se trompe jamais.

Elle ouvrit et le fit entrer.

— J'ai été absente plus longtemps que prévu.

Mitsos s'était assis sur une chaise de la cuisine. Il la regarda d'un air grave.

— J'ai su ce qui s'était passé. Je suis désolé pour la mort de

339

votre fils, comme tout le monde ici. Panayiotis a pleuré, et pour une fois ses chiens ont fermé leur gueule.

– C'était tellement inattendu.

– Personne ne s'attend à ce qu'un jeune homme meure, à moins qu'il n'y ait la guerre.

– Je suis venue pour récupérer mes affaires et payer mes loyers en retard.

Mitsos agita les bras.

– Vous ne me devez rien.

Il le dit avec une telle force qu'elle n'insista pas. Mitsos était gêné, et cherchait un sujet de conversation. Elle se souvint d'avoir pensé qu'il ressemblait à Artur.

Quelque chose la touchait dans leur incapacité à faire face aux sentiments.

– Leandros est malade. Le vieux gardien. Comment l'appeliez-vous déjà ? Il était votre *Phylakas Anghelos*.

– Notre ange gardien. Qu'est-ce qu'il a ?

– Il s'est mis à tituber, puis il est tombé à la renverse. Ils ont d'abord cru que c'était la pression artérielle. Et puis, la semaine dernière, ils lui ont trouvé une grosse tumeur au cerveau.

– Il est à l'hôpital ?

– Il refuse d'y aller. Il ne veut pas qu'on lui ouvre le crâne. Il préfère mourir.

– Pauvre Leandros !

– Il a vécu longtemps. Il trouve qu'il a bien mérité de mourir. Comme dit le proverbe, ce qui doit finir doit finir.

Mitsos se leva pour prendre congé.

– Je pense partir demain. Je rentre en Suède.

– Vous reviendrez l'an prochain ?

– Je reviendrai.

Cela lui avait échappé.

Mitsos s'apprêtait à sortir quand il se retourna.

– Quelqu'un est venu, qui vous cherchait.

Elle fut immédiatement sur ses gardes. Mitsos avait trébuché dans un des cordons de sécurité dont elle s'était entourée.

– Qui ça ?

– Je ne sais pas.

– Un Grec ?

– Non. Il parlait anglais. Grand, des cheveux courts, mince. Une voix claire. Il a demandé où vous étiez. Puis il a visité le chantier de fouilles. Il avait l'air d'être au courant de ce qui était arrivé.

Louise se dit avec effroi que Mitsos pouvait être en train de décrire Aron.

– Il n'a pas dit son nom ?

– Murray. Je ne sais même pas si c'est son nom ou son prénom.

– Cela peut être l'un ou l'autre. Racontez-moi exactement comment ça s'est passé. Quand il est venu, ce qu'il voulait, comment il est arrivé. En voiture ? À pied par le chemin ? Avait-il caché sa voiture ?

– Pourquoi diable aurait-il fait ça ?

Louise sentit qu'elle n'avait plus la force de tourner autour du pot.

– Parce qu'il était peut-être dangereux. Parce que c'était peut-être l'homme qui a tué mon fils, ou peut-être aussi mon mari. Parce qu'il voulait peut-être me tuer, moi aussi.

Mitsos la regarda, interloqué, l'air de vouloir protester. Elle leva la main et l'empêcha de poursuivre.

– Croyez-moi, c'est tout ce que je demande. Quand est-il venu ?

– La semaine dernière. Jeudi soir. Il a frappé à la porte. Je n'ai pas entendu de bruit de moteur. Les chiens n'avaient pas encore commencé à aboyer. Il a demandé à vous voir.

341

– Vous souvenez-vous exactement de ce qu'il a dit ?

– Il a demandé si Mme Cantor était chez elle.

– Il n'a pas dit Louise ?

– Non. Mme Cantor.

– L'aviez-vous déjà vu ?

– Non.

– Avez-vous eu l'impression qu'il me connaissait ?

Mitsos hésita avant de répondre.

– Je ne crois pas.

– Qu'avez-vous répondu ?

– Que vous étiez partie en Suède et que je ne savais pas quand vous alliez rentrer.

– Vous avez dit qu'il a visité le chantier de fouilles ?

– Le lendemain.

– Et après ?

– Il m'a demandé si j'étais certain de ne pas connaître la date de votre retour. Là, j'ai trouvé qu'il commençait à poser trop de questions. Je lui ai dit que je n'avais rien à ajouter, et qu'il m'avait dérangé pendant mon dîner.

– Et ?

– Il s'est excusé. Mais il n'était pas sincère.

– Pourquoi croyez-vous ça ?

– Ça se remarque. Il était aimable, mais il ne m'a pas plu.

– Et après ?

– Il a disparu dans le noir, j'ai fermé ma porte.

– Vous n'avez pas entendu de voiture démarrer ?

– Pas que je me souvienne. Et les chiens sont restés silencieux.

– Il n'est pas revenu ?

– Je ne l'ai jamais revu.

– Et personne d'autre ne m'a demandée ?

– Personne.

Louise comprit qu'elle n'apprendrait rien de plus. Elle remercia Mitsos qui se leva et partit. Dès qu'elle l'entendit fermer la porte de chez lui, elle quitta la maison. Il y avait un hôtel sur la route d'Athènes, le Nemea, où elle avait habité lors d'un dégât des eaux. Seule cliente ou presque, elle eut une chambre double donnant sur des plantations d'oliviers à perte de vue. Elle s'assit au balcon, sentit la fraîcheur de la brise d'automne et alla se chercher une couverture. Au loin elle entendait de la musique et des rires.

Elle réfléchit au récit de Mitsos. Elle ne pouvait pas savoir qui était cet homme venu à sa recherche. Mais ceux qui la poursuivaient étaient plus proches qu'elle n'aurait pensé. Elle n'avait pas réussi à s'en débarrasser.

Ils pensent que je sais quelque chose, ou bien que je n'abandonnerai pas la partie avant d'avoir trouvé ce que je cherche. Ma seule chance de leur échapper est d'arrêter de chercher. Je pensais les laisser derrière moi en quittant l'Afrique, mais je me suis trompée.

Dans le noir, sur ce balcon, elle prit sa décision. Elle ne resterait pas en Grèce. Elle avait le choix entre retourner à Barcelone ou rentrer en Suède. Elle n'eut pas de mal à se décider. Elle avait besoin d'Artur, et le plus vite possible.

Le lendemain, elle alla à la maison rassembler ses affaires. Elle déposa les clés dans la boîte aux lettres de Mitsos en lui écrivant qu'elle espérait un jour revenir récupérer la chaise à bascule que lui avait offerte Leandros. Elle mit de l'argent dans l'enveloppe pour qu'il lui achète des fleurs ou des cigarettes de sa part, en lui souhaitant un prompt rétablissement.

Elle revint à Athènes. Il y avait de la brume et beaucoup de circulation. Elle roulait à toute allure, alors qu'elle n'était pas pressée. Le temps échappait à son contrôle. Dans le tourbillon où elle était prise, il manquait cruellement.

Elle trouva une place le soir même dans un vol SAS pour Stockholm, avec escale à Copenhague. Elle arriva vers minuit et descendit à l'hôtel de l'aéroport. L'argent d'Aron suffisait encore à couvrir ses frais. De sa chambre, elle appela Artur après avoir consulté les horaires du lendemain pour qu'il vienne la chercher à Östersund. Elle arriverait dans la soirée : avant, elle voulait retourner dans l'appartement d'Henrik. Elle sentit qu'il était soulagé de la voir rentrer.

– Comment vas-tu ?

– Je suis trop fatiguée pour en parler maintenant.

– Il neige. Une chute de neige légère et silencieuse. Il fait moins quatre, et tu ne me demandes même pas comment s'est passée la chasse à l'élan.

– Excuse-moi. Comment ça s'est passé, alors ?

– Bien. Mais trop vite.

– Tu en as abattu un toi-même ?

– Les élans ne sont jamais passés devant mon poste de tir. Mais nous n'avons mis que deux jours à atteindre notre quota de chasse. Appelle-moi quand tu connaîtras l'heure d'arrivée de ton avion.

Cette nuit-là, pour la première fois depuis longtemps, elle dormit sans être sans cesse réveillée par des rêves qui la ramenaient à la surface. Elle laissa ses bagages dans une consigne et prit le train pour le centre de Stockholm. Une pluie froide tombait sur la ville, le vent de la Baltique soufflait par rafales. Elle s'arc-bouta contre le vent pour commencer à marcher vers chez Henrik. Mais il faisait vraiment trop froid, et elle se résigna à prendre un taxi. Assise sur la banquette arrière, elle vit soudain le visage d'Umbi flotter devant elle.

Rien n'est fini. Louise Cantor est toujours environnée d'ombres.

Elle rassembla ses forces, dans Tavastgatan, avant de franchir le porche et d'entrer dans l'appartement d'Henrik.

Des prospectus et des journaux de quartier jonchaient le sol devant la porte d'entrée. Elle les ramassa et alla s'asseoir à la cuisine. De là, elle entendit une musique qu'il lui sembla vaguement reconnaître d'une précédente visite chez Henrik.

Elle repensa au moment où elle l'avait trouvé mort.

Il dormait toujours nu. Mais cette fois, il portait un pyjama.

Soudain, elle comprit que le pyjama pouvait s'expliquer d'une façon qu'elle n'avait pas envisagée jusqu'ici, tant elle se refusait à croire qu'Henrik ait vraiment pu se suicider. Mais si c'était pourtant cela ? Il savait qu'on le trouverait mort, et il ne voulait pas être tout nu.

Elle alla dans la chambre et regarda le lit. Et si Göran Vrede et le médecin légiste avaient raison ? Henrik s'était suicidé. Il n'avait pas eu le courage de vivre avec l'idée de sa maladie, peut-être aussi qu'avoir fait l'expérience d'un monde cruel et injuste était un fardeau qui dépassait ses forces. Aron avait disparu parce qu'il était comme toujours incapable de prendre la moindre responsabilité. Le meurtre d'Umbi restait une énigme, mais il n'avait pas nécessairement de lien avec Henrik ou Aron.

Je me suis cachée dans un cauchemar au lieu d'admettre la réalité.

Elle ne parvenait pourtant pas à se convaincre elle-même. Elle ne savait pas où donner de la tête, sa boussole s'affolait. Qu'étaient devenus les draps du lit d'Henrik ? Peut-être les avait-on simplement enlevés avec le corps ? Les vases antiques qu'elle reconstituait à partir de fragments déterrés restaient toujours ébréchés. La réalité ne révélait pas tous ses secrets. Elle quitta l'appartement en proie au doute.

Elle descendit jusqu'à Slussen, où elle monta dans un taxi qui la conduisit à l'aéroport d'Arlanda. Elle traversa un paysage gris et brumeux. C'était la fin de l'automne, bientôt l'hiver. Au terminal des vols intérieurs, elle prit un billet pour Östersund, départ seize heures. Du fond des bois, Artur lui promit de venir la chercher.

Il restait trois heures avant le décollage. De la table d'une cafétéria avec vue sur les avions qui roulaient jusqu'au terminal, elle composa le numéro de Nazrin. Elle ne répondit pas. Louise laissa un message, lui demandant de la rappeler dans le Nord.

Voilà ce qui l'inquiétait à présent. Il fallait qu'elle parle à Nazrin de la maladie d'Henrik. L'avait-il contaminée ? Nazrin, dont il avait fait sa sœur Felicia.

Louise regarda vers la forêt, de l'autre côté de l'aéroport. Comment supporterait-elle la nouvelle, si c'était le cas, si Henrik avait aussi transmis la maladie à sa sœur imaginaire ?

Pendant ces heures d'attente, elle essaya de faire des projets pour l'avenir.

Je n'ai que cinquante-quatre ans. Arriverai-je encore à me passionner pour ce qui est caché sous terre, ou est-ce fini ? Ai-je seulement un avenir ?

La mort d'Henrik restait pour elle un gouffre sans fond.

Ne pas savoir, c'est ce qui me tue. Il faut que je force les morceaux à s'emboîter et à me raconter ce qu'ils ont à me dire.

C'est peut-être ma dernière campagne de fouilles, je la porte en moi.

Elle composa le numéro d'Aron. « L'abonné est actuellement indisponible. »

Des avions disparaissaient dans le ciel gris ou émergeaient des nuages comme des oiseaux scintillants. Elle alla sans se presser à la consigne récupérer ses bagages, les enregistra et s'assit dans un fauteuil bleu pour attendre. L'avion, à moitié plein, décolla à l'heure.

Une neige légère tombait dans la nuit sans vent tandis qu'elle marchait vers le terminal de l'aéroport d'Östersund.

Artur l'attendait près du tapis des bagages. Il s'était rasé et s'était bien habillé pour venir la chercher.

Quand ils furent assis dans la voiture, elle se mit à pleurer. Il lui tapota la joue puis traversa le lac de Storsjön par le pont avant de prendre la route en direction de Sveg. À la hauteur de Svenstavik, elle commença à lui raconter son voyage en Afrique.

– J'essaie, dit-elle. Je crois qu'il faut que je cherche comment te raconter ça. Il faut que j'essaie de trouver les mots justes.

– Prends ton temps.

– J'ai l'impression que c'est urgent.

– Tu t'es pressée toute ta vie. Je n'ai jamais compris pourquoi. De toute façon, on n'arrive jamais à faire plus qu'une infime partie de ce qu'on aurait voulu. Les longues vies aussi sont courtes. On peut à quatre-vingt-dix ans avoir des rêves aussi impatients que ceux d'un adolescent.

– Je ne sais toujours rien d'Aron. Je ne sais même pas s'il est en vie.

– Il faut lancer un avis de recherche. Je ne voulais pas le faire avant de t'en avoir parlé. Mais je me suis informé pour savoir s'il était retourné à Apollo Bay. Ce n'est pas le cas.

347

Ils roulaient dans l'obscurité. Les phares de la voiture éclairaient l'épaisse forêt de part et d'autre de la route. La chute de neige était toujours légère. Quelque part entre Ytterhogdal et Sveg, elle s'endormit, la tête contre la seule épaule où elle pouvait encore s'appuyer.

Le lendemain, elle se rendit au commissariat de police pour lancer un avis de recherche officiel. Le policier qui prit sa déposition la connaissait depuis l'enfance. Il était quelques classes au-dessus d'elle au collège. Il avait une mobylette à l'époque et elle était follement amoureuse de lui, ou peut-être de la mobylette. Il lui présenta ses condoléances sans poser de questions.

Puis elle monta au cimetière. Une fine couche de neige recouvrait la tombe. Il n'y avait pas encore de pierre tombale, mais Artur l'avait commandée chez un tailleur de pierre à Östersund.

Avant d'arriver, elle se disait qu'elle ne supporterait pas ce qui l'attendait, mais, une fois devant la tombe, elle garda son sang-froid.

Henrik n'est pas ici. Il est en moi, pas dans la terre, sous la neige. Il a fait bien du chemin, même s'il est mort si jeune. En cela nous nous ressemblons. Lui et moi prenons la vie très au sérieux.

Une femme passa entre les tombes. Elle salua Louise, mais ne s'arrêta pas. Louise pensa la reconnaître, sans parvenir à lui donner un nom.

Il se mit à neiger. Louise s'apprêtait à sortir du cimetière quand son téléphone sonna dans sa poche. Nazrin. Louise eut d'abord du mal à la comprendre à cause du vacarme qui l'environnait.

— Vous m'entendez?

Nazrin criait dans le téléphone.

– Mal. Où êtes-vous ? J'entends à peine.

– Je suis à la gare centrale de Stockholm, il y a des trains qui partent, de la cohue.

– Vous partez en voyage ?

– J'arrive de Katrineholm, et vous, où êtes-vous ?

– Je suis devant la tombe d'Henrik.

La voix de Nazrin disparut un instant puis revint.

– Vraiment ? Tout là-haut ?

– Je suis près de sa tombe, il neige, tout est blanc.

– J'aimerais y être, moi aussi. Un moment, je vais près des guichets, il y aura moins de bruit.

Louise entendit le vacarme s'estomper.

– Vous m'entendez mieux à présent ?

La voix de Nazrin était toute proche. Louise pouvait presque sentir sa respiration.

– J'entends très bien.

– Vous avez disparu sans laisser d'adresse. Je me suis posé des questions.

– J'ai fait un long voyage. Pouvez-vous venir ici ?

– Pouvons-nous chacune faire la moitié du chemin ? Mon frère m'a prêté sa voiture pendant qu'il est à l'étranger. J'aime bien conduire.

Louise se souvint qu'elle et Artur s'étaient arrêtés à Järvsö lors d'un voyage vers Stockholm. Cela devait être à mi-chemin. Elle lui proposa de se voir là-bas.

– Je ne sais pas où c'est, mais je trouverai. Je peux y être demain. Rendez-vous devant l'église, à quatorze heures ?

– Pourquoi l'église ?

– Il y a bien une église à Järvsö ? Vous connaissez un meilleur endroit ?

La conversation terminée, Louise entra dans l'église de Sveg. Elle se souvenait d'être restée là toute seule, quand elle était petite, à regarder le tableau d'autel en s'imaginant que les soldats romains allaient en sortir pour descendre l'arrêter. Elle appelait ça «jouer à se faire peur».

Louise se mit en route tôt le matin suivant. Il ne neigeait plus, mais les routes pouvaient être glissantes. Elle voulait prendre son temps. Artur sortit torse nu dans la cour malgré la température, pour la regarder partir.

À l'heure dite, elles se retrouvèrent devant l'église, sur une île au milieu du Ljusnan. Nazrin arriva au volant d'une luxueuse Mercedes. Les nuages s'étaient dissipés, le soleil brillait, l'hiver précoce avait reculé d'un pas, c'était à nouveau l'automne.

Louise lui demanda si elle était pressée de rentrer.

– Je peux rester jusqu'à demain.

– Il y a un vieil hôtel qui s'appelle Järvsöbaden. Je ne pense pas que ce soit la haute saison.

On leur donna deux chambres dans une annexe. Louise demanda à Nazrin si elle voulait aller se promener. Elle secoua la tête. Pas encore. À présent, elle voulait parler.

Elles allèrent s'asseoir au salon. Une vieille horloge égrenait son tic-tac dans un coin de la pièce. D'un air absent, Nazrin tripotait un petit bouton qu'elle avait sur la joue. Louise décida d'aller droit au but.

– Ce n'est pas facile à dire, mais il le faut. Henrik était séropositif. Depuis que je le sais, je suis dans les affres en pensant à vous.

Louise s'était longtemps demandé comment Nazrin le prendrait. Comment aurait-elle réagi elle-même ? Mais elle ne s'attendait pas à cette réponse :

– Je sais.

– Il en a parlé ?

– Non, il n'a rien dit. Pas de son vivant.

Nazrin sortit une lettre de son sac.

– Lisez ça.

– Qu'est-ce que c'est ?

– Lisez !

Une lettre d'Henrik. Courte. Il racontait comment il avait découvert sa maladie et qu'il espérait avoir été assez prudent pour ne pas la lui transmettre.

– Je l'ai reçue il y a quelques semaines. Elle venait de Barcelone. Quelqu'un a dû la poster après avoir appris la mort d'Henrik. Il avait certainement pris des dispositions. Il parlait souvent de ce qu'il fallait faire « s'il lui arrivait quelque chose ». Je trouvais ça si théâtral, et maintenant qu'il est trop tard, je comprends.

Blanca possédait cette lettre quand elle et Aron étaient là-bas. Il avait dû lui donner des instructions précises : *À n'envoyer qu'en cas de décès.*

– Je n'ai jamais eu peur. Nous faisions toujours très attention. Je suis bien sûr allée faire les tests, mais je n'ai rien.

– J'avais si peur de cette conversation, vous comprenez ?

– Oui, je crois. Mais Henrik ne m'aurait jamais mise en danger.

– Mais s'il n'avait pas su qu'il était contaminé ?

– Il le savait.

– Mais il ne vous a pourtant rien dit.

– Il avait peut-être peur que je le quitte. Je l'aurais peut-être fait. Je n'en sais rien.

Une femme vint leur demander si elles voulaient rester dîner à l'hôtel. Elles dirent oui. Nazrin eut soudain envie de sortir. Elles allèrent se promener au bord de l'eau. Louise lui raconta tout ce qui lui était arrivé pendant son long voyage en Afrique. Nazrin ne posait pas beaucoup de questions. Elles grimpèrent sur un petit promontoire pour contempler le paysage.

– Je ne peux pas y croire, dit Nazrin. Henrik aurait été tué à

351

cause de ce qu'il savait ? Et Aron aurait disparu pour la même raison ?

– Je ne vous demande pas d'y croire, je veux juste savoir si cela vous rappelle quelque chose qu'Henrik aurait dit ou fait, un nom que vous auriez déjà entendu.

– Rien.

Elles continuèrent leur conversation jusque tard dans la soirée. Louise repartit le lendemain alors que Nazrin dormait encore. Elle lui laissa un mot, paya leurs chambres et s'enfonça dans les forêts en direction du nord.

Pendant les semaines qui suivirent, elle se laissa aller au calme et à l'attente qui accompagnent la fin de l'automne et le début de l'hiver. Elle dormait parfois longtemps le matin, et acheva à l'intention de l'université son rapport annuel sur la campagne de fouilles. Elle parla avec ses amis et collègues, qui se montrèrent tous compréhensifs, l'assurant qu'elle serait accueillie à bras ouverts quand elle aurait fait son deuil. Mais elle savait que c'était impossible, que son chagrin ne disparaîtrait pas, qu'il s'installerait, au contraire, et grandirait.

De temps en temps, elle allait voir le policier, seul dans son minuscule bureau. Toujours pas de nouvelles d'Aron, bien qu'il soit à présent recherché dans le monde entier. Comme si souvent, il avait disparu sans laisser de traces.

Pendant cette période, Louise ne pensa pas beaucoup à son avenir. Il n'existait pas encore. Elle tenait le coup, mais elle sentait souvent qu'elle pouvait s'effondrer à tout moment. L'avenir était vide, une page blanche. Elle faisait de longues promenades, le vieux pont du chemin de fer à l'aller, le nouveau au retour. Elle se levait parfois tôt le matin, prenait un des vieux sacs à dos d'Artur et disparaissait dans la forêt jusqu'à la nuit.

Elle essayait de se réconcilier avec l'idée qu'elle ne comprendrait jamais ce qui avait entraîné la mort d'Henrik. Elle s'efforçait encore de tourner et retourner les fragments en tous sens pour essayer de les assembler, mais son espoir d'y arriver s'amenuisait. Artur était là, toujours prêt à l'écouter, à l'aider.

Le soir venu, ils avaient parfois de longues conversations. Le plus souvent ils parlaient de choses de la vie quotidienne, du temps qu'il faisait ou de souvenirs d'enfance. À plusieurs reprises, elle essaya sur lui ses hypothèses. Les choses avaient-elles pu se passer de cette façon? Il l'écoutait, mais elle comprenait, rien qu'en s'entendant parler, qu'elle s'était une fois de plus engagée dans une impasse.

Un après-midi, début décembre, le téléphone sonna. Un certain Jan Lagergren la demandait. Elle n'avait pas entendu cette voix depuis des années. Ils avaient fait leurs études à la même époque à Uppsala, dans des directions divergentes. Il y avait eu entre eux le début de quelque chose, un flirt sans suite. Tout ce qu'elle savait de lui, c'est qu'il visait une carrière dans la diplomatie.

Curieusement, sa voix n'avait pas du tout changé, après toutes ces années.

– Il m'est arrivé quelque chose d'inattendu. J'ai reçu une lettre d'une de mes innombrables tantes qui se trouve vivre dans le Härjedalen. Elle dit t'avoir vue au cimetière de Sveg l'autre jour. Dieu sait comment, elle a su que je te connaissais. Elle m'a dit que tu avais récemment perdu ton fils, je voulais juste te présenter mes condoléances.

– C'est drôle d'entendre à nouveau ta voix. Elle n'a pas changé.

– Et pourtant tout a changé. J'ai peut-être encore ma voix, et quelques milliers de cheveux, mais rien d'autre n'est comme avant.

– Merci de ton appel. Henrik était mon seul enfant.

– C'est un accident?

– Les médecins disent qu'il s'est suicidé. Je refuse d'y croire. Mais je me trompe peut-être.

– Que dire ?

– Tu as déjà fait tout ce que tu pouvais, tu as appelé. Mais reste un moment. Nous ne nous sommes pas parlé depuis vingt-cinq ans. Qu'est-ce que tu deviens ? Tu es entré aux Affaires étrangères ?

– Presque. J'ai même parfois eu un passeport diplomatique. J'ai été en poste à l'étranger, au sein de l'Agence pour le développement.

– Je reviens juste du Mozambique.

– Je n'y ai jamais mis les pieds. J'ai été en poste à Addis-Abeba comme coordinateur de l'aide agricole, puis à Nairobi comme responsable de tout le dispositif d'assistance. À présent je suis chef de service à Stockholm. Et toi, tu es devenue archéologue ?

– Oui, en Grèce. As-tu été en contact au sein de l'Agence pour le développement avec un certain Lars Håkansson ?

– Je l'ai croisé, nous avons échangé quelques mots. Mais nos chemins ne se sont jamais vraiment rencontrés. Pourquoi ?

– Il travaille à Maputo, pour le ministère de la Santé.

– J'espère que c'est quelqu'un de bien.

– Pour le dire franchement, il ne m'a pas fait bonne impression.

– Heureusement que je ne l'ai pas présenté comme mon meilleur ami.

– Je peux te poser une question ? Est-ce que des bruits courent sur lui ? Quel genre de réputation a-t-il ? J'ai besoin de le savoir parce qu'il connaissait mon fils. J'ai honte de te demander ça.

– Je vais voir ce que j'arrive à déterrer. Sans donner de noms, bien entendu.

– Et sinon, tu as mené ta vie comme tu voulais ?

– Pas du tout. Mais c'est toujours comme ça, non ? Je te rappelle dès que j'ai du nouveau.

354

Deux jours plus tard, alors que Louise feuilletait un de ses vieux manuels d'archéologie, le téléphone sonna.

Chaque fois, elle espérait que ce soit un appel d'Aron. Mais c'était à nouveau Jan Lagergren.

— Ton intuition avait l'air d'être bonne. J'ai écouté ce qu'en disent ceux parmi mes collègues qui savent faire la part entre les médisances des jaloux et la vérité des faits. Lars Håkansson n'a pas l'air d'avoir beaucoup d'amis. Il est considéré comme hautain et arrogant. Personne ne remet en cause sa compétence, mais il n'a pas l'air d'avoir les mains toutes propres.

— Qu'est-ce qu'il a fait ?

— La rumeur raconte qu'il s'est servi de son immunité diplomatique pour faire entrer illégalement en Suède des peaux de grands fauves et de serpents classés comme espèces protégées menacées d'extinction. Pour des gens sans scrupules, cela peut générer des revenus enviables, et ce n'est pas très difficile. La peau d'un serpent python ne pèse pas grand-chose. D'autres rumeurs ajoutent à son curriculum un trafic de voitures. Et le plus important, il possède dans la province du Sörmland un manoir qui serait au-dessus de ses moyens. Pour résumer, Lars Håkansson est un homme compétent, mais qui cherche froidement à tirer un avantage personnel de toutes les situations. Il est loin d'être le seul.

— Tu as trouvé autre chose ?

— Pourquoi ? La barque n'est pas assez chargée à ton goût ? Lars Håkansson a l'air d'être un drôle de poisson naviguant en eaux particulièrement troubles. Mais l'artiste a du talent. Personne n'a réussi à le percer à jour au point de le faire tomber de sa corde raide.

— As-tu déjà entendu parler d'un certain Christian Holloway ?

— Il travaille lui aussi à l'Agence pour le développement ?

— Il dirige à titre privé des villages où sont soignés des malades du sida.

– Une œuvre très charitable, a priori. Non, je ne me souviens pas d'avoir entendu ce nom.

– Il n'est jamais apparu en liaison avec celui de Lars Håkansson ? Je crois qu'il travaillait pour lui, d'une façon ou d'une autre.

– C'est enregistré. Si j'apprends quelque chose, je te promets de t'appeler. Je vais te donner mon numéro de téléphone. Et je suis impatient que tu me racontes pourquoi tu t'intéresses tant à Lars Håkansson.

Elle écrivit le numéro sur la couverture de son vieux manuel.

Elle avait déterré du sol africain aride un nouveau tesson de céramique. *Lars Håkansson, un être au sang froid, capable de tout.* Elle rangea le tesson avec les autres, écrasée sous le poids d'une infinie fatigue.

La nuit tombait de plus en plus tôt, au-dehors comme en elle-même.

Certains jours, en revanche, ses forces lui revenaient et elle parvenait à repousser son découragement. Alors, elle posait tous les fragments de son puzzle sur la vieille table de la cuisine, et cherchait une fois encore à les assembler pour reconstituer la belle urne qu'ils avaient un jour formée. La pipe à la bouche, Artur allait et venait auprès d'elle sur la pointe des pieds, lui apportant une tasse de café à intervalles réguliers. Elle commença à classer les tessons en une périphérie et un centre. L'Afrique était au centre de l'urne.

Il y avait aussi un centre géographique, la ville de Xai-Xai. Elle trouva sur Internet des informations sur la grande inondation qui avait frappé cette ville quelques années plus tôt. Les images d'une petite fille avaient fait le tour du monde. Elle avait été rendue célèbre parce que sa mère avait accouché d'elle au sommet d'un arbre où elle s'était réfugiée pour échapper à la crue.

Mais les fragments dont disposait Louise ne parlaient pas de

356

naissances et de vie. Ils étaient sombres, et parlaient de mort, de sida, du Dr Levansky et de ses expériences au Congo. Elle frissonnait à chaque fois qu'elle pensait à ces singes attachés qu'on éventrait vivants.

Elle sentait au fond d'elle-même un froid mordant qui ne la quittait jamais. Henrik avait-il éprouvé la même chose? Avait-il senti ce froid? S'était-il suicidé quand l'idée que des êtres humains soient traités comme des singes était devenue trop lourde à porter?

Elle reprenait alors tout du début, mélangeait tous les fragments et observait à nouveau le résultat.

Autour d'elle, l'automne avait été chassé par un hiver toujours plus profond.

Jeudi 16 décembre. Une journée froide et claire. Louise fut réveillée de bonne heure par le bruit que faisait Artur en dégageant la neige devant l'entrée du garage.

C'est à ce moment que le téléphone sonna. En répondant, elle ne comprit d'abord pas qui c'était. L'écouteur grésillait, la communication venait visiblement de très loin. Peut-être Aron, assis au milieu de ses perroquets, en Australie?

Puis elle reconnut la voix de Lucinda, faible, oppressée.

– Je suis malade. Je vais mourir.

– Je peux faire quelque chose?

– Venez.

La voix de Lucinda était si lointaine… Il sembla à Louise qu'elle allait lâcher prise.

– Je crois que j'y vois clair à présent. Tout ce qu'Henrik a découvert. Venez avant qu'il ne soit trop tard.

La communication fut coupée. Louise était assise au bord du lit. Artur dégageait toujours la neige. Elle resta parfaitement immobile.

Samedi 18 décembre. Artur la conduisit à l'aéroport d'Arlanda. Au matin du 19, elle posait le pied à Maputo.

La chaleur s'abattit sur elle comme un coup de poing brûlant.

21

Elle chercha la maison de Lucinda avec l'aide d'un chauffeur de taxi qui ne parlait pas l'anglais. Quand enfin elle la trouva, Lucinda n'était pas chez elle. Sa mère se mit à pleurer en la voyant. Louise se dit qu'elle était arrivée trop tard. Une des sœurs de Lucinda s'approcha, et lui parla dans un anglais bizarre mais compréhensible.

– Lucinda n'est pas morte, elle a seulement disparu. Elle est tombée brusquement malade, elle n'avait plus la force de se lever. En quelques semaines, elle a perdu beaucoup de poids.

Louise n'était pas sûre de bien comprendre. L'anglais de la sœur de Lucinda ne faisait qu'empirer, comme une batterie sur le point de se vider.

– Lucinda a dit que Donna Louisa viendrait sûrement la voir, et que nous devions dire à Donna Louisa qu'elle était allée chercher de l'aide à Xai-Xai.

– C'est ce qu'elle a dit ? Qu'il fallait que j'aille la retrouver là-bas ?

La conversation se déroulait à l'extérieur de la maison. Le soleil était à son zénith. Louise, encore pleine de l'hiver suédois, se sentit mal dans cette chaleur. *Lucinda était allée chercher de l'aide à Xai-Xai.* Louise eut confirmation de ce qu'elle avait entendu au téléphone : elle n'en avait plus pour longtemps.

Le chauffeur de taxi attendait, assis par terre à l'ombre de sa voiture, l'autoradio à fond. Louise pria la sœur de Lucinda de lui expliquer qu'elle voulait aller à Xai-Xai. En entendant cela, le chauffeur poussa un soupir contrarié, mais Louise insista. Elle voulait aller à Xai-Xai, et elle voulait partir maintenant. Il dit un prix, qui fut traduit à Louise, un nombre incompréhensible de millions de meticais. Elle proposa de payer la course en dollars, ce qui intéressa tout de suite beaucoup plus le chauffeur. Ils arrivèrent enfin à se mettre d'accord sur un prix, plus l'essence et tout ce qui pouvait sembler nécessaire pour un voyage jusqu'à Xai-Xai. Dans le souvenir de Louise, c'était à cent quatre-vingt-dix kilomètres. Le chauffeur, lui, présentait les choses comme s'il préparait une expédition vers un pays lointain et inconnu.

– Demande-lui s'il est déjà allé à Xai-Xai.

Le chauffeur secoua la tête.

– Dis-lui que moi oui. Je trouverai le chemin. Demande-lui son nom.

Elle apprit qu'il s'appelait Gilberto, mais aussi qu'il était marié, avait six enfants, et qu'il croyait au Dieu des catholiques. Elle avait vu sur son pare-brise une photo décolorée du pape polonais, qui avait l'air toujours plus malade.

– Dis-lui encore que j'ai besoin de me reposer. Il ne faut pas qu'il me parle pendant tout le voyage.

Gilberto reçut cette instruction comme s'il s'agissait d'un pourboire, et ferma sans bruit la portière arrière après elle. La dernière chose que Louise vit de la famille de Lucinda fut le visage désespéré de sa mère.

Ils atteignirent Xai-Xai en fin d'après-midi, après avoir crevé une roue avant et manqué de perdre le pot d'échappement. Gilberto n'avait pas dit un mot du voyage, mais en revanche il avait monté progressivement le volume de son autoradio. Louise avait essayé de se reposer. Elle ignorait ce qui l'attendait, mais elle aurait besoin de ses forces.

Le souvenir de ce qui était arrivé à Umbi ne la quittait pas. À plusieurs reprises, pendant le trajet, elle fut sur le point de dire à Gilberto de rebrousser chemin. Elle avait l'impression de se précipiter dans un piège qui se refermerait à jamais sur elle. En même temps, elle entendait la voix de Lucinda au téléphone : *Je vais mourir.*

Juste avant de franchir le pont qui traversait le fleuve, la photographie du pape se détacha et tomba entre les sièges. Gilberto s'arrêta pour la recoller au pare-brise. Louise sentit croître son irritation. Ne comprenait-il pas que le temps lui manquait ?

Ils roulèrent dans la ville poussiéreuse. Louise n'avait pas encore pris de décision. Se faire déposer en taxi au village de Christian Holloway, ou bien descendre à l'hôtel de la plage et trouver un autre chauffeur ? L'hôtel. La première chose qu'elle entendit en descendant du taxi fut la musique mélancolique et monotone du timbila de l'albinos. Elle paya Gilberto, lui serra la main et porta sa valise à l'intérieur. Comme d'habitude, les chambres libres ne manquaient pas. Les clés pendaient toutes derrière le réceptionniste. Elle remarqua qu'il ne la reconnaissait pas, ou en tout cas faisait semblant. Il ne lui demanda ni passeport ni carte de crédit. Elle se sentit à la fois invisible et en confiance.

Le réceptionniste parlait un bon anglais. Il pouvait bien entendu lui appeler un taxi. Mais le mieux était qu'il parle à l'un de ses frères, qui avait une excellente voiture. Louise le pria de le faire venir le plus vite possible. Elle monta dans sa chambre, où, de la fenêtre, elle regarda en direction du kiosque en ruine. Là où Umbi avait eu la gorge tranchée quand il était venu lui parler. Le souvenir lui donna la nausée. La peur l'aiguillonna. Elle se lava

361

sous le mince filet d'eau qui coulait dans la salle de bains, puis descendit et se força à avaler quelque chose, un poisson grillé, un peu de salade qu'elle mangea du bout de sa fourchette. Le son du timbila n'avait jamais été aussi sinistre, le poisson était plein d'arêtes. Elle resta longtemps son téléphone à la main, se demandant si elle allait appeler Artur. Mais non. La seule chose qui comptait à présent était de répondre à l'appel au secours qu'avait lancé Lucinda, si toutefois c'en était un. Peut-être était-ce plutôt un cri de guerre, pensa Louise.

L'albinos derrière son timbila cessa de jouer. À présent elle entendait le ressac sauvage de la mer. Les vagues déferlaient depuis l'Inde et les lointaines côtes de Goa. La chaleur n'était pas aussi pénible ici, au bord de l'océan, qu'à Maputo. Elle régla l'addition et sortit du restaurant. Un homme en short, portant une chemise délavée où figurait un drapeau américain, l'attendait près d'une camionnette rouillée. Il la salua, dit que son nom était Roberto, mais que, pour une raison qui resta obscure pour Louise, on l'appelait Warren. Elle monta à l'avant et lui expliqua où elle voulait aller. Warren parlait anglais avec le même accent sud-africain que son frère à la réception.

– Au village de Christian Holloway, dit-elle.

– C'est quelqu'un de bien, il fait beaucoup pour les malades. Bientôt nous tomberons malades et nous mourrons tous, ajouta-t-il sur un ton enjoué. D'ici quelques années, il ne restera plus aucun de nous autres, les Africains. Il n'y aura plus que des os sur le sable et des champs vides. Qui mangera la bouillie de manioc quand nous aurons tous disparu ?

Louise s'étonna de sa façon curieuse de parler de cette mort atroce qui faisait des ravages alentour. Était-il malade lui-même ? Ou bien était-ce plutôt une expression déguisée de sa propre peur ?

Ils arrivèrent au village. La première chose qu'elle remarqua fut l'absence du chien noir qui dormait d'habitude à l'ombre de l'arbre. Warren demanda s'il devait l'attendre ou revenir la chercher. Il lui donna son numéro de portable. Ils firent un essai : la communication s'établit à la deuxième tentative. Elle n'avait pas besoin de lui régler la course, cela pouvait attendre, rien ne pressait, surtout par une telle chaleur. Elle descendit. Warren fit demi-tour et s'en alla. Elle s'installa à l'ombre, là où se couchait le chien. La chaleur figeait tout autour d'elle, il n'y avait pas un bruit. Il était dix-sept heures, elle se demanda un bref instant si Artur avait dû dégager la neige ce matin. Un oiseau passa au ras du sol en battant des ailes frénétiquement, puis disparut en direction de la mer. *Était-ce un appel à l'aide, ou un cri de guerre ?* Peut-être Lucinda avait-elle envoyé les deux signaux en même temps. Louise regarda en direction des bâtiments disposés en demi-cercle.

Lucinda sait qu'elle doit me guider droit au but. Dans quelle case se trouve-t-elle ? Sûrement dans celle où nous étions entrées ensemble lors de notre visite.

Elle s'avança sur le sable avec le sentiment de pénétrer sur une scène déserte où des gens l'observaient sans qu'elle puisse les voir. Elle ouvrit la porte et entra dans l'obscurité. Elle fut prise à la gorge par l'odeur des corps sales, en sueur. Rien n'avait changé depuis sa dernière visite : partout des malades, presque personne ne bougeait.

C'est le rivage de la mort. Ces gens ont échoué ici dans l'espoir qu'on les aide, mais seule la mort est au rendez-vous. Comme sur les plages de Lampedusa, où la Méditerranée dépose les corps de clandestins qui n'auront jamais la vie meilleure qu'ils avaient rêvée.

Elle resta immobile, le temps que ses yeux s'habituent à la pénombre. Elle écouta le chœur des respirations. Certaines étaient courtes, violentes, difficiles, d'autres tellement faibles qu'on les entendait à peine. Il y avait des râles, des gémissements, des cris sifflants qui finissaient en chuchotements. Elle regarda autour d'elle dans la pièce surpeuplée, à la recherche de Lucinda, sans parvenir à la trouver. Elle prit dans sa poche un mouchoir qu'elle plaça devant sa bouche. Elle ne pourrait plus longtemps maîtriser sa nausée. Elle commença à faire le tour de la pièce en regardant où elle mettait les pieds pour ne pas marcher sur une jambe ou un bras étendus. Des racines humaines enchevêtrées, pensa-t-elle, qui menacent de me prendre au piège. Elle repoussa cette idée : transformer la réalité avec des métaphores de ce genre était absurde. C'était déjà assez incompréhensible comme ça. Elle continua à chercher.

Elle retrouva Lucinda dans un coin de la pièce. Couchée sur une natte derrière un des piliers qui soutenaient le toit. Louise croisa son regard. Elle était vraiment très malade. Presque nue. Une respiration courte et violente soulevait sa cage thoracique. Louise comprit qu'elle avait choisi cette place pour être dans l'angle mort du pilier : personne ne la verrait en compagnie de Louise. Lucinda montra du doigt une boîte d'allumettes sur le sol. Louise fit semblant de perdre son mouchoir, se pencha et dissimula la boîte dans sa main. Lucinda secoua presque imperceptiblement la tête. Louise tourna les talons et quitta la pièce comme si elle n'avait pas trouvé la personne qu'elle cherchait.

La lumière violente la fit reculer, puis elle s'éloigna sur la piste poussiéreuse. Une fois hors de vue, elle appela Warren. Dix minutes plus tard, il était là. Elle s'excusa de ne pas avoir prévu que sa visite serait si courte, et ajouta qu'elle pourrait avoir besoin de revenir ici, peut-être même aujourd'hui.

De retour à l'hôtel, il refusa une nouvelle fois de recevoir de l'argent. Elle connaissait son numéro si elle avait besoin de ses services. Il allait se reposer à l'ombre de sa camionnette, après il irait se baigner à la plage.

– Je vais nager avec les baleines et les dauphins, comme ça j'oublie que je suis un humain.

– C'est quelque chose que vous voulez oublier ?

– Je pense qu'il arrive à tout le monde de regretter de n'être équipé que de bras et de jambes, et pas de nageoires.

Elle remonta dans sa chambre, où elle se lava le visage et les mains au robinet qui crachait à présent un puissant jet d'eau. Elle s'assit ensuite au bord du lit et ouvrit la boîte d'allumettes. En très petites lettres, sur un bout de papier arraché à la marge d'un journal, Lucinda avait écrit un message : *Écoutez le timbila dans la nuit*. Rien de plus.

Écoutez le timbila dans la nuit.

Elle attendit la tombée de la nuit après avoir d'un coup de pied redonné vie à l'air conditionné.

Un appel de Warren la tira de sa somnolence. Avait-elle encore besoin de lui, ou pouvait-il retourner à Xai Xai auprès de sa femme qui était sur le point d'accoucher ? Elle lui dit d'y aller.

Avant de partir, elle avait acheté un maillot de bain à l'aéroport d'Arlanda. Elle en avait eu honte : le but de son voyage n'était-il pas de se rendre auprès d'une jeune femme mourante ? Elle essaya à plusieurs reprises de se décider à descendre sur la plage, mais elle n'en eut pas le courage. Elle avait besoin de forces, même si elle ne savait pas ce qui l'attendait. La respiration haletante de Lucinda la bouleversait et en même temps l'effrayait.

Tout n'était que mort et putréfaction dans cette chaleur écrasante. Mais cette idée était illusoire, elle le savait bien : rien n'était si plein de force vitale que le soleil brûlant. Henrik aurait été furieux et se serait élevé contre cette image de l'Afrique, continent de la mort. Il aurait dit que seule notre incapacité à comprendre faisait que « nous savons tout de la façon de mourir des Africains, et presque rien de leur façon de vivre ». De qui était-ce ? Elle n'arrivait pas à s'en souvenir, mais elle avait trouvé cette phrase sur un des documents d'Henrik quand elle avait parcouru ses papiers à Stockholm. Elle se rappelait à présent ce qu'il avait noté sur la couverture d'un des nombreux classeurs où il avait rassemblé de la documentation sur la disparition du cerveau de Kennedy. Il avait posé la question dans un mouvement de colère : « Comment réagirions-nous, nous autres Européens, si le monde ne connaissait de nous que notre façon de mourir, et rien sur notre mode de vie ? »

À l'approche du bref crépuscule, elle se tenait à la fenêtre et regardait la mer. Le kiosque sur la plage était dans l'ombre. La camionnette n'était plus là. Quelques enfants jouaient avec ce qui ressemblait à un oiseau mort. Des femmes, la tête chargée de fardeaux, disparaissaient le long du rivage. Un homme à vélo tentait de garder son équilibre en roulant dans le sable épais. Il n'y arriva pas, se cassa la figure et se releva en éclatant de rire. Louise lui envia cette joie spontanée.

La nuit tomba comme un manteau noir sur la terre. Elle descendit au restaurant. L'albinos était à sa place avec son timbila, mais il ne jouait pas : il mangeait du riz et des légumes dans un plat en plastique. Il avait une bouteille de bière à côté de lui. Il mâchait lentement, comme s'il n'avait pas vraiment faim. Elle alla au bar. Quelques hommes somnolaient à une table, penchés sur leurs bières. La serveuse du bar ressemblait tant à Lucinda que Louise laissa échapper un cri de surprise. Mais quand elle souriait, on voyait qu'il lui manquait quelques dents. Il lui fallait quelque chose de fort. Artur lui aurait apporté une bouteille d'eau-de-vie. *Allez, bois, prends des forces !* Elle commanda un whisky, qu'au fond elle n'aimait pas du tout, et une bouteille de Laurentina, la bière locale. L'albinos se remit à jouer. *Écoutez le timbila dans la nuit.* Quelques clients entrèrent dans le restaurant, un Portugais dans la force de l'âge avec une très jeune fille noire. Louise estima à quarante ans la différence d'âge. Il lui vint l'envie d'aller le gifler. Il incarnait le mélange d'amour et de mépris où s'exprimait la survivance de la longue période d'oppression coloniale.

Je sais si peu de choses. Sur les sépultures de l'âge de bronze, sur le rôle des oxydes de fer dans la coloration des vases grecs antiques, je ne crains personne. Mais, sortie des champs de fouilles et des musées, j'en sais infiniment moins qu'Henrik sur le monde qui m'entoure. Je suis profondément ignare, et je le découvre à cinquante ans passés.

Elle vida son verre, et sentit qu'elle se mettait à suer. Un doux brouillard voila sa conscience. L'albinos jouait. La serveuse se rongeait les ongles derrière son comptoir. Louise écoutait la nuit. Après avoir un peu hésité, elle but un second whisky.

Il était dix-huit heures quarante. Quelle heure pouvait-il être en Suède ? Y avait-il une heure de décalage, ou deux ? Et dans quel sens : en plus, ou en moins ? Elle était perplexe.

Ses interrogations restèrent sans réponse, car tout à coup le timbila s'arrêta. Elle vida son verre et paya. L'albinos traversa lentement la salle du restaurant et disparut en direction des toilettes. Louise sortit sur le côté de l'hôtel. La camionnette de Warren n'était toujours pas là. On entendait le ressac de la mer. Quelqu'un passa en sifflant, invisible dans le noir. Louise aperçut la lueur vacillante d'un phare de vélo, qui disparut dans la nuit. Elle attendit.

L'albinos se remit à jouer. Le son était différent, plus lointain. Elle comprit alors qu'elle entendait un autre instrument. Celui du restaurant était abandonné par terre, l'albinos n'était pas revenu.

Elle fit quelques pas dans l'obscurité. Les sons vibrants du timbila arrivaient de la mer, mais pas du kiosque de la plage, plutôt de l'autre côté, de l'endroit où les pêcheurs mettaient leurs filets à sécher. La peur s'empara à nouveau de Louise, ce qui était en train de se passer l'effrayait, elle se força à penser à Henrik.

Elle tendit l'oreille : à part le timbila, il n'y avait rien d'autre que la mer, le bruit de ces vagues venues d'Inde qui déferlaient sur la plage. Sa propre solitude était silencieuse comme une nuit d'hiver glaciale.

Elle se dirigea vers la source sonore, elle approchait, mais ne voyait pas de feu, rien. Elle était à présent tout près du timbila invisible dans le noir. Il s'arrêta brusquement, suspendu entre deux notes.

Elle sentit alors une main sur sa cheville. Elle sursauta pour se dégager, mais personne ne la retenait. Elle allait partir en courant, lorsqu'elle s'arrêta au vol en entendant la voix de Lucinda dans l'obscurité :

– C'est moi.

Louise s'accroupit et chercha à tâtons : Lucinda était assise, appuyée contre un arbre sec qu'une tempête avait abattu. Louise sentit sous sa main son visage fiévreux et couvert de sueur. Lucinda l'agrippa et la fit asseoir par terre.

– Personne ne m'a vue. Ils pensent tous que je suis trop faible pour me lever. J'en ai encore la force, mais plus pour très longtemps. Je savais que vous alliez venir.

– Je n'aurais jamais pensé que vous tomberiez malade si vite.

– Personne n'imagine que la mort est si proche. Pour certains, cela va très vite. C'est mon cas.

– Je peux vous sortir de là, vous faire avoir des médicaments.

– Il est trop tard. J'ai tout l'argent d'Henrik, mais ça ne sert à rien. La maladie se propage en moi comme un feu d'herbes sèches. Je suis prête. Je n'ai peur que certains jours, à l'aube, quand le lever du soleil est plus beau encore que d'habitude et que je sais que bientôt je ne le verrai plus. Une part de moi a déjà abandonné. On meurt par degrés, c'est comme s'avancer dans la mer quand la plage est en pente douce : on marche des kilomètres avant d'avoir de l'eau jusqu'au menton. Je pensais rester mourir chez ma mère. Mais je ne voulais pas mourir inutilement, sans laisser de traces. J'ai pensé à vous, et à votre façon de chercher l'esprit d'Henrik dans tout ce qu'il avait fait ou tenté de faire. Je suis allée là-bas pour voir si les choses étaient comme il croyait, si derrière la bonne volonté il y avait une autre réalité, si derrière les jeunes gens idéalistes se cachaient de sinistres individus qui exploitaient la détresse des mourants pour leur propre profit.

– Et qu'avez-vous vu ?

La voix de Lucinda trembla en répondant.

– L'horreur. Mais il faut que je raconte mon histoire depuis le début. Peu importe comment je suis arrivée à Xai-Xai, dans une charrette ou sur le plateau d'un camion, j'ai beaucoup d'amis prêts à m'aider, je ne me retrouve jamais toute seule. J'avais mis mes vêtements les plus déchirés, puis je me suis fait déposer par terre, dans le sable, devant le village de Christian Holloway. Je suis restée là à attendre l'aube. La première personne qui m'a vue était un vieil homme aux cheveux blancs. Ensuite les autres sont arrivés avec leurs bottes, leurs grands tabliers et leurs gants en caoutchouc. Des Blancs, des Sud-Africains, et parmi eux peut-être aussi un mulâtre. Ils m'ont demandé si j'avais le sida, d'où je venais, c'était une sorte d'interrogatoire. Ils ont fini par se décider à me garder. J'ai été placée dans un bâtiment, mais la nuit venue je suis allée m'installer là où vous m'avez trouvée.

– Comment avez-vous pu me téléphoner ?

– J'avais emporté un téléphone. L'homme qui m'a conduite ici recharge ma batterie tous les deux jours et me l'apporte en cachette la nuit. J'appelle ma mère, et j'écoute les cris d'effroi qu'elle pousse pour tenir la mort à distance. J'essaie de la consoler, même si je sais que c'est impossible.

Lucinda fut déchirée par une longue quinte de toux. Louise changea de position et sentit qu'il y avait un petit magnétophone près de l'arbre. *Écoutez le timbila dans la nuit.* Ce n'était pas une ombre qui jouait. Le son venait d'une cassette. Lucinda arrêta de tousser. Louise l'entendit qui haletait, essoufflée. Je ne peux pas la laisser ici, pensa-t-elle. Henrik ne l'aurait jamais abandonnée. Il doit y avoir moyen d'apaiser sa souffrance, peut-être de la sauver.

Lucinda lui attrapa la main, comme pour prendre appui. Mais elle ne se leva pas, et continua son récit :

– J'écoute de l'endroit où je suis. Pas les malades, mais ce que disent les Blancs bien portants. La nuit, quand les jeunes Blancs dorment tous, qu'il ne reste plus que les gardiens, le sous-sol se réveille. Il y a des pièces souterraines.

– Et là, qu'y a-t-il ?

– L'horreur.

Sa voix était si faible que Louise dut se pencher pour l'entendre. Lucinda eut une nouvelle quinte de toux, qui manqua de l'étouffer. Quand elle essaya de reprendre son souffle, ses poumons firent comme un gargouillis. Il lui fallut ensuite un long moment avant de parvenir à parler de nouveau. Louise entendit que l'albinos, sa pause finie, avait recommencé à jouer de son timbila.

– Si vous n'en avez pas la force, vous n'êtes pas obligée de continuer.

– Il le faut. Je serai peut-être morte demain. Votre long voyage, comme celui d'Henrik, n'aurait alors servi à rien.

– Qu'avez-vous découvert ?

– Des hommes en bottes avec des tabliers et des gants en caoutchouc font des injections, mais pas seulement aux malades. Beaucoup de ceux qui arrivent ici sont en bonne santé, exactement comme l'a raconté Umbi. Ils les utilisent comme des cobayes pour tester des nouveaux vaccins. Après, on leur injecte du sang contaminé. On leur inocule le virus du sida pour voir si le vaccin fonctionne. Dans la pièce où vous m'avez trouvée, la plupart ont été contaminés ici. Ils étaient en bonne santé en arrivant. D'autres, comme moi, ont contracté ailleurs la maladie. On nous donne des médicaments qui n'ont même pas encore été testés sur des animaux, pour voir s'il y a un remède une fois la maladie déclarée. Pour les gens qui nous font subir ces tests, les hommes, les rats et les chimpanzés sont interchangeables. Ce ne sont pas les animaux qu'on veut soigner, et qui s'inquiétera qu'on sacrifie ainsi des Africains, si cela permet de produire des vaccins ou des médicaments dont profiteront les Occidentaux ?

– Comment savez-vous tout ça ?

La voix de Lucinda se fit soudain plus forte.

– Je le sais.

– Je ne comprends pas.

– Vous devriez pourtant.

– Comment avez-vous découvert tout ça ? Seulement en écoutant les conversations ?

– J'ai appris auprès d'Henrik.

– Il avait vu ce que vous avez vu ?

– Il ne l'a jamais dit franchement. Je crois qu'il voulait m'épargner ça. Mais il m'avait parlé du virus, il m'avait expliqué qu'on expérimentait des substances pour voir si elles étaient efficaces et si elles avaient des effets secondaires. Il avait tout appris par lui-même, sans jamais avoir étudié la médecine. Mais il voulait savoir. Il a commencé à travailler là-bas comme volontaire pour connaître la vérité. Je crois que ce qu'il a vécu là était pire que tout ce qu'il avait imaginé.

Louise chercha la main de Lucinda dans le noir.

– Croyez-vous qu'il soit mort à cause de ce qu'il avait découvert sous terre ?

– Ceux qui travaillent ici comme volontaires ont l'interdiction formelle de descendre dans les caves où les échantillons de virus et de médicaments sont entreposés. Il est passé outre à cette interdiction, il est descendu dans la zone interdite.

Louise essaya de bien comprendre ce que Lucinda racontait. Henrik avait descendu un escalier, découvert un secret, et cela lui avait coûté la vie.

Elle avait donc raison. Henrik avait été assassiné. On l'avait forcé à absorber des somnifères. Mais en même temps, un doute la taraudait : la vérité pouvait-elle être aussi simple ?

– Je finirai demain, dit Lucinda, d'une voix à nouveau faible et sifflante. Je n'en ai plus la force ce soir.

– Vous ne pouvez pas rester ici. Je vous emmène avec moi.

– Si je tente de m'enfuir, ils s'en prendront à ma famille. Je reste. Il faut bien que je meure quelque part.

Louise comprit qu'il était inutile de lui proposer de s'enfuir dans la camionnette de Warren.

– Comment allez-vous rentrer au village ?

– Il vaut mieux pour vous que vous ne le sachiez pas. Mais ne vous inquiétez pas. Pouvez-vous rester jusqu'à demain ?

– Je suis à l'hôtel.

– Revenez quand vous entendrez le timbila dans le noir. Je changerai peut-être de place, mais je reviendrai, si je n'ai pas rendu mon dernier souffle. Il faut si possible éviter de mourir avant d'avoir fini de raconter son histoire.

– Vous n'allez pas mourir.

– Je vais mourir. Il n'y a aucun doute là-dessus. Voulez-vous savoir ce qui me fait le plus peur ? Ce n'est pas d'avoir mal, de sentir mon cœur lâcher. C'est d'être morte pour l'éternité. Je n'en verrai jamais le bout. Partez, à présent.

Louise ne répondit pas. Il n'y avait rien à dire.

Le son du timbila lui parvenait par vagues dans le noir, au gré de la brise marine.

Louise se leva et se dirigea vers l'entrée éclairée de l'hôtel. Du coin obscur où se cachait Lucinda n'émanait aucun bruit.

Un groupe de Sud-Africains était attablé au restaurant. Louise aperçut Warren au bar. Il lui fit signe de le rejoindre. Elle vit à ses yeux qu'il avait trop bu.

– J'ai essayé de vous appeler, mais vous ne répondiez pas. J'ai cru que vous vous étiez noyée.

– J'avais éteint mon téléphone.

– J'étais très inquiet. Avez-vous encore besoin de moi ce soir ?

– Non.

– Et demain ? On peut parier que je serai debout avant le lever du soleil.

– Je peux vous payer ce que je vous dois ?

– Pas maintenant. Demain est un autre jour. Asseyez-vous et parlez-moi de votre pays, de la neige et du froid.

– Je suis trop fatiguée. Peut-être demain ?

Elle monta dans sa chambre. Elle était épuisée. Des pensées inquiètes l'agitaient. Il fallait qu'elle descende au restaurant pour manger quelque chose, même si elle n'avait pas faim. Il fallait aussi qu'elle note tout ce que Lucinda lui avait raconté. C'était le début d'un témoignage. Mais elle n'arriva qu'à rester debout à la fenêtre.

Sur le terre-plein devant l'hôtel étaient garées trois voitures. Deux Landcruiser blanches et la camionnette de Warren. Elle fronça les sourcils. Qui donc était Warren ? Pourquoi son frère, le réceptionniste, avait-il fait comme s'il ne la connaissait pas ? Il aurait dû la reconnaître. Avait-il fait semblant de ne pas savoir qui elle était ? Pourquoi Warren n'était-il pas rentré chez lui ? Pourquoi ne voulait-il pas être payé ? Toutes ces questions se bousculaient. Warren avait-il pour mission de la surveiller ?

Elle repoussa cette pensée, tira les rideaux, vérifia que la porte était bien fermée, bloqua la poignée avec une chaise et se prépara pour aller se coucher. Elle entendit les deux voitures sud-africaines démarrer et s'éloigner. Après avoir fait sa toilette, elle retourna à la fenêtre et regarda prudemment derrière les rideaux. La camionnette de Warren était toujours là. Le timbila s'était tu.

Elle se glissa dans le lit. La climatisation était bruyante et crachait tant bien que mal de rares bouffées d'air frais. Elle passa au crible ce que Lucinda lui avait dit en veillant à ne rien oublier d'important.

Quand elle se réveilla, le jour s'était déjà levé. D'abord elle ne sut pas où elle se trouvait, elle bondit hors du lit et ouvrit les rideaux. La camionnette de Warren était partie. Une femme noire, torse nu, faisait sa toilette au robinet devant l'entrée de l'hôtel. Louise jeta un œil à sa montre et comprit qu'elle avait dormi huit heures d'affilée. Elle promena son regard jusqu'à l'endroit où elle avait rencontré Lucinda. L'arbre était bien là. Quelques poules picoraient dans l'herbe. Elle se souvint de ce qu'elle avait pensé de Warren et en eut honte.

Je vois des choses qui n'existent pas. Il faut que je cherche dans les zones d'ombre, pas en pleine lumière.

374

La mer scintillait. C'était irrésistible. Elle enfila son maillot de bain, s'entoura une serviette autour du corps et descendit sur la plage. Il n'y avait presque personne, quelques gamins jouaient dans le sable, des femmes pataugeaient au bout de la plage, penchées pour ramasser ce qui ressemblait à des moules. Le courant était faible. Louise s'avança jusqu'à ce qu'il y ait assez d'eau pour pouvoir nager.

Artur était près d'elle. Ils nageaient dans les eaux noires du lac et, entre deux brasses, il lui disait qu'il était sans fond.

Elle s'étira, faire des mouvements dans l'eau la soulageait toujours. Dans les pires périodes de sa relation avec Aron, elle partait parfois nager dans la mer, dans un lac ou à la piscine, selon les possibilités. Elle fit la planche et plongea les yeux dans le ciel bleu. Sa rencontre avec Lucinda était comme un rêve insaisissable.

Quand enfin elle sortit de l'eau et se sécha, elle se sentit plus reposée qu'elle ne l'avait été depuis longtemps. Elle retourna à l'hôtel. La camionnette de Warren n'était pas garée à l'ombre des arbres. Des effluves de poisson grillé parvenaient du camping voisin. L'albinos avec son timbila n'était pas encore arrivé. Elle était seule dans le restaurant. Une serveuse qu'elle n'avait jamais vue auparavant vint prendre sa commande. En plus du café et du pain, elle demanda une omelette. Un calme irréel régnait dans la salle. À part elle, la serveuse et la personne invisible qui travaillait à la cuisine, le monde était vide.

Henrik a sûrement mangé, assis à cet endroit précis. C'était peut-être comme maintenant, un petit-déjeuner solitaire, en attendant que l'albinos commence à jouer.

Elle but une deuxième tasse de café. Quand elle voulut payer, la serveuse avait disparu. Elle laissa de l'argent sous la soucoupe et sortit. Warren n'était toujours pas là. Elle retourna dans sa chambre et verrouilla la porte.

Ce n'est qu'après avoir fermé la porte derrière elle qu'elle découvrit un homme assis sur une des deux chaises, près de la fenêtre. Christian Holloway se leva. Il sourit et lui fit signe de garder son calme.

– Je sais qu'il n'est pas correct d'entrer dans la chambre de quelqu'un sans y être invité. Si vous voulez, je ressors et je frappe à la porte, comme il convient à l'homme bien élevé que je suis.

– Comment êtes-vous entré ? La porte n'était pas fermée ?

– J'ai toujours eu un penchant pour des pratiques, comment dire… bizarres. Apprendre à crocheter les serrures a été un défi pour moi. Je dois dire que cette porte n'a pas été la plus difficile que j'aie eu à ouvrir. À Shanghai, j'ai réussi à forcer celle d'un temple fermé par un triple verrou. Mais je sais aussi faire autre chose de mes mains. J'ai par exemple appris l'art immémorial de découper des silhouettes. C'est difficile, cela exige beaucoup d'entraînement, mais il n'y a rien de tel pour se détendre.

– Pourquoi Henrik possédait-il votre silhouette découpée ?

– Je la lui avais donnée. Il avait vu des découpeurs de silhouettes chinois et il avait envie d'apprendre leur art. Il y a quelque chose d'extrêmement fascinant à réduire les êtres à des ombres et des profils.

– Pourquoi êtes-vous venu ?

– Vous avez manifesté de l'intérêt pour mon travail, je vous dois donc un peu de temps en retour.

– Je voudrais m'habiller tranquillement.

– Quand voulez-vous que je revienne ?

– Je préfère que nous nous voyions en bas.

Il fronça les sourcils.

— Au bar ou au restaurant, il y a trop de bruit. Des instruments désaccordés, des bruits de casseroles, des gens qui parlent pour ne rien dire.

— Je ne partage pas votre opinion. Je serai prête dans une demi-heure.

— Je reviendrai alors.

Il sortit en silence de la chambre. Il avait au moins appris une chose de ces Africains qu'il méprisait tant : il se déplaçait sans aucun bruit.

Elle s'habilla tout en essayant de se préparer à son retour. Comment s'y prendrait-elle pour lui poser toutes ces questions ? Parviendrait-elle à lui dire franchement qu'elle le croyait responsable de la mort de son fils ? Je devrais avoir peur, pensa-t-elle. Je devrais être complètement terrorisée. Si je ne me trompe pas, il peut me tuer exactement comme il a tué Henrik et Umbi. Même s'il entre seul dans cette chambre, ses gardes du corps sont tout autour. Ils sont invisibles, mais ils sont là.

Il frappa si doucement qu'elle l'entendit à peine. Derrière la porte, elle trouva Christian Holloway dans le couloir désert. Il sourit et entra.

— Cet hôtel semble avoir été autrefois la destination favorite des touristes sud-africains. À l'époque coloniale, le Mozambique était un paradis sur terre. Il y avait des plages, du poisson, la chaleur, et surtout des jeunes filles qui couchaient pour presque rien. À présent, ce n'est plus qu'un lointain souvenir.

— Parfois le monde s'améliore un peu, malgré tout.

— De quel point de vue ?

— C'est moi qui pose les questions. Je veux savoir qui vous êtes, le but que vous poursuivez.

— Et c'est pour ça que vous revenez tout le temps ?

— Mon fils Henrik est venu ici, vous le savez. Il est ensuite rentré en Suède et il est mort. Vous le savez aussi.

– Je vous ai déjà présenté mes condoléances. Je ne crois malheureusement pas qu'on puisse partager son deuil avec qui que ce soit. On est seul avec, comme on est seul au moment de mourir.

– Pourquoi mon fils devait-il mourir ?

Il ne perdit pas contenance. Il la regardait droit dans les yeux.

– Pourquoi me croyez-vous en mesure de répondre à cette question ?

– Je crois que vous êtes le seul capable d'y répondre.

– Que croyez-vous que je sache ?

– Pourquoi il est mort. Et qui l'a tué.

– Vous avez dit vous-même que la police avait conclu au suicide.

– Ce n'en était pas un. On l'a forcé à prendre ces somnifères.

– Je sais par expérience qu'il est difficile d'accepter la vérité quand son enfant se suicide.

– Je sais que votre fils s'est suicidé parce qu'il avait le sida.

Elle crut percevoir de la surprise dans les yeux de Christian Holloway, mais il se ressaisit rapidement.

– Ça ne m'étonne pas. Votre fils le savait, bien évidemment. De nos jours, on ne peut rien garder secret.

– Henrik prétendait qu'on pouvait au contraire tout cacher. La disparition du cerveau de Kennedy en était l'exemple parfait.

– Je m'en souviens. La commission Warren a travaillé en vain sur cette question. Il y avait sans doute une explication très simple que personne ne s'est soucié d'aller chercher.

– Pour Henrik, dans le monde d'aujourd'hui, la vérité est toujours cachée par ceux qui ont intérêt à promouvoir le mensonge ou à l'utiliser pour d'obscures spéculations.

– Ça ne date pas d'aujourd'hui. Je ne connais pas d'époque où il en soit allé autrement.

– Mais n'est-ce pas notre devoir de démasquer le mensonge et de combattre l'injustice ?

Christian Holloway leva les bras.

– Je résiste à l'injustice à ma façon, en combattant l'ignorance et la peur. Je démontre que l'on peut aider son prochain. Vous me demandez ce qui me fait agir. Je vais vous le dire. C'est la volonté de comprendre comment un homme inculte comme Gengis Khan à la tête de ses hordes de guerriers a pu vaincre des armées sophistiquées et de puissantes nations loin des steppes de Mongolie pour créer un empire dont le monde n'a jamais pris la vraie mesure. Quelle était leur arme invincible ? Je crois que je connais la réponse.

– Et qu'est-ce que c'était ?

– Leurs longs arcs. Leur façon de faire corps avec le cheval. Leur capacité à décocher leurs flèches au moment exact où ils étaient sûrs d'atteindre leur cible, malgré le galop effréné du cheval. Comme toutes les réponses essentielles, elle est très simple. Je rougis aujourd'hui d'avoir mis autant de temps à le comprendre. En réalité, les cavaliers avaient appris à décocher leurs flèches au moment précis où les quatre sabots du cheval étaient en l'air. Pendant ce moment vertigineusement bref d'équilibre parfait, le cavalier qui décochait sa flèche était certain d'atteindre son but. Gengis Khan ne s'est pas seulement élevé à la tête de hordes brutales assoiffées de sang. Il s'est élevé à la connaissance exacte du moment où le calme jaillit du chaos. C'est ce qui m'inspire et c'est ainsi que j'essaie de vivre.

– En construisant ces installations ?

– En essayant de rétablir l'équilibre. Ceux qui sont contaminés par le virus du sida dans ce pays, sur ce continent, sont condamnés à mourir, à moins d'avoir la chance d'être nés dans une des rares familles riches. Mais celui qui contracte la maladie en Occident peut compter sur le soutien et les médicaments dont il a besoin, quelle que soit son origine sociale.

– Il y a une installation clandestine sous votre village. Comme un bateau négrier. Sur le pont, les passagers bien portants se promènent. Dans la cale, enchaînés, les esclaves s'entassent.

– Je ne comprends pas ce que vous voulez dire.

– Il y a une installation clandestine. On y fait des expériences sur des hommes bien portants et des malades. Je le sais même si je ne peux pas le prouver.

– Qui prétend cela ?

– Il y avait quelqu'un là-bas qui voulait me parler. Le jour suivant, il a disparu. Un autre a lui aussi voulu me raconter ce qui se passait. On lui a tranché la gorge.

– Je ne suis pas au courant.

– Mais vous êtes responsable de ce qui se passe là-bas ?

– Naturellement.

– Alors vous êtes responsable s'il se passe dans vos *missions* le contraire de ce que vous prétendez.

– Laissez-moi vous dire une chose. Il n'y a pas de monde sans confrontation, pas de civilisation qui ne commence par établir les règles qui régissent les relations entre les hommes. Mais ces règles sont pour les faibles. Le fort sait les contourner et créer ses propres règles. Vous voudriez que tout soit affaire de charité et de bonne volonté. Mais sans intéressement privé, il n'y a pas de développement possible. Les brevets des médicaments garantissent des profits qui rendent possibles la recherche et le développement de nouveaux médicaments. Supposons que ce que vous dites sur mes villages soit vrai. Je ne dis pas que c'est le cas, mais supposons-le. Est-ce que quelque chose de bon ne pourrait pas découler d'une activité en apparence brutale ? Il y a urgence à trouver un remède au sida, ne l'oubliez pas. L'Afrique méridionale tout particulièrement se trouve au seuil d'une catastrophe gigantesque comparable seulement à la peste noire. Pensez-vous qu'il y ait des États prêts à dépenser des milliards pour trouver un vaccin ? Non, cet argent sert pour des choses plus importantes, comme financer une guerre en Irak.

Christian Holloway se leva.

– Mon temps est compté. Je dois m'en aller. Revenez me voir quand vous voulez.

– Je ne renoncerai pas avant d'avoir compris ce qui est arrivé à Henrik.

Il ouvrit la porte sans faire de bruit.

– Désolé d'avoir crocheté votre porte. La tentation était trop forte.

Il disparut dans le couloir. Par la fenêtre, Louise le vit sortir de l'hôtel et monter dans une voiture. Elle tremblait de tout son corps. Il lui avait filé entre les doigts. Elle n'avait pas réussi à le confondre et à briser ses murs de défense. Elle avait posé ses questions, mais c'était lui qui avait obtenu des réponses. Elle comprenait à présent qu'il était venu pour savoir ce qu'elle savait. Il l'avait laissée parce qu'il n'avait plus peur d'elle.

Lucinda était maintenant son dernier espoir. La seule qui soit encore capable de faire la lumière sur ce qui s'était vraiment passé.

Le soir, elle entendit le timbila dans la nuit. Cette fois, la musique venait d'un endroit plus proche de la mer. Elle se laissa guider par le son, marchant avec précaution et essayant d'habituer ses yeux à l'obscurité. La lune était nouvelle, une fine couche de brume voilait le ciel. Quand la musique cessa, elle tendit l'oreille pour entendre la respiration de Lucinda, en vain. Un bref instant, elle crut être tombée dans un piège. Lucinda n'était pas dans ces ténèbres, d'autres ombres la guettaient comme elles avaient guetté Umbi, Henrik et peut-être aussi Aron.

Elle entendit alors Lucinda qui l'appelait, tout près d'elle. Elle vit une allumette s'enflammer, puis une lanterne briller. Louise s'assit au côté de Lucinda. Elle sentit sur son front qu'elle avait une forte fièvre.

– Vous n'auriez pas dû venir, vous êtes trop malade.

– Je sais. Il faut bien mourir quelque part. La terre est aussi bonne ici qu'ailleurs. En plus je ne mourrai pas seule, je ne manquerai pas de compagnie sous terre. Il y a plus de monde chez les morts que chez les vivants. Il suffit de choisir de mourir là où d'autres morts attendent.

– Christian Holloway est venu me voir aujourd'hui.

– J'avais compris qu'il viendrait. Avez-vous regardé derrière vous en me rejoignant ici ? Avez-vous été suivie ?

– Je n'ai vu personne.

– Je ne vous demande pas ce que vous avez vu, je me demande si quelqu'un vous a suivie.

– Je n'ai vu, ni entendu personne.

Louise remarqua que Lucinda s'éloignait d'elle.

– J'ai besoin de place. La fièvre brûle tout mon oxygène.

– Que voulez-vous me raconter ?

– La suite. La fin. S'il y a une fin.

Mais Lucinda n'eut pas le temps d'ajouter quoi que ce soit. Un coup de feu brisa le silence en mille morceaux. Lucinda sursauta et tomba sur le côté sans aucun bruit.

Louise vit soudain défiler sous ses yeux les images qu'elle avait trouvées dans les classeurs d'Henrik. Lucinda avait été touchée à la tête à l'endroit précis où la balle mortelle avait fait sauter le cerveau de Kennedy. Mais personne ne se soucierait de dissimuler la cervelle qui coulait à présent de la tête de Lucinda.

Louise poussa un cri. Elle était arrivée au bout du voyage. Mais rien ne s'était passé comme elle l'avait espéré. La vérité était à présent sous ses yeux. Elle savait qui avait tiré. Un homme qui découpait des silhouettes, une ombre fuyante qui prétendait à la face du monde ne vouloir que le bien de l'humanité. Mais qui la croirait ? La mort de Lucinda mettait à jamais un point final à cette histoire.

Louise voulut rester près de Lucinda, mais elle n'osa pas. Elle espéra, dans sa confusion et sa terreur, qu'un des amis invisibles de Lucinda se cachait dans les ténèbres, au-delà du halo de la lanterne, et qu'il s'occuperait d'elle.

Elle veilla à nouveau toute la nuit, terrorisée. Elle n'avait pas la force de penser, tout était vide et gelé.

Au matin, elle entendit la camionnette s'approcher de l'hôtel. Elle descendit à la réception et régla sa chambre. En sortant, elle trouva Warren en train de fumer. Là où Lucinda avait été tuée, il ne restait rien. Personne, pas de corps, rien. Warren jeta sa cigarette en la voyant et fronça les sourcils d'un air préoccupé.

– Il y a eu un coup de feu ici cette nuit, dit-il. Nous, les Africains, nous avons beaucoup trop d'armes entre nos mains. Nous nous entre-tuons beaucoup trop souvent.

Warren lui ouvrit la portière.

– Où allons-nous aujourd'hui ? C'est une belle journée. Je peux vous montrer des lagunes où l'eau coule comme des perles entre vos mains. En Afrique du Sud, j'ai creusé dans des mines profondes pour extraire des pierres précieuses. Ici, les diamants coulent entre mes doigts sous forme de précieuses gouttes d'eau.

– Une autre fois. Pas aujourd'hui. Je dois rentrer à Maputo.

– Si loin ?

– Oui ! Je paierai le prix que vous voudrez.

Il ne donna pas de prix, il se contenta de s'installer au volant et de démarrer. Louise se retourna et se dit qu'elle ne reverrait jamais cette plage où elle avait connu l'horreur.

Ils roulèrent toute la matinée dans un nuage de poussière rouge. Le soleil, haut dans le ciel, répandit bientôt sa chaleur sur le paysage.

Elle ne desserra pas les lèvres jusqu'à Maputo et le paya sans prononcer un mot. Warren ne posa pas de questions et lui dit seulement adieu. Elle descendit à l'hôtel Terminus, s'enferma et se laissa sombrer dans l'abîme. Elle passa deux jours sans parler, de temps à autre les employés lui apportaient des repas qu'elle touchait à peine. Elle ne téléphona même pas à Artur pour demander de l'aide.

Le troisième jour, elle se fit violence pour sortir du lit, quitter l'hôtel et le Mozambique. Elle arriva à Madrid via Johannesburg l'après-midi du 23 décembre. Tous les vols pour Barcelone étaient complets à cause des vacances de Noël. Elle hésita à prendre le train, mais se décida à rester quand elle trouva une place sur un vol le lendemain matin.

Il pleuvait sur Madrid. Les décorations de Noël scintillaient au-dessus des rues et dans les vitrines. Elle avait pris une chambre à l'hôtel le plus cher qu'elle connaissait, le célèbre Ritz.

Elle et Aron étaient passés devant une fois, en allant visiter le musée du Prado. Elle se souvenait comme ils s'étaient amusés à l'idée de pouvoir dépenser tant d'argent pour une nuit dans une suite. Et voilà que l'argent d'Aron lui payait une chambre alors que lui-même avait disparu. Elle souffrait de son absence, sans répit. Elle commençait seulement à comprendre que, lorsqu'elle l'avait retrouvé parmi les perroquets rouges, un peu de leur ancien amour avait ressuscité.

Elle alla visiter le musée de l'autre côté de la rue. Elle se souvenait où étaient les collections de tableaux et de gravures de Goya.

Aron et elle étaient restés longtemps devant la toile repré-
sentant une vieille femme. Il l'avait prise par la main et ils
avaient pensé tous deux, comme ils l'avaient compris par la
suite, à la vieillesse inévitable.

Elle resta tout l'après-midi au musée, et essaya d'oublier,
pour quelques heures, ce qui s'était passé.

Il pleuvait toujours le lendemain quand elle atterrit à Barcelone. En descendant de l'avion, elle fut prise d'un vertige et
dut s'appuyer au mur du couloir qui conduisait au terminal. Une
hôtesse de l'air lui demanda si elle avait besoin d'aide. Elle fit
non de la tête et continua à marcher. Il lui semblait avoir voyagé
sans interruption depuis le jour où elle avait quitté Argos pour
embarquer sur ce vol matinal de la Lufthansa vers Francfort et
Stockholm. Afin de reprendre ses esprits, elle récapitula la longue
liste des départs et des arrivées : Athènes - Francfort - Stockholm
- Visby - Stockholm - Östersund - Stockholm - Francfort - Singapour - Sydney - Melbourne - Bangkok - Francfort - Barcelone
- Madrid - Johannesburg - Maputo - Johannesburg - Francfort
- Athènes - Francfort - Stockholm - Östersund - Stockholm -
Francfort - Johannesburg - Maputo - Johannesburg - Madrid
- Barcelone.
    Les étapes d'un long cauchemar. Autour d'elle, ce n'était que
disparitions et morts. Elle ne parviendrait jamais à se libérer des
images d'Umbi et de Lucinda, même si peu à peu elles se trans-
formeraient en pâles photographies où il ne serait plus possible
de distinguer leurs traits. Elle n'oublierait pas non plus Christian
Holloway, la silhouette découpée d'un homme sans pitié qui ne
s'était pas laissé vaincre.
    Derrière ces visages, il y avait aussi ceux qui resteraient des
ombres anonymes.

Elle se rendit à l'appartement d'Henrik. Blanca était en train de récurer l'escalier. Elles restèrent longtemps chez elle à parler. Louise lui demanda qui était venu à l'appartement d'Henrik juste après sa mort. Blanca la regarda, interloquée.

– J'ai eu la nette impression que vous n'aviez pas dit la vérité, que quelqu'un était venu.

– Pourquoi aurais-je menti ?

– Je ne sais pas. C'est pour cela que je pose la question.

– Vous avez dû vous tromper. Personne n'est venu. Je ne vous ai rien caché, ni à vous, ni à Aron.

– Alors je me suis trompée.

– Aron est-il revenu ?

– Non.

– Je ne comprends pas.

– C'en était peut-être trop pour lui. Les hommes sont parfois fragiles. Il est peut-être tout simplement retourné à Apollo Bay.

– Vous ne l'avez pas cherché là-bas ?

– Je veux dire une autre Apollo Bay, je ne sais où. En fait, je suis juste venue voir une dernière fois l'appartement d'Henrik. Je voudrais y rester seule.

Elle monta à l'appartement et se dit que la pièce où elle se trouvait était à ce moment précis le centre de sa vie. C'était le soir de Noël, une pluie grise tombait et elle n'avait toujours pas la moindre idée du tour qu'allait prendre son existence.

Comme elle s'en allait, Blanca vint la voir, une lettre à la main.

– J'ai oublié de vous donner ceci. C'est arrivé il y a quelques jours.

La lettre n'avait pas d'expéditeur. Le cachet indiquait qu'elle avait été postée en Espagne. Son nom et l'adresse de l'hôtel étaient inscrits sur l'enveloppe.

– Comment cette lettre a-t-elle échoué chez vous ?

– Quelqu'un de l'hôtel est venu. Apparemment vous aviez donné l'adresse d'Henrik.

– Est-ce que j'ai fait ça ? Je ne me souviens pas.

Louise la glissa dans sa poche.

– Vous êtes sûre de ne pas avoir d'autres lettres en attente ?

– Absolument.

– Plus d'autre lettre qu'Henrik vous aurait demandé d'envoyer dans un an ou dans dix ?

Blanca comprit. Elle secoua la tête. Il n'y avait plus d'autre lettre semblable à celle qu'elle avait envoyée à Nazrin. La pluie avait cessé. Louise décida de faire une longue promenade pour s'aérer avant d'aller dîner à l'hôtel. Elle appellerait Artur avant de s'endormir pour lui souhaiter un joyeux Noël. Peut-être serait-elle de retour le 26 ? Elle pourrait au moins lui promettre d'être de retour pour le Nouvel An.

Ce n'est que tard dans la soirée qu'elle se souvint de la lettre. Elle la lut dans sa chambre. Avec un effroi croissant elle comprit que rien n'était terminé, que sa douleur n'avait pas encore atteint son paroxysme.

Le texte était écrit en anglais. Toutes les données personnelles, les noms de pays et de villes étaient caviardés à l'encre noire.

L'état civil correspond aux données indiquées sur le bracelet d'identité attaché au corps. La couleur générale de la peau est pâle, des taches cadavériques rouges et bleues sont réparties sur le dos du corps. La raideur cadavérique demeure. Érosion sanguine sur la muqueuse conjonctive et autour des yeux. Aucun corps étranger visible dans les oreilles, les narines, la cavité buccale et l'anus. Les muqueuses apparentes sont pâles et sans hémorragie. Pas de blessure visible sur le corps, pas de cicatrice. Les organes sexuels extérieurs sont intacts et ne contiennent aucun objet étranger.

Elle ne saisissait toujours pas le sens de tout ceci. Elle ne ressentait qu'une peur diffuse. Elle continua sa lecture :

L'examen interne établit l'absence d'hémorragie sous le cuir chevelu. Le crâne est intact, l'os est pâle sur sa face interne. Aucune hémorragie sur ou sous la dure-mère, elle aussi intacte. La surface du cerveau est d'apparence normale. Aucune trace d'écrasement de la tente du cervelet ni du sinus longitudinal inférieur. Pas de déplacement du bulbe. Les muqueuses sont lisses et brillantes. Aucune hémorragie ni aucune trace pathologique n'est visible entre les membranes. La boîte crânienne a un volume normal. La frontière entre matière grise et matière blanche est nette. La matière grise a une couleur normale. Les lobes cérébraux ont une consistance normale. Pas de calculs dans les artères cérébrales.

Elle poursuivit sa lecture. Il était question des systèmes circulatoire, respiratoire, digestif, urinaire. La liste était longue et s'achevait par un examen du squelette. Enfin venaient les conclusions.

Le sujet a été trouvé mort couché sur le ventre sur l'asphalte. Aucun indice particulier n'a été relevé. L'érosion sanguine indique que la mort a été causée par strangulation. Le tableau général implique que la mort a vraisemblablement été causée par l'action intentionnelle d'une tierce personne.

Ce qu'elle avait entre les mains était un rapport d'autopsie, établi dans un hôpital inconnu par un médecin légiste inconnu. Ce n'est qu'en lisant les données concernant la taille et le poids qu'elle comprit avec horreur que c'était Aron qui était couché sur la table de dissection.

« L'action intentionnelle d'une tierce personne. » Une fois Aron sorti de l'église, quelqu'un l'avait attrapé, étranglé et abandonné en pleine rue. Mais qui l'avait trouvé ? Pourquoi la police espagnole ne s'était-elle pas manifestée ? Quel médecin avait pratiqué l'autopsie ?

Elle éprouva un besoin désespéré de parler à Artur. Elle l'appela, mais ne lui parla ni de Lucinda, ni du rapport d'autopsie, se contentant de dire qu'Aron était mort et qu'elle ne pouvait rien ajouter pour le moment. Il avait trop de tact pour poser des questions. Il lui demanda seulement quand elle rentrerait à la maison.

– Bientôt, répondit-elle.

Elle vida le minibar et se demanda comment elle ferait pour supporter ce deuil écrasant. Elle se sentait comme un édifice dont le dernier pilier encore debout menace de s'effondrer d'un moment à l'autre. Dans cet hôtel de Barcelone, le rapport d'autopsie étalé devant elle, elle se dit qu'elle n'aurait bientôt plus la force de tenir.

Le lendemain, elle retourna à l'appartement d'Henrik. Tandis qu'elle essayait de décider quoi faire de ses effets personnels, elle comprit soudain où trouver la force de continuer à vivre.

Il n'y avait qu'une seule voie, et tout commençait ici, dans l'appartement d'Henrik. Sa mission serait de compléter ce qu'il n'avait pas eu le temps de raconter. Elle allait fouiller puis assemblerait les fragments déterrés.

Quels avaient été les mots de Lucinda ? « Il faut si possible éviter de mourir avant d'avoir fini de raconter son histoire. » Sa propre histoire. Celle d'Henrik. Et celle d'Aron. Trois histoires qui désormais n'en faisaient plus qu'une.

Il fallait qu'elle prenne le relais, il n'y avait plus qu'elle, à présent.

Elle eut un sentiment d'urgence. Le temps rétrécissait autour d'elle. Mais elle irait d'abord retrouver Artur. Ensemble, ils se rendraient sur la tombe d'Henrik et allumeraient aussi un cierge pour Aron.

Le 27 décembre, Louise quitta son hôtel et se rendit à l'aéroport. Le temps était brumeux. Elle descendit de son taxi et chercha le comptoir d'Iberia et l'avion qui devait la ramener à Stockholm.

Pour la première fois depuis longtemps, elle se sentait forte. Sa boussole ne s'affolait plus.

Après avoir enregistré ses bagages, elle alla s'acheter un journal avant de passer les contrôles de sécurité.

Elle ne remarqua pas l'homme qui de loin la suivait du regard.

Il attendit qu'elle passe les contrôles de sécurité pour quitter le hall des départs et disparaître.

Postface

Il y a vingt ans, à la frontière entre la Zambie et l'Angola, j'ai vu un jeune Africain mourir du sida.

C'était la première fois, mais pas la dernière.

Le souvenir de son visage m'a habité durant toute la préparation et l'écriture de ce livre.

C'est un roman, un ouvrage de fiction. Mais la frontière entre ce qui s'est vraiment passé et ce qui aurait pu arriver est le plus souvent infime. Bien sûr, je n'enquête pas comme un journaliste, mais, comme lui, je cherche à éclairer les recoins obscurs des êtres, de la société, du monde. Il n'est pas rare que nous parvenions au même résultat.

J'ai pris les libertés que permet la fiction. Juste un exemple : à ma connaissance, aucun Lars Håkansson n'a jamais été en poste comme diplomate ou coordinateur de l'aide au développement à l'ambassade de Suède à Maputo, ni nulle part ailleurs, et si c'était le cas, je clame ici haut et fort que la coïncidence est fortuite !

On rencontre rarement des personnages comme lui. J'aimerais pouvoir dire jamais, mais c'est malheureusement impossible.

De nombreuses personnes m'ont aidé dans cette descente au fond de ce que l'on peut appeler un abîme. Je tiens à en nommer deux. Tout d'abord Robert Johnsson, de Göteborg, qui m'a fourni la documentation dont j'avais besoin, en y ajoutant quelques trouvailles de son cru. Et aussi le Dr Anastazia Laza-ridou, du Musée byzantin d'Athènes, qui m'a initié au monde complexe de l'archéologie.

Je remercie collectivement tous les autres.

Enfin, un roman peut s'achever à la page 212 ou 384, mais rien n'arrête le cours de la réalité. Ce que j'ai écrit ne dépend que de mes choix personnels, de la même façon que la colère qui m'a poussé à écrire n'appartient qu'à moi.

Henning Mankell

Table

Du même auteur

AUX ÉDITIONS DU SEUIL

Comédia infantil
roman, 2003
et coll. « Points », n° P1324

Le Fils du vent
roman, 2004
et coll. « Points », n° P1327

Tea-Bag
roman, 2007
et coll. « Points », n° P1887

Profondeurs
roman, 2008
et coll. « Points », n° P2068

à paraître

Chaussures italiennes

L'Œil du léopard

Le Chinois

SEUIL POLICIERS

« Série Kurt Wallander »

1. Meurtriers sans visage
coll. « Points Policiers », n° P1122
(et Bourgois, 1994)

2. Les Chiens de Riga
2003
prix Trophée 813
et coll. « Points Policiers », n° P1187

3. La Lionne blanche
2004
et coll. « Points Policiers », n° P1306

4. L'homme qui souriait
2005
et coll. « Points Policiers », n° P1451

5. Le Guerrier solitaire
1999
prix Mystère de la critique 2000
et coll. « Points Policiers », n° P792

6. La Cinquième Femme
2000
et coll. « Points Policiers », n° P877

7. Les Morts de la Saint-Jean
2001
et coll. « Points Policiers », n° P971

8. La Muraille invisible
2002
prix Calibre 38
et coll. « Points Policiers », n° P1081

« Série Linda Wallander »

Avant le gel
2005
et coll. « Points Policiers », n° P1539

HORS SÉRIE

Le Retour du professeur de danse
2006
et coll. « Points Policiers », n° P1678